VALERIO MASSIMO MANFREDI

Italien, Valerio Massimo Manfredi est diplômé de lettres classiques et archéologue. Professeur d'université à Milan et Venise, intervenant dans plusieurs facultés étrangères, il a dirigé plusieurs fouilles et missions scientifiques. Journaliste au *Panorama* et au *Messagero*, Valerio Massimo Manfredi, également scénariste et auteur de nouvelles, a déjà publié neuf romans, comme *La tour de la solitude* en 1996. En 1998, à l'instigation de l'éditeur Mondadori, il s'inspire des écrits de Plutarque, Pline et Démosthène pour composer sa trilogie consacrée à Alexandre le Grand et "transporter l'homme moderne dans une Antiquité reconstituée exactement, mais avec émotion".
Valerio Massimo Manfredi, qui se définit lui-même comme "un professionnel de l'Antiquité", partage son temps entre ses travaux de chercheur et l'écriture de romans. Son talent de conteur et son goût pour les intrigues subtiles lui ont valu d'être comparé à son compatriote Umberto Eco.

ALEXANDRE LE GRAND

I

LE FILS DU SONGE

DU MÊME AUTEUR
CHEZ POCKET

ALEXANDRE LE GRAND

I LE FILS DU SONGE
III LES CONFINS DU MONDE
LA TOUR DE LA SOLITUDE

VALERIO MANFREDI

Alexandre le Grand

I

Le fils du songe

PLON

Titre original :

ALÉXANDROS
(IL FIGLIO DEL SOGNO)

Traduit de l'italien
par Claire Bonnefous

ISBN : 2-266-10004-1

... et siluit terra in conspectu eius.
... et la terre se tut devant lui.

Maccabées, I, 3.

Prologue

Les quatre mages gravissaient lentement les sentiers qui menaient au sommet de la Montagne de la lumière. Ils venaient des quatre points de l'horizon, avec à l'épaule une besace contenant des bois parfumés qu'ils destinaient au rite du feu.

Le mage de l'aurore portait un manteau de soie rose aux reflets bleus et des sandales en cuir de cerf. Le mage du couchant avait une veste cramoisie, diaprée d'or, ainsi qu'une longue étole de soie de mer brodée de semblables couleurs.

Le mage du midi arborait une tunique de pourpre semée d'épis d'or et des babouches en peau de serpent. Le dernier d'entre eux, le mage de la nuit, était vêtu de laine noire, tissée dans la toison d'agneaux mort-nés et ponctuée d'étoiles d'argent.

Leur allure, tandis qu'ils cheminaient, semblait rythmée par une musique qu'ils étaient les seuls à entendre, et ils approchaient du temple d'un pas égal, parcourant les mêmes distances. Pourtant, l'un montait une côte pierreuse, l'autre marchait le long d'un sentier plat, et les deux derniers avançaient sur le lit sablonneux de fleuves asséchés.

Ils se présentèrent au même instant aux quatre entrées de la tour de pierre, alors que l'aube nappait d'une lumière de perle l'immense désert du haut plateau.

Ils se saluèrent d'un signe de tête sous les quatre arcs d'entrée puis gagnèrent l'autel. Le mage de l'aurore accomplit son rite le premier : il disposa des rameaux de bois de santal de façon à former un carré ; le mage du midi lui succéda, ajoutant de biais de petits fagots de brindilles d'acacia fasciculées. Le mage du couchant amoncela sur cette base du bois de cèdre écorcé, ramassé dans la forêt du mont Liban. Enfin, le mage de la nuit déposa des branches émondées et vieillies de chêne du Caucase, un bois frappé par la foudre et séché par le soleil des montagnes. Tous quatre tirèrent alors de leur besace les silex sacrés et firent jaillir à l'unisson des étincelles azurées au pied de la petite pyramide, jusqu'à ce que le feu commence à brûler — faiblement d'abord, puis de plus en plus fort. Ces langues vermeilles virèrent au bleu, puis au blanc, en tous points semblables au feu du ciel, au souffle divin d'Ahura-Mazda, dieu de vérité et de gloire, seigneur du temps et de la vie.

Seule la voix pure des flammes murmurait sa mystérieuse poésie à l'intérieur de la grande tour de pierre : on n'entendait pas même la respiration des quatre hommes, immobiles au centre de leur immense patrie.

Ils regardaient comme en extase le feu sacré lécher la simple architecture de branches disposée sur l'autel de pierre. Ils fixaient de leurs yeux cette lumière pure et sa merveilleuse danse tandis que montait leur prière pour le peuple et le roi. Le Grand Roi, le Roi des Rois, qui siégeait, si loin, dans la salle somptueuse de son palais, l'immortelle Persépolis, au milieu d'une forêt de colonnes peintes en pourpre et or, veillée par des taureaux ailés et des lions rampants.

En cette heure matinale, dans ce lieu magique et solitaire, l'air était parfaitement immobile, et tel devait-il être afin que le Feu céleste pût adopter les formes et les mouvements de sa nature divine, qui ne cesse de le pousser vers le haut pour qu'il s'unisse à l'Empyrée, sa source originelle.

Mais soudain, une force puissante souffla sur les flammes et les anéantit. Sous le regard surpris des mages, les braises se changèrent brusquement en un noir charbon.

Il n'y eut pas d'autre signe, pas le moindre son, si ce n'est le cri lointain du faucon qui s'élevait dans le ciel vide. Aucun mot ne fut échangé. Effarés et frappés par ce triste présage, les quatre hommes fondirent en pleurs près de l'autel.

Au même instant, dans un lointain pays d'Occident, une jeune femme s'approchait en tremblant des chênes d'un antique sanctuaire, afin de demander une bénédiction pour son fils, qu'elle sentait pour la première fois tressaillir en son sein. Elle s'appelait Olympias. Quant au nom de l'enfant, c'est le vent qui le révéla en soufflant impétueusement dans les branches millénaires et en agitant les feuilles mortes au pied des troncs gigantesques. Et ce nom était :

ALEXANDRE

1

Olympias s'était rendue au sanctuaire de Dodone en obéissant à une étrange inspiration, à un présage qui l'avait visitée dans son sommeil tandis qu'elle reposait auprès de son époux, Philippe, roi des Macédoniens, qui s'était repu de mets et de vin.

Elle avait rêvé qu'un serpent rampait lentement le long du couloir et entrait sans bruit dans la chambre. Elle le voyait, mais ne pouvait bouger ; elle ne pouvait ni crier ni fuir. Les anneaux du grand reptile glissaient sur le dallage de pierre, ses écailles étincelaient de reflets de cuivre et de bronze sous les rayons de la lune qui pénétraient par la fenêtre.

Un instant, elle avait souhaité que Philippe se réveille et l'étreigne, la réchauffe contre sa poitrine forte et musclée, la caresse de ses grandes mains de guerrier, mais ses yeux s'étaient de nouveau posés sur ce *drakon*, sur cet animal prodigieux qui se déplaçait comme un fantôme, comme une créature magique, une de ces créatures que les dieux font jaillir, selon leur bon plaisir, des viscères de la terre.

Curieusement, elle n'avait plus peur maintenant, elle n'éprouvait aucun dégoût ; au contraire, elle se sentait de plus en plus attirée, et presque fascinée par ces mouvements sinueux, par cette puissance gracieuse et silencieuse.

Le serpent s'introduisit sous les couvertures, s'insinua entre ses jambes, entre ses seins, et elle devina qu'il l'avait prise — légèrement, froidement, sans la blesser ni la violenter.

Elle rêva que sa semence s'était mêlée à celle que son époux avait déjà fait jaillir en elle avec la force d'un taureau et la fougue d'un verrat avant de s'effondrer, vaincu par le sommeil et le vin.

Le lendemain, le roi avait revêtu son armure, mangé de la viande de sanglier et du fromage de brebis en compagnie de ses généraux, puis il était parti pour la guerre. Une guerre contre un peuple plus barbare que ses Macédoniens : les Triballes, qui s'habillaient de peaux d'ours, portaient des bonnets de renard et vivaient le long des rives de l'Istros, le plus grand fleuve d'Europe.

Il s'était contenté de lui dire : « N'oublie pas d'offrir des sacrifices aux dieux pendant tout le temps que durera mon absence et couve-moi un garçon, un héritier qui me ressemble. »

Puis il était monté sur son cheval bai et s'était élancé au galop avec ses généraux, faisant résonner la cour sous les sabots des destriers et le fracas des armes.

Après son départ, Olympias se plongea dans un bain chaud. Tandis que ses servantes la massaient au moyen d'éponges trempées dans des essences de jasmin et de roses de Piérie, elle envoya chercher Artémisia, sa nourrice, une vieille femme de bonne famille aux seins énormes et aux hanches étroites, qu'elle avait amenée d'Épire lorsqu'elle était venue en Macédoine pour épouser Philippe.

Elle lui raconta son rêve et lui demanda : « Quel en est le sens, ma bonne Artémisia ? »

La nourrice l'aida à sortir du bain chaud et commença de l'essuyer dans des toiles de lin égyptien.

« Mon enfant, les rêves sont toujours des messages des dieux, mais rares sont ceux qui savent les déchiffrer. Je pense que tu devrais gagner le plus ancien de nos sanctuaires et consulter l'oracle de Dodone, dans notre patrie, l'Épire. Là, les prêtres se transmettent depuis des temps immémoriaux le savoir qui consiste à interpréter la voix du grand Zeus, le père des dieux et des hommes. Celle-ci se manifeste lorsque le vent se glisse à travers les branches des chênes millénaires du sanctuaire, lorsqu'il fait susurrer leurs feuilles au printemps ou en été, lorsqu'il les agite, une fois mortes, autour des souches, à l'automne et en hiver. »

Ainsi, quelques jours plus tard, Olympias se mit en route vers le sanctuaire. Il se dressait dans un lieu grandiose et majestueux, dans une vallée verdoyante qu'enserraient des collines boisées.

On disait de ce temple que c'était l'un des plus vieux du monde. Deux colombes, posées sur la main de Zeus, s'étaient envolées après qu'il avait pris le pouvoir en chassant son père, Cronos ; l'une d'elles s'était posée sur un chêne de Dodone, et l'autre sur un palmier de l'oasis de Siwah, dans les sables brûlants de la Libye. Depuis lors, la voix du père des dieux résonnait dans ces deux endroits.

« Que signifie mon rêve ? » demanda Olympias aux prêtres du sanctuaire.

Ils étaient assis en cercle sur des sièges de pierre, au milieu d'un pré dont l'herbe, très verte, était semée de marguerites et de renoncules, et ils écoutaient le vent qui agitait les feuilles des chênes. Ils semblaient en extase.

L'un d'eux finit par déclarer : « Il signifie que l'enfant que tu engendreras appartiendra à la lignée de Zeus et à celle d'un homme mortel. Il signifie que le sang d'un dieu s'est mêlé au sang d'un homme en ton sein.

« Le fils auquel tu donneras le jour resplendira d'une énergie extraordinaire. Mais à l'instar des flammes les plus vives qui lèchent les parois de la lanterne et brûlent plus rapidement l'huile qui les alimente, son âme pourrait consumer la poitrine qui la renferme.

« Rappelle-toi, reine, l'histoire d'Achille, ancêtre de ta glorieuse famille : il eut le droit de choisir entre une vie brève mais glorieuse, et une vie longue mais obscure. Il opta pour la première, sacrifiant sa vie pour un instant de lumière aveuglante.

— Est-ce un destin établi ? interrogea Olympias en tremblant.

— C'est un destin possible, répondit un autre prêtre. Nombreuses sont les routes qui s'offrent à l'homme, mais certains individus sont dotés, dès la naissance, d'une force différente, qui leur vient des dieux et qui essaie de revenir aux dieux. Garde ce secret dans ton cœur tant que la nature de ton enfant ne se sera pas pleinement manifestée. Ensuite, sois prête à tout, même à le perdre, parce que quoi que tu fasses, tu ne parviendras pas à empêcher son destin de s'accomplir et sa renommée de s'étendre jusqu'aux confins du monde. »

Il était encore en train de parler quand la brise qui soufflait dans le feuillage des chênes se transforma soudain en un vent du sud, violent et chaud, dont la force augmenta rapidement, au point de fléchir la chevelure des arbres et d'obliger les prêtres à couvrir leur tête de leur manteau.

Le vent entraîna dans son sillage une brume dense et rougeâtre qui assombrit bientôt toute la vallée. Olympias s'enveloppa entièrement dans son manteau, elle aussi, et demeura immobile dans la tourmente, comme la statue d'une déesse sans visage.

Le tourbillon disparut comme il était venu. Les statues, les stèles et les autels qui ornaient le lieu sacré émergèrent de la brume, sous une fine couche de poussière rouge.

Le prêtre qui avait parlé le dernier y posa le bout de ses doigts, qu'il porta à ses lèvres. « Le souffle du vent libyen, l'haleine de Zeus Ammon, dont l'oracle est situé parmi les palmiers de Siwah, nous a envoyé cette poussière. C'est un prodige merveilleux, un signe extraordinaire, car malgré l'immense distance qui les sépare, les deux plus anciens oracles de la terre ont fait résonner leur voix au même moment. Ton fils a entendu des appels lointains, et il en a peut-être compris le message. Un jour, il les entendra à nouveau dans un grand sanctuaire, parmi les sables du désert. »

Après avoir écouté ces paroles, la reine rentra à Pella, la capitale dont les rues étaient poussiéreuses en été et boueuses en hiver, attendant avec crainte et angoisse le jour où son fils naîtrait.

Les douleurs de l'accouchement s'annoncèrent un soir de printemps, après le coucher du soleil. Ses servantes allumèrent des lampes à huile, et Artémisia, sa nourrice, fit appeler la sage-femme et le médecin Nicomaque, qui avait jadis soigné le vieux roi Amyntas et présidé à la naissance de nombreux rejetons royaux, aussi bien légitimes que naturels.

Nicomaque se tenait prêt, dans l'attente de ce moment. Il passa un tablier, ordonna aux domestiques de chauffer de l'eau et de lui apporter d'autres chandeliers pour qu'il ne risque pas de manquer de lumière.

Il laissa toutefois l'accoucheuse s'approcher la première de la reine, parce qu'une femme préfère être touchée par une de ses semblables au moment de donner le jour à son enfant : seule une femme peut mesurer la douleur et la solitude dans lesquelles on engendre une nouvelle vie.

À cet instant précis, le roi Philippe prenait d'assaut la ville de Potidée, et il n'aurait pour rien au monde abandonné le champ de bataille.

Ce fut un accouchement difficile et long, parce que Olympias avait les hanches étroites et qu'elle était de santé délicate.

La nourrice lui essuyait le front, luisant de sueur, en

répétant : « Courage, mon enfant, pousse ! La vue de ton fils te consolera de tout le mal qu'il te faut supporter. »

Elle lui mouillait les lèvres avec de l'eau de source, dont les servantes ne cessaient de remplir une écuelle en argent.

Mais lorsque la douleur s'accrut encore, la conduisant au seuil de l'évanouissement, Nicomaque intervint. Il guida les mains de la sage-femme et ordonna à Artémisia de presser le ventre de la reine, car celle-ci n'avait plus de forces, et l'enfant souffrait.

Il posa l'oreille contre l'aine d'Olympias et se rendit compte que les battements du petit cœur ralentissaient.

« Pousse aussi fort que tu le peux, lança-t-il à la nourrice. Le bébé doit naître immédiatement. »

Artémisia appuya de tout son poids sur la reine, qui, dans un grand cri, accoucha.

Nicomaque noua le cordon ombilical avec un fil de lin, puis le coupa aussitôt avec des ciseaux de bronze et lava la blessure à l'aide de vin pur. L'enfant cria, et le médecin le confia aux femmes afin qu'elles le lavent et le vêtissent.

Artémisia fut la première à voir son visage. Elle le regarda d'un air extasié. « N'est-il pas merveilleux ? » s'exclama-t-elle en tamponnant ses joues avec un peu de laine trempée dans de l'huile.

La sage-femme lui lava la tête, et lorsqu'elle l'essuya elle ne put retenir un mouvement de stupeur. « Il a la chevelure d'un enfant de six mois et de beaux reflets dorés. On dirait un petit Éros. »

Artémisia était en train de lui enfiler une minuscule tunique de lin, car Nicomaque s'opposait à la coutume qui voulait que les bébés fussent étroitement emmaillotés.

« À ton avis, de quelle couleur sont ses yeux ? » demanda-t-elle à la sage-femme.

Celle-ci approcha de son visage une lampe à huile, à la lumière de laquelle les yeux du bébé s'éclairèrent d'un reflet irisé. « Je l'ignore, c'est difficile à dire. Tantôt ils semblent bleus, tantôt ils semblent sombres, presque noirs. Peut-être faut-il mettre en cause la nature si différente de ses parents... »

Pendant ce temps, Nicomaque s'occupait de la reine qui, comme cela arrive souvent aux primipares, saignait. Redoutant que de telles suites se produisent, il avait ordonné qu'on ramasse de la neige sur les pentes du mont Bermion.

Il en fit des compresses et les appliqua sur le ventre d'Olympias. Épuisée, la reine frissonna, mais le médecin ne se laissa pas attendrir et répéta ces gestes jusqu'à ce que les saignements cessent.

Puis, tandis qu'il ôtait son tablier et se lavait les mains, il abandonna sa patiente aux soins de ses servantes. Il les autorisa à changer ses draps et à nettoyer sa peau avec des éponges douces, trempées dans de l'eau de rose, à lui passer une des chemises fraîches qu'elle rangeait dans son coffre, à étancher sa soif.

Ce fut Nicomaque qui lui présenta le petit : « Voici le fils de Philippe, reine. Tu as accouché d'un magnifique bébé. »

Enfin, il sortit dans le couloir, où l'attendait un cavalier de la garde royale en tenue de voyage.

« Va, cours auprès du roi et dis-lui que son enfant est né. Dis-lui que c'est un garçon, qu'il est beau, fort et en bonne santé. »

Le cavalier jeta son manteau sur ses épaules, s'empara de sa besace et partit en courant. Au moment où il disparaissait au bout du couloir, Nicomaque s'écria : « Dis-lui aussi que la reine se porte bien. »

L'homme ne s'arrêta pas. Bientôt on entendit un hennissement dans la cour, puis un galop qui se perdit dans les rues de la ville endormie.

2

Artémisia prit le bébé dans ses bras et le déposa sur le lit, à côté de la reine. Adossée à ses oreillers, Olympias se redressa légèrement pour mieux le contempler.

Il était magnifique. Il avait des lèvres charnues, un visage rose et délicat. Ses cheveux, châtain clair, étincelaient de reflets dorés, et il avait au milieu du front ce que les sages-femmes appellent « le coup de langue du veau » : une touffe de cheveux drus, partagée en deux moitiés.

Ses yeux paraissaient bleus, mais il y avait une sorte d'ombre dans son iris gauche, qui lui donnait un aspect plus ou moins foncé selon que la lumière changeait.

Olympias le souleva et le serra contre elle ; elle se mit à le bercer jusqu'à ce qu'il cesse de pleurer, puis dénuda son sein pour l'allaiter. Alors, Artémisia se pencha vers elle et lui dit : « Mon enfant, cette tâche revient à la nourrice. Tes seins risquent de se flétrir. Le roi rentrera bientôt et tu devras être plus belle et plus désirable que jamais. »

Elle tendit les bras pour s'emparer du bébé, mais la reine refusa de le lui confier ; elle nourrit l'enfant de son lait jusqu'à ce qu'il s'endorme.

Pendant ce temps, le messager galopait à bride abattue vers le campement du roi. Il atteignit le fleuve Axios au cœur de la nuit, traversa le pont de barques qui reliait les deux rives, puis, ayant changé de monture à Therma, il poursuivit son chemin dans le noir vers l'intérieur de la Chalcidique.

L'aube le surprit sur la mer, et le vaste golfe s'enflamma au lever du soleil comme un miroir devant un incendie. Il gravit le massif montagneux du Calauros, traversant un paysage toujours plus âpre et plus dur. De temps à autre, des rochers inaccessibles se précipitaient dans la mer, au milieu de l'écume au bouillonnement furieux.

Le roi assiégeait l'ancienne ville de Potidée, sous tutelle athénienne depuis presque cinquante ans. Il ne voulait pas se heurter à Athènes, mais il estimait qu'étant située en territoire macédonien, cette ville lui revenait. En outre, il comptait affirmer sa domination sur la région qui s'étendait entre le golfe de Therma et le détroit du Bosphore. Enfermé avec ses guerriers dans une tour d'assaut, armé, couvert de poussière, de sueur et de sang, Philippe s'apprêtait à lancer l'attaque décisive.

« Hommes, s'écria-t-il, si vous valez quelque chose, le moment est venu de le montrer ! J'offrirai le plus beau cheval de mes écuries à celui qui aura le courage de s'élancer le premier à mes côtés contre les murailles ennemies ; mais, si je vois un seul de vous trembler au moment décisif, je jure par Zeus que je le fouetterai jusqu'au sang. Et je le ferai moi-même. Vous m'avez entendu ?

— Nous t'avons entendu, roi !

— Alors, allons-y ! » leur cria Philippe en ordonnant d'un geste à ses soldats de libérer les treuils.

Le pont s'abattit sur les murailles déjà endommagées et en partie démolies par les coups de bélier. Le roi bondit si rapidement en agitant son épée qu'il était difficile de le suivre. Sachant que le roi tenait toujours ses promesses, les soldats se jetèrent en masse derrière lui, se poussant les uns les autres à l'aide de leurs boucliers, et renversant les défenseurs qui s'aventuraient encore sur les passerelles, malgré la fatigue que leur avaient causé des mois de privations, de veilles et d'affrontements incessants. Le reste de l'armée se déploya derrière Philippe et sa garde, engageant de durs combats contre les derniers défenseurs qui barraient les rues et les entrées des maisons.

Alors que le soleil se couchait, Potidée, à genoux, réclama la trêve.

Le messager arriva au crépuscule, après avoir éreinté deux autres chevaux. Un étrange spectacle s'offrit à lui lorsqu'il arriva sur les collines qui dominaient la ville : une multitude de feux brûlaient autour des murailles tandis que le tapage des soldats macédoniens, occupés à faire bombance, s'élevait dans la nuit.

Il éperonna son destrier et gagna rapidement le campement. Là, il demanda qu'on l'accompagne à la tente du roi.

« Que veux-tu ? » questionna l'officier de garde, un homme du Nord, à en juger par son accent. « Le roi est occupé. La ville est tombée, et une délégation du gouvernement est en train de négocier.

— Le prince est né », répondit le messager.

L'officier sursauta. « Suis-moi. »

Le roi, en armure de combat, était assis sous sa tente, entouré de ses généraux. Son lieutenant, Antipatros, se trouvait à quelques pas derrière lui. Face à eux, les représentants de Potidée ne semblaient pas négocier, mais écouter Philippe qui dictait ses conditions.

Sachant que son intrusion ne serait pas tolérée, mais persuadé que tout retard dans l'annonce d'une nouvelle aussi importante le serait encore moins, l'officier s'écria dans un souffle :

« Roi, une nouvelle du palais. Ton enfant est né ! »

Pâles et amaigris, les délégués de Potidée se dévisagèrent, puis se levèrent de leurs tabourets. Antipatros bondit, les bras croisés sur sa poitrine, comme s'il attendait un ordre ou un mot de son roi.

Philippe s'interrompit brusquement : « Votre cité devra fournir un... » (il changea de ton) « ... enfant ».

Les délégués, qui n'avaient pas compris, échangèrent de nouveau des regards interdits, mais Philippe avait déjà renversé sa chaise, poussé l'officier et saisi le messager par les épaules.

Les flammes des chandeliers sculptaient son visage en y projetant des lumières et des ombres tranchantes qui incendiaient ses yeux. « Dis-moi comment il est ! » hurla-t-il avec le ton qu'il employait pour ordonner à ses guerriers de mourir pour la grandeur de leur pays.

Se sentant incapable de satisfaire à une telle requête — il n'avait que quelques mots à transmettre —, le messager fut pris d'effroi. Il se racla la gorge et annonça d'une voix de stentor :

« Roi, ton enfant est un garçon, il est beau, fort et en bonne santé !

— Comment le sais-tu ? Tu l'as vu ?

— Je n'aurais jamais osé, sire. Je me trouvais dans le couloir, comme on me l'avait ordonné, avec mon manteau, ma besace et mes armes. Nicomaque est sorti et a prononcé... il a prononcé exactement ces mots : " Va, cours auprès du roi et dis-lui que son enfant est né. Dis-lui que c'est un garçon, qu'il est beau, fort et en bonne santé. "

— T'a-t-il dit s'il me ressemblait ? »

Après un instant d'hésitation, l'homme répondit : « Il ne me l'a pas dit, mais je suis sûr qu'il te ressemble. »

Philippe se tourna vers Antipatros, qui s'empressa de lui donner l'accolade. À ce moment précis, le messager se rappela qu'il avait entendu autre chose tandis qu'il dévalait l'escalier. « Le médecin a également dit... »

Philippe fit brusquement volte-face. « Quoi ?

— Que la reine se porte bien, conclut le messager d'une seule traite.

— Quand cela s'est-il passé ?

— Il y a deux nuits, peu après le coucher du soleil. Je me suis élancé dans les escaliers et je suis parti. Je ne me suis pas arrêté, je n'ai pas mangé, je n'ai bu qu'à ma gourde et je n'ai mis pied à terre que pour changer de monture... Il me tardait de te délivrer cette nouvelle. »

Philippe revint sur ses pas et posa sa main sur son épaule. « Donnez à manger et à boire à cet ami. Tout ce qu'il désire. Et faites-le dormir dans un bon lit parce qu'il m'a apporté la plus belle des nouvelles. »

Les ambassadeurs félicitèrent à leur tour le roi et tentèrent de profiter de ce moment favorable pour conclure les négociations d'une façon plus avantageuse, l'humeur de Philippe s'étant de beaucoup améliorée. Mais le roi s'écria : « Pas maintenant », puis sortit, suivi de son aide de camp.

Il réunit aussitôt les chefs de ses unités de combat, commanda du vin et voulut porter un toast avec eux. Puis il ordonna : « Faites sonner les trompettes du rassemblement. Je veux voir mon armée parfaitement rangée, de l'infanterie à la cavalerie. Je veux les convoquer pour l'assemblée. »

Le campement résonna du son des clairons et les hommes, déjà ivres ou à moitié nus sous leurs tentes avec les prostituées, se relevèrent, enfilèrent leur armure, et, empoignant leurs lances, se hâtèrent de former les rangs. Le son du clairon était pour eux comme la voix du roi hurlant dans la nuit.

Philippe était déjà debout sur une estrade, au milieu de ses officiers. Quand les rangs se furent recomposés, le soldat le plus âgé s'écria, selon une formule consacrée : « Pourquoi nous as-tu appelés, roi ? Qu'attends-tu de tes soldats ? »

Philippe avança. Il avait passé son armure de parade en fer et en or, ainsi qu'un long manteau blanc ; ses jambes étaient gainées d'argent repoussé.

Le silence n'était rompu que par l'ébrouement des chevaux et le cri des animaux nocturnes, attirés par les feux du campement. Les généraux qui flanquaient le roi remarquèrent que son visage était aussi rouge que lorsqu'il s'asseyait devant le bivouac, et ses yeux aussi brillants.

Il s'écria : « Hommes de Macédoine ! Dans ma maison, à Pella, la reine m'a donné un enfant. Je déclare, en votre présence, qu'il est mon héritier légitime et je vous le confie. Son nom est

« ALEXANDRE ! »

Les officiers ordonnèrent aux soldats de présenter les armes : les fantassins brandirent leurs sarisses, d'énormes lances de combat mesurant douze pieds, et les cavaliers levèrent au ciel une forêt de javelines, tandis que leurs montures piaffaient et hennissaient en mâchant le mors.

Puis tout le monde se mit à scander le nom du prince :

Alexandre ! Alexandre ! Alexandre !

Les soldats cognaient leurs lances contre leurs boucliers, pensant que la gloire du fils de Philippe monterait ainsi, avec leurs voix et le vacarme de leurs armes, jusqu'au séjour des dieux, parmi les constellations du firmament.

Quand l'assemblée fut dissoute, le roi retourna, en compagnie d'Antipatros et de ses aides de camp, sous la tente où les délégués de Potidée l'attendaient encore, avec patience et résignation. Philippe leur avoua : « Je n'ai qu'un seul regret : que Parménion ne soit pas avec nous pour profiter de cet instant. »

En effet, le général Parménion campait avec son armée dans les monts de l'Illyrie, non loin du lac Lychnitis, pour garantir, de ce côté aussi, les frontières de la Macédoine. Par la suite, certains rapportèrent que le jour où l'on avait annoncé la naissance de son fils, Philippe s'était emparé de la ville de Potidée et avait reçu la nouvelle de deux autres victoires : celle de Parménion contre les Illyriens, et celle de son attelage à quatre dans la course de chars, à Olympie. Voilà pourquoi les devins affirmèrent que cet enfant, né un jour marqué de trois victoires, serait invincible.

En réalité, Parménion l'emporta sur les Illyriens au début de l'été, et l'on célébra un peu plus tard les jeux Olympiques et les courses de chars. Quoi qu'il en soit, Alexandre vint au monde au cours d'une année pleine de merveilleux auspices et tout laissait à penser que son avenir ressemblerait plus à celui d'un dieu qu'à celui d'un homme.

Les représentants de Potidée tentèrent de reprendre leur discours au point où ils l'avaient abandonné, mais Philippe désigna son lieutenant : « Le général Antipatros connaît parfaitement ma pensée, adressez-vous à lui.

— Mais sire, intervint Antipatros, il est absolument nécessaire que le roi... »

Il n'eut pas le temps de terminer sa phrase : Philippe avait déjà jeté son manteau sur ses épaules et sifflé son cheval. Antipatros le suivit : « Sire, des mois de siège et de durs combats nous ont été nécessaires pour vivre cet instant, tu ne peux...

— Bien sûr que si ! » s'exclama le roi en bondissant sur sa monture et en l'éperonnant.

Antipatros secoua la tête. Il s'apprêtait à regagner le pavillon royal quand la voix de Philippe retentit. « Attrape ! dit celui-ci en ôtant le sceau de son doigt et en le lui jetant. Tu en auras besoin. Conclus un beau traité, Antipatros, cette guerre nous a coûté les yeux de la tête ! »

Le général saisit au vol la bague royale portant le sceau et regarda le roi filer à travers le camp jusqu'à la porte du Nord. Il cria aux hommes de la garde : « Suivez-le, crétins ! Vous le laissez partir tout seul ? Dépêchez-vous, malheur ! »

Et tandis que les gardes s'élançaient sur ses traces, il put voir encore quelques instants le manteau blanc de Philippe briller dans le clair de lune, sur le flanc de la montagne. Puis il n'y eut plus rien. L'homme réintégra la tente, fit asseoir les délégués de Potidée, de plus en plus perplexes, et demanda, en s'asseyant à son tour : « Alors, où en étions-nous ? »

Philippe chevaucha toute la nuit et toute la journée suivante, ne s'arrêtant que pour changer de monture et étancher sa soif et celle de son animal aux torrents et aux sources. Il arriva en vue de Pella après le crépuscule, lorsque la dernière lueur du soleil, désormais couché, teintait de pourpre les lointaines cimes du mont Bermion, encore enneigées. Dans la plaine, des troupeaux de chevaux ondoyaient comme les flots, et des milliers d'oiseaux se posaient pour la nuit sur les eaux paisibles du lac Borboros.

L'étoile du soir commençait déjà à scintiller, rivalisant de splendeur avec la lune qui s'élevait lentement depuis la surface liquide de la mer. C'était l'étoile des Argéades, la dynastie qui régnait sur ces terres depuis l'époque d'Héraclès, une étoile immortelle, la plus belle de toutes les étoiles du ciel.

Philippe arrêta son cheval pour la contempler et l'invoquer. « Veille sur mon fils, lui dit-il du plus profond de son cœur, fais qu'il règne après moi et que règnent ensuite ses fils, et les fils de ses fils. »

Puis il se présenta à l'improviste au palais royal, épuisé et couvert de sueur. Un bourdonnement l'accueillit, un bruissement de vêtements féminins dans les couloirs, un tintement d'armes résonnant au sein des corps de garde.

Quand il apparut sur le seuil de la chambre, la reine était assise sur une chaise à haut dossier, son corps nu à peine voilé par une tunique ionienne aux plis très fins. Le parfum des roses de Piérie flottait dans la chambre et le bébé reposait dans les bras de la nourrice.

Deux ordonnances délacèrent les épaulières de son armure et ôtèrent l'épée de son côté afin que la peau du roi et celle de son bébé puissent se toucher. Philippe souleva son enfant et le tint un long moment, appuyant sa petite tête au creux de son épaule. Il sentait ses lèvres tendres sur le renflement de sa cicatrice, et la chaleur, le parfum de sa peau de pêche.

Il ferma les yeux et se figea au milieu de la chambre silencieuse, oubliant un instant le fracas de la bataille, le grincement des machines de guerre, le galop furieux des chevaux. Il écoutait le souffle de son fils.

3

L'année suivante, Olympias accoucha d'une fille qui reçut le nom de Cléopâtre. Elle ressemblait à sa mère, et elle était si jolie que les servantes ne cessaient de lui changer de robe, comme si elles jouaient à la poupée.

Alexandre, qui marchait depuis trois mois, ne fut admis dans la chambre du bébé qu'au bout de plusieurs jours, muni d'un petit cadeau préparé par la nourrice. Il s'approcha prudemment du berceau et observa sa petite sœur d'un air curieux, les yeux écarquillés, la tête penchée sur l'épaule. Aussitôt, une servante surgit, craignant que l'enfant ne fût pris de jalousie et ne se comportât mal à l'égard de la nouvelle arrivée. Mais il saisit la main de sa sœur et la serra entre les siennes comme s'il comprenait qu'un lien étroit les unissait et qu'elle serait longtemps sa seule compagne.

Cléopâtre émit un gargouillis et Artémisia s'écria : « Tu vois ? Elle est très contente de te connaître. Pourquoi ne lui donnes-tu pas ton cadeau ? »

Alexandre fit glisser de sa ceinture un petit cercle de métal garni de clochettes en argent et commença à l'agiter devant la petite, qui tendit aussitôt les mains pour s'en emparer. Olympias les regardait avec émotion. « Ne serait-il pas merveilleux de pouvoir arrêter le temps ? » dit-elle comme si elle pensait à voix haute.

Après la naissance de ses enfants, Philippe fut longuement occupé par des guerres incessantes et sanglantes. Il s'était assuré les frontières du nord grâce aux victoires de Parménion sur les Illyriens ; il pouvait compter, à l'ouest, sur le royaume ami de l'Épire, où régnait Arybbas, l'oncle de la reine Olympias ; à l'est, il était venu à bout des tribus belliqueuses des Thraces au terme de nombreuses campagnes, étendant ainsi sa domination jusqu'aux rives de l'Istros. Il s'était ensuite emparé de presque toutes les cités que les Grecs avaient fondées sur ses côtes : Amphipolis, Méthone, Potidée, et s'était impliqué dans les luttes intestines qui déchiraient la péninsule hellénique.

Parménion avait tenté de le mettre en garde contre une telle politique. Un jour que Philippe avait convoqué le conseil de guerre dans l'armurerie du palais, le général décida de prendre la parole.

« Tu as construit un royaume puissant et unifié, sire, et tu as rendu les Macédoniens fiers de leur nation ; pourquoi veux-tu donc te mêler aux luttes qui ne concernent que les Grecs ?

— Parménion a raison, intervint Antipatros. Ces luttes sont absurdes. Tout le monde se bat contre tout le monde. Les alliés d'hier sont les ennemis d'aujourd'hui, et celui qui est vaincu s'allie au plus odieux de ses ennemis dans le seul but de s'opposer au vainqueur.

— C'est vrai, admit Philippe. Mais les Grecs possèdent tout ce qui nous fait défaut : l'art, la philosophie, la poésie, le théâtre, la médecine, la musique, l'architecture et surtout la science politique, l'art de gouverner.

— Tu es roi, objecta Parménion, tu n'as besoin d'aucune science. Il te suffit de donner des ordres, et tout le monde t'obéit.

— Tant que j'en ai la force, souligna Philippe. Tant que personne ne me plonge une lame entre les côtes. »

Parménion s'abstint de répliquer : aucun roi de

Macédoine n'était mort dans son lit — il s'en souvenait très bien. Ce fut Antipatros qui brisa un silence désormais oppressant.

« Si tu souhaites vraiment te jeter dans la gueule du loup, il m'est impossible de t'en dissuader. Mais il n'y a qu'une manière de parvenir au succès. Je te conseillerais donc de la suivre.

— Laquelle ?

— Il y a en Grèce une force placée au-dessus de tous, une voix capable, à elle seule, d'imposer le silence...

— Le sanctuaire d'Apollon à Delphes, dit le roi.

— Ou mieux, ses prêtres et le conseil qui les gouverne.

— Je le sais, reconnut Philippe. En contrôlant le sanctuaire, on contrôle la majeure partie de la politique grecque. Actuellement, le conseil est en difficulté : il a déclaré une guerre sacrée contre les Phocéens, qu'il accuse d'avoir cultivé des terrains appartenant à Apollon ; mais les Phocéens se sont approprié le trésor du temple par un coup de main et, grâce à ces richesses, ont engagé des milliers et des milliers de mercenaires. La Macédoine est la seule puissance en mesure de peser sur l'issue du conflit...

— Et tu as décidé d'entrer en guerre, conclut Parménion.

— À une condition : si je gagne, je veux la place et la voix des Phocéens au conseil, ainsi que la présidence du conseil du sanctuaire. »

Antipatros et Parménion comprirent que non seulement le roi avait un plan, mais qu'il le réaliserait coûte que coûte. Ils n'essayèrent donc pas de l'en dissuader.

Ce fut un conflit long et dur, ponctué de défaites et de victoires. Alexandre avait trois ans quand Philippe fut durement vaincu pour la première fois, et forcé de battre en retraite. Ses ennemis prétendirent qu'il avait fui, mais il répondit : « Je ne me suis pas enfui, j'ai reculé pour prendre mon élan et foncer de nouveau comme un bélier enragé. »

Tel était Philippe. Un homme doté d'une force d'âme et d'une détermination incroyables, d'une vitalité indomptable, d'un esprit fin et ardent. Mais de tels hommes s'isolent inexorablement car ils sont amenés à se détacher de ceux qui les entourent.

Lorsque Alexandre commença à appréhender la situation et à comprendre qui étaient son père et sa mère, il était âgé d'environ six ans. Il parlait sans hésitations, saisissait le sens des discours les plus complexes et les plus difficiles.

S'il venait à savoir que son père se trouvait au palais, il quittait les appartements de la reine et se rendait à la salle des réunions, où Philippe tenait conseil avec ses généraux. Marqués par d'interminables combats, ces hommes lui semblaient vieux. Pourtant, ils avaient à peine dépassé la trentaine, à l'exception de Parménion, qui était âgé de près de cinquante ans et avait les cheveux gris. Dès qu'Alexandre le voyait, il se mettait à chanter une comptine qu'Artémisia lui avait apprise :

Le vieux soldat qui part en guerre
Tombe par terre, tombe par terre !

Puis il se jetait sur le sol parmi les rires de l'assistance.

La plupart du temps, il observait son père, étudiait ses attitudes, sa façon de bouger les mains et de dévisager ses officiers, le ton et le timbre de sa voix, la manière dont il dominait les hommes les plus forts et les plus puissants du royaume par la seule force de son regard.

Lorsque son père présidait le conseil, il s'approchait de lui tout doucement et tentait de monter sur ses genoux à la faveur de ses conversations ou de ses discours enflammés, croyant ainsi passer inaperçu.

Alors seulement, le roi paraissait noter sa présence. Sans même s'interrompre, sans perdre le fil de son discours, il le serrait vivement sur sa poitrine ; mais il remarquait que le comportement de ses généraux changeait, il voyait leurs yeux se poser sur l'enfant et leurs lèvres s'étirer en un sourire léger, quel que fût le sujet dont il parlait. Parménion aussi souriait en pensant à la comptine et à la culbute d'Alexandre.

Puis l'enfant partait comme il était venu. Il gagnait parfois sa chambre en espérant que son père l'y rejoindrait. Ou bien, après une longue attente, il allait s'asseoir à l'un des balcons du palais, fixait l'horizon du regard et restait là, muet et immobile, fasciné par l'immensité du ciel et de la terre.

Et quand sa mère s'approchait alors d'un pas léger, elle voyait une lueur sombre s'étendre lentement dans son œil gauche, comme si une nuit mystérieuse tombait dans l'âme du petit prince.

Les armes le captivaient, et plus d'une fois les servantes le surprirent dans l'armurerie royale, essayant de dégainer l'une des lourdes épées du roi qui reposaient dans leurs fourreaux.

Un jour qu'il contemplait une gigantesque panoplie de bronze ayant appartenu à son grand-père Amyntas III, il sentit qu'on l'observait. En se retournant, il découvrit un homme grand et sec, doté d'une petite barbe de chèvre et d'yeux profonds, illuminés. L'homme lui apprit qu'il se nommait Léonidas et qu'il était son précepteur.

« Pourquoi ? » demanda l'enfant.

À cette première question de son élève, le maître ne sut répondre.

Dès lors, la vie d'Alexandre subit un profond changement. Il fréquenta de moins en moins sa mère et sa sœur, et de plus en plus son professeur. Léonidas consacra sa première leçon à l'alphabet ; le lendemain, il trouva le petit prince en train d'écrire correctement son nom de la pointe d'un bâton dans la cendre du foyer.

Il lui enseigna à lire et à compter, choses qu'Alexandre mémorisait très vite et très facilement, mais sans montrer d'intérêt particulier. Quand, en revanche, le maître passa aux histoires des dieux et des hommes, aux histoires de la naissance du monde, des batailles des géants et des Titans, le visage de son élève s'illumina et adopta une expression concentrée.

Son esprit était naturellement porté vers le mystère et la religion. Un jour, Léonidas l'emmena visiter le temple d'Apollon qui se dressait non loin de Therma, et lui permit d'offrir de l'encens à la statue du dieu. Alexandre en prit à pleines mains et le jeta dans le brasier, provoquant ainsi un grand nuage de fumée. Alors son maître le réprimanda :

« L'encens coûte une fortune ! Tu ne pourras le gaspiller ainsi que lorsque tu auras conquis les pays qui le produisent !

— Et où sont ces pays ? » interrogea l'enfant qui jugeait étrange cette avarice envers les dieux. Il observa une pause et ajouta : « Est-il vrai que mon père est très ami avec Apollon ?

— Ton père a gagné la guerre sacrée et on l'a nommé chef du conseil du sanctuaire de Delphes, où se trouve l'oracle d'Apollon.

— Est-il vrai que l'oracle dicte sa conduite à tout le monde ?

— Pas exactement, répondit Léonidas en saisissant la main d'Alexandre et en le reconduisant à l'extérieur. Tu vois, lorsque les gens s'apprêtent à accomplir quelque chose d'important, ils demandent conseil au dieu de la façon suivante : “ Dois-je le faire, ou non ? Et si je le fais, que se passera-t-il ? ” Il existe aussi une prêtresse qu'on appelle la Pythie, dont le dieu emprunte la voix. Tu comprends ? Mais ce sont des mots obscurs, qu'il est difficile d'interpréter. C'est pourquoi les prêtres sont là, pour les expliquer aux gens. »

Alexandre se retourna pour observer le dieu Apollon, raide et immobile sur son piédestal, les lèvres étirées en un étrange sourire, et il comprit pourquoi les dieux ont besoin des hommes pour s'exprimer.

Un jour que la famille royale était allée à Aigai, l'ancienne capitale, pour offrir des sacrifices sur la tombe des rois, Léonidas lui montra, d'une tour du palais, la cime du mont Olympe, couverte de nuages orageux et frappée par des éclairs aveuglants.

« Vois-tu, tenta-t-il de lui expliquer, les dieux ne se résument pas aux statues que tu peux admirer dans les temples : ils vivent là-haut, dans une demeure invisible, mènent une existence immortelle, siègent au banquet en buvant du nectar et en se nourrissant d'ambroisie. Et c'est Zeus en personne qui déchaîne ces éclairs. Il peut toucher n'importe qui et n'importe quoi, en n'importe quel endroit de la terre. »

Bouche bée, Alexandre contempla longuement ces cimes impressionnantes.

Le lendemain, un officier de la garde le surprit le long d'un sentier, aux portes de la ville : il se dirigeait d'un pas rapide vers la montagne. L'homme descendit de cheval et lui demanda :

« Où vas-tu, Alexandre ?

— Là », répondit l'enfant en indiquant l'Olympe.

L'officier le prit dans ses bras et le ramena à Léonidas qui blêmissait déjà de crainte en songeant aux horribles châtiments que la reine lui infligerait s'il arrivait quelque chose à son élève.

Cette année-là, Philippe connut de graves problèmes de santé, à cause des terribles privations qu'il supportait pendant les campagnes militaires et de la vie déréglée qu'il menait hors des champs de bataille.

Alexandre en fut heureux, car il put voir son père plus fréquemment et passer de nombreuses heures en sa compagnie. Nicomaque s'occupa de la santé du roi ;

il quitta sa clinique de Stagire avec deux assistants qui allaient l'aider à cueillir dans les bois et les prés des montagnes environnantes les herbes et les racines dont il se servait pour préparer ses médications.

Le roi fut soumis à un régime très strict, et presque complètement privé de vin. Il devint vite intraitable, seul Nicomaque osait l'approcher quand il était de mauvaise humeur.

L'un des deux assistants était un garçon de quinze ans qui, lui aussi, se nommait Philippe.

« Débarrasse-moi de lui, ordonna le roi. Je ne supporte pas l'idée d'avoir un autre Philippe dans les jambes. Ou plutôt, non, je vais le nommer médecin de mon fils, sous ton contrôle, évidemment. »

Habitué aux caprices du roi, Nicomaque accepta.

« Que fait ton fils Aristote ? » lui demanda un jour Philippe, tandis qu'il buvait en grimaçant une décoction de *taraxacum*.

« Il vit à Athènes où il suit l'enseignement de Platon, répondit le médecin. D'après ce qu'on me dit, il est même considéré comme son meilleur élève.

— Bien. Et quel est le sujet de ses recherches ?

— Mon fils est comme moi. Il est plus attiré par l'observation des phénomènes naturels que par le monde de la spéculation pure.

— S'intéresse-t-il à la politique ?

— Oui, bien sûr, mais en montrant là aussi une inclination particulière pour les multiples manifestations de l'organisation politique, plutôt que pour la véritable science politique. Il rassemble diverses constitutions et les compare entre elles.

— Et que pense-t-il de la monarchie ?

— Je ne crois pas qu'il s'engage dans des jugements de fond. Pour lui, la monarchie est une forme de gouvernement typique de certaines communautés. Vois-tu, sire, je pense que mon fils souhaite connaître le monde pour ce qu'il est, et non établir des principes auxquels le monde devrait s'adapter. »

Philippe avala la dernière gorgée de sa décoction sous l'œil vigilant du médecin, qui semblait signifier : « Tout, tout. » Puis il se nettoya la bouche avec un pan de sa chlamyde et dit : « Tiens-moi informé de ce que fait ce garçon, Nicomaque, parce que cela m'intéresse.

— Je n'y manquerai pas. Cela m'intéresse aussi : je suis son père. »

Au cours de cette période, Alexandre fréquentait Nicomaque autant qu'il le pouvait, car c'était un homme affable et surprenant, alors que Léonidas avait un caractère hargneux et une attitude terriblement sévère.

Un jour, l'enfant pénétra dans le cabinet du médecin. Il vit que celui-ci auscultait le dos de son père, qu'il comptait les battements de son cœur en lui tâtant le poignet.

« Que fais-tu ? interrogea-t-il.

— Je contrôle les battements du cœur de ton père.

— Et qu'est-ce qui anime le cœur ?

— L'énergie vitale.

— Et où se trouve l'énergie vitale ? »

Nicomaque fixa ses yeux sur ceux de l'enfant et y lut une soif de savoir insatiable, des sentiments merveilleusement intenses. Il le caressa tandis que Philippe l'observait d'un air fasciné.

« Personne ne le sait », répondit-il.

4

Bientôt, Philippe se rétablit et réapparut sur la scène politique dans la plénitude de sa santé, décevant ceux qui allaient jusqu'à faire circuler le bruit de sa mort.

Alexandre en fut chagriné, car il ne verrait plus son père aussi souvent ; il prit néanmoins de l'intérêt à connaître d'autres garçons — certains du même âge que lui, d'autres un peu plus grands —, fils des nobles macédoniens qui fréquentaient la cour ou vivaient au palais par volonté expresse du roi. C'était une façon de maintenir l'unité du royaume, d'attacher à la maison du roi les familles les plus puissantes, les chefs de tribus et de clans.

Certains de ces enfants suivaient avec lui les cours de Léonidas : c'était le cas de Perdiccas, de Lysimaque, de Séleucos, de Léonnatos et de Philotas, lequel était fils du général Parménion. D'autres, plus âgés, comme Ptolémée et Cratère, avaient déjà reçu le titre de « pages » et dépendaient directement du roi pour ce qui était de leur éducation et de leur entraînement.

À cette époque, Séleucos était assez petit et fluet, mais il suscitait la sympathie de Léonidas par ses bons résultats scolaires. Il était particulièrement porté vers l'histoire et les mathématiques, étonnamment sage et équilibré pour son âge. Capable d'effectuer des calculs compliqués en très peu de temps, il s'amusait à rivaliser avec ses camarades et les humiliait régulièrement.

Ses yeux sombres et profonds apportaient à son regard une intensité pénétrante, ses cheveux ébouriffés soulignaient la force et l'indépendance de son caractère, jamais rebelle cependant. Durant les cours, il essayait souvent de se faire remarquer par ses observations, mais il ne singeait jamais son maître et ne s'ingéniait pas à plaire à ses supérieurs, ni à les aduler.

Lysimaque et Léonnatos étaient les plus indisciplinés, parce qu'ils venaient de l'intérieur du pays et avaient grandi librement au milieu des bois et des prairies, menant paître les chevaux et passant la plus grande partie de leur temps en plein air. Entre quatre murs, ils avaient le sentiment d'être prisonniers.

Lysimaque, qui était un peu plus âgé, s'était déjà habitué à ce nouveau genre de vie. Mais Léonnatos n'avait que sept ans, et son aspect revêche, ses cheveux roux, les taches de rousseur qui parsemaient ses pommettes et son nez, lui donnaient une allure de jeune loup. Il réagissait aux punitions par des coups de pied et des morsures. Léonidas avait tenté de le dompter en le privant de nourriture, en l'enfermant pendant que les autres jouaient, puis en abattant fréquemment sur lui sa verge de sauge. Mais Léonnatos se vengeait. Chaque fois qu'il apercevait son maître au fond d'un couloir, il se mettait à chanter à tue-tête une comptine de son invention :

Ek korí korí koróne !
Ek korí korí koróne !

« La voici qui arrive, la voici la corneille ! » Tous les autres s'unissaient alors à lui, y compris Alexandre, jusqu'à ce que le pauvre Léonidas, rouge de colère, les poursuive en brandissant sa baguette.

Quand il se disputait avec ses camarades, Léonnatos refusait d'avoir le dessous, il se battait même avec les plus grands, ce qui lui valait des bleus et des égratignures qui l'empêchaient de participer aux cérémonies officielles ou aux fêtes de la cour. Tout le contraire de Perdiccas, qui était le plus consciencieux du groupe, toujours présent en classe, comme sur les terrains de jeu et d'entraînement. Ne dépassant Alexandre que d'un an, il lui arrivait souvent de jouer avec lui en compagnie de Philotas.

« Quand je serai grand, je serai général, comme ton père », répétait-il à Philotas qui, de tous ses amis, était celui qui lui ressemblait le plus.

Ptolomée, qui avait près de quatorze ans, était plutôt robuste et précoce pour son âge. Boutons et poils de barbe apparaissaient sur son drôle de visage, marqué par un nez imposant et des cheveux perpétuellement ébouriffés. Ses camarades se moquaient de lui, ils lui disaient qu'il avait commencé à se développer par le nez, ce qui le vexait énormément. Alors, il relevait sa tunique et se vantait d'autres protubérances, qui grandissaient tout aussi vite.

Hormis ces intempérances, c'était un gentil garçon, passionné de lecture et d'écriture. Un jour, il autorisa Alexandre à entrer dans sa chambre, où il lui montra ses livres. Il en possédait plus d'une vingtaine.

« Tu en as beaucoup ! s'exclama le prince en tendant la main.

— Non ! l'arrêta Ptolémée. Ce sont des objets très délicats : le papyrus est fragile, il faut le rouler et le dérouler correctement pour éviter qu'il ne s'abîme. On doit le conserver dans un endroit sec et aéré, en ayant soin de dissimuler un piège à rats dans le voisinage. Car les rats sont friands de papyrus, ils sont capables de te dévorer deux livres de l'*Iliade* ou une tragédie de Sophocle en moins d'une nuit. Attends, laisse-moi faire, ajouta-t-il en saisissant un rouleau marqué d'un petit signet rouge.

« Tiens, tu vois celui-là ? C'est une comédie d'Aristophane. Elle s'intitule *Lysistrate*, c'est ma préférée.

Elle raconte qu'un jour les femmes d'Athènes et de Sparte, lasses de la guerre qui éloignait leurs hommes, et prises d'une grande envie de... » Il s'interrompit en voyant l'enfant qui l'écoutait bouche bée. « Bon, laissons cela, tu es trop petit. Je te la raconterai une autre fois, d'accord ?

— C'est quoi, une comédie ? demanda Alexandre.

— Comment ? Tu n'es jamais allé au théâtre ? s'étonna Ptolémée.

— On n'y emmène pas les enfants. C'est un peu comme écouter une histoire, non ? Sauf qu'il y a de véritables hommes, qui portent des masques et se prennent pour Héraclès ou pour Thésée. Certains font même semblant d'être des femmes.

— Oui, plus ou moins, répliqua Ptolémée. Dis-moi plutôt ce que ton maître t'apprend.

— Je sais effectuer les additions et les soustractions, je connais les figures géométriques et je suis capable de distinguer dans le ciel la Grande Ourse, la Petite Ourse et plus de vingt autres constellations. Et puis, je sais lire et écrire, et j'ai lu les fables d'Ésope.

— Hum..., observa Ptolémée en remettant délicatement le rouleau à sa place. C'est bon pour les enfants.

— Et puis je connais la liste de mes ancêtres, aussi bien du côté de papa que du côté de maman. Sais-tu que je descends d'Héraclès et d'Achille ?

— Et qui étaient Héraclès et Achille ?

— Héraclès était le héros le plus fort du monde, il a effectué douze travaux. Veux-tu que je te les énumère ? Le lion de Némée ; la biche de Céry... Cérynie..., commença à ânonner le petit.

— J'ai compris, j'ai compris. Tu es très doué. Mais si tu veux, un jour je te lirai un des beaux ouvrages que j'ai dans mon bureau, d'accord ? Et maintenant, pourquoi ne vas-tu pas jouer ? Sais-tu qu'un petit garçon de ton âge vient juste d'arriver ? »

Le visage d'Alexandre s'éclaira.

« Où est-il ?

— Je l'ai vu dans la cour, il jouait au ballon. Il a l'air costaud. »

Alexandre dévala l'escalier aussi vite qu'il le put et s'arrêta sous le portique pour observer le nouveau venu, sans oser lui adresser la parole.

Sous l'effet d'un coup de pied plus violent que les autres, le ballon échoua bientôt à ses pieds. Les deux garçons se firent face.

« Veux-tu jouer avec moi ? proposa l'enfant. À deux, on joue mieux. Je tire, et tu rattrapes.

— Comment t'appelles-tu ? demanda Alexandre.

— Héphestion, et toi ?

— Alexandre.

— Alors, vas-y, mets-toi contre le mur. Je tire le premier. Si tu rattrapes le ballon, tu marques un point. Ensuite c'est à toi de tirer. Mais si tu n'y arrives pas, c'est moi qui marque un point. Dans ce cas-là, j'ai le droit de tirer encore une fois. Tu as compris ? »

Alexandre acquiesça et les deux enfants se mirent à jouer en remplissant la cour de leurs cris. Quand ils furent épuisés et ruisselants de sueur, ils s'arrêtèrent.

« Tu habites ici ? » demanda Héphestion en s'asseyant sur le sol.

Alexandre prit place à ses côtés. « Bien sûr. Ce palais m'appartient.

— Ne me raconte pas d'histoires ! Tu es trop petit pour posséder un palais aussi grand.

— Ce palais m'appartient parce qu'il est à mon père, le roi Philippe.

— Par Zeus ! s'exclama Héphestion en agitant la main droite en signe d'étonnement.

— Veux-tu que nous soyons amis ?

— Bien sûr, mais pour cela il faut que nous échangions un gage.

— Qu'est-ce que c'est, un gage ?

— Je te donne quelque chose, et tu me donnes autre chose en échange. »

Il fouilla dans ses poches et en tira un petit objet blanc.

« Oh, une dent !

— Oui, murmura Héphestion à travers la fente qu'avait laissée son incisive. Elle est tombée avant-hier soir, et j'ai failli l'avaler. Tiens, elle est à toi ! »

Alexandre s'en empara. Interdit, il s'aperçut qu'il n'avait, quant à lui, rien à offrir. Il fouilla dans ses poches tandis qu'Héphestion, debout, tendait la main vers lui.

Alors il respira profondément, déglutit et referma ses doigts sur une de ses dents, qui menaçait de tomber depuis quelques jours mais tenait encore solidement.

Il commença à la secouer d'avant en arrière en ravalant des larmes de douleur, jusqu'à ce qu'elle cède. Il cracha un peu de sang, lava la dent à la fontaine, puis la remit à Héphestion.

« Voilà, bredouilla-t-il. Maintenant, nous sommes amis.

— Jusqu'à la mort ? demanda Héphestion en glissant son cadeau dans sa poche.

— Jusqu'à la mort », répliqua Alexandre.

L'été finissait quand Olympias lui annonça la visite de son oncle Alexandre, qui arrivait de l'Épire.

Il savait qu'il avait un oncle, frère cadet de sa mère, qui portait le même prénom que lui. Mais bien qu'il l'eût déjà rencontré en d'autres occasions, il n'avait de lui que de vagues souvenirs : il était alors trop petit.

Un soir, avant que le soleil se couche, il le vit arriver à cheval en compagnie de son escorte et de ses tuteurs.

C'était un magnifique enfant d'environ douze ans, aux cheveux sombres et aux yeux d'un bleu intense. Il portait les insignes de sa dignité : un ruban d'or autour de ses cheveux, un manteau de pourpre et, à la main droite, un sceptre en ivoire. En effet, malgré son jeune âge, il régnait sur un pays composé de montagnes.

« Regarde ! s'exclama Alexandre en se tournant vers Héphestion, assis à ses côtés sur le balcon, les jambes dans le vide. Voici mon oncle Alexandre. Il porte le même prénom que moi et il est roi, lui aussi, le sais-tu ?

— Roi de quoi ? demanda son ami en balançant les jambes.

— Roi des Molosses. »

Il bavardait encore quand Artémisia, surgie dans son dos, referma ses bras sur lui. « Viens ! Il faut que tu te prépares pour rencontrer ton oncle. »

Et tandis qu'il se démenait — il préférait demeurer auprès de son ami —, elle le souleva et l'entraîna à la salle de bains de sa mère, où elle le déshabilla, lui lava le visage, lui enfila une tunique et une chlamyde macédoniennes bordées d'or, ceignit sa tête d'un ruban d'argent avant de le faire monter sur une chaise afin de mieux l'admirer. « Viens, petit roi. Ta maman t'attend. »

Elle le conduisit alors dans l'antichambre royale où patientait la reine Olympias, déjà habillée, coiffée et parfumée. Elle était magnifique : ses yeux très noirs tranchaient sur ses cheveux flamboyants, et sa longue étole bleue, brodée sur les côtés de petites palmes d'or, recouvrait un chiton coupé à l'athénienne, légèrement décolleté et retenu sur les épaules par un petit cordon de la même couleur que l'étole.

Entre ses seins, que le chiton découvrait en partie, pendait une goutte d'ambre de la taille d'un œuf de pigeon, enchâssée dans une capsule d'or qui imitait un gland de chêne. C'était l'un des cadeaux de mariage de Philippe.

Elle prit Alexandre par la main et alla s'asseoir sur son trône, auprès de son époux qui attendait déjà son jeune beau-frère.

L'adolescent pénétra dans la salle, qu'il traversa entièrement avant de s'agenouiller — d'abord devant le roi, puis devant la reine, sa sœur, ainsi que l'exigeait le protocole.

Enorgueilli par ses succès, enrichi par les mines d'or qu'il avait occupées sur le mont Pangée, convaincu d'être le seigneur le plus puissant de la péninsule hellénique, voire du monde, après l'empereur de Perse, Philippe s'ingéniait à surprendre ses visiteurs par la richesse de ses vêtements autant que par le faste des ornements qu'il arborait.

Après les saluts rituels, le jeune homme fut accompagné à ses appartements, afin de se préparer au banquet.

Alexandre aurait voulu y participer aussi, mais sa mère lui expliqua qu'il était encore trop petit. Elle lui permit en revanche de jouer en compagnie d'Héphestion avec les petits soldats de céramique qu'elle avait fait exécuter pour lui par un potier d'Aloros.

Ce soir-là, après le dîner, Philippe convia son beau-frère dans une salle privée pour parler de politique, et Olympias en fut chagrinée parce qu'elle était la reine de Macédoine et que le roi d'Épire était son frère.

En réalité, Alexandre était roi de nom, mais non de fait, car l'Épire était dans les mains de son oncle Arybbas, qui n'avait aucune intention d'abdiquer. Seul Philippe était en mesure de l'installer sur le trône en ayant recours à sa puissance, à son armée et à son or.

Une telle visée n'était pas désintéressée : en établissant son beau-frère à la tête de l'Épire, il se l'attacherait et contiendrait les exigences d'Olympias, qui avait été amenée par les fréquentes absences de son époux à trouver dans l'exercice du pouvoir les satisfactions que lui avait refusées une vie par ailleurs grise et monotone.

« Il faut encore que tu patientes quelques années, expliqua le roi au jeune roi. Le temps que je ramène à la raison les villes qui sont encore indépendantes sur la côte, et que je montre aux Athéniens qui est le plus fort dans cette région. Je n'ai rien contre eux, mais je refuse de les voir traîner en Macédoine. Et je veux obtenir le contrôle des détroits entre la Thrace et l'Asie.

— Cela me convient, mon cher beau-frère, répliqua Alexandre, flatté d'être traité sur un pied d'égalité en dépit de son jeune âge. Je comprends qu'il y a pour toi des choses beaucoup plus importantes que les montagnes de l'Épire, mais si tu désires m'aider, je t'en serai reconnaissant pour le reste de mes jours. »

Le raisonnement particulièrement mûr d'Alexandre impressionna favorablement Philippe.

« Pourquoi ne restes-tu pas avec nous ? lui demanda-t-il. La situation ne cessera de se détériorer en Épire, et je préférerais te savoir en sécurité. Tu as ici ta sœur, la reine, qui t'aime. Tu auras tes propres appartements, tes apanages et tous les égards dus à ton rang. Quand le moment viendra, je te rétablirai moi-même sur le trône de tes ancêtres. »

Le jeune roi accepta de bon gré, il s'installa au palais royal de Pella en attendant que Philippe ait mené à bien le programme politique et militaire qui allait faire de la Macédoine l'État le plus riche, le plus fort et le plus redoutable d'Europe.

Blessée, la reine Olympias avait regagné ses appartements, où son frère viendrait la saluer et lui présenter ses respects avant de se coucher. Les voix d'Héphestion et d'Alexandre, qui jouaient aux petits soldats, s'échappaient de la pièce voisine :

« Tu es mort !

— Non, c'est toi qui es mort ! »

Puis le vacarme s'atténua et finit par disparaître. L'énergie des petits guerriers s'éteignait bien vite lorsque la lune surgissait dans le ciel.

5

Alexandre était âgé de sept ans, et son oncle, le roi d'Épire, de douze, quand Philippe attaqua la ville d'Olynthe et la ligue chalcidique qui contrôlaient la grande péninsule en forme de trident. Les Athéniens, alliés de la ville, tentèrent de négocier, mais Philippe ne s'y montra pas disposé.

Il répondit : « Ou vous quittez cette région, ou je quitte la Macédoine. » Ce qui ne leur laissait pas une grande marge de manœuvre.

Le général Antipatros tenta de faire valoir également d'autres aspects du problème, et dès que les envoyés d'Athènes eurent abandonné d'un air furieux la salle du conseil, il observa : « Ta décision favorisera tes ennemis à Athènes, en particulier Démosthène.

— Cela ne m'effraie pas, commenta le roi en haussant les épaules.

— Oui, mais ce n'est pas seulement un bon politicien, c'est aussi un excellent orateur. Il est le seul à avoir compris ta stratégie. Il a remarqué que tu n'utilises plus de troupes mercenaires, mais que tu as formé une armée nationale, compacte et motivée, que tu en as fait le pilier de ton trône. Et par conséquent, que tu es devenu l'ennemi le plus dangereux d'Athènes. Il faut tenir compte des adversaires intelligents. »

Philippe ne sut que rétorquer. Il se contenta de dire :

« Fais-le surveiller par un de nos hommes, sur place. Je veux savoir tout ce qu'il dit de moi.

— Je n'y manquerai pas, sire », répondit Antipatros avant de sommer ses informateurs de le mettre rapidement au courant des mouvements de Démosthène.

Mais les textes du grand orateur étaient chaque fois source de problèmes. Dès qu'on les recevait, le roi se hâtait de demander comment ils s'intitulaient.

« " Contre Philippe ", lui répondait-on invariablement.

— Encore ? » hurlait-il en s'emportant.

S'il avait dîné ou déjeuné, il était alors victime de tels épanchements de bile que la nourriture ingérée pendant le repas finissait par lui nuire. Il arpentait son bureau comme un lion en cage, tandis que son secrétaire lui lisait le texte ; il l'interrompait de temps à autre en criant : « Qu'a-t-il dit ? Répète ! Répète, malédiction ! » Et le pauvre homme avait le sentiment d'être lui-même l'auteur de ces paroles.

Ce qui exaspérait le plus le roi était l'obstination avec laquelle Démosthène qualifiait la Macédoine d'« État barbare et secondaire ».

« Barbare ? hurlait-il en jetant à terre tout ce qui se trouvait sur sa table. Secondaire ? Je vais lui montrer, moi, si je suis secondaire !

— N'oublie pas, sire, soulignait le secrétaire en tentant de le calmer, que les réactions de la population aux algarades de Démosthène sont plutôt tièdes. Les Athéniens s'intéressent plus à la solution des problèmes de la propriété et de la distribution des terres aux paysans de l'Attique qu'à ses ambitions politiques de grande puissance. »

Les discours passionnés de Démosthène prirent bientôt le parti d'Olynthe : l'orateur voulait persuader le peuple athénien de voter des aides militaires pour la ville assiégée. Mais une fois encore, il n'obtint pas de résultats conséquents.

La ville tomba l'année suivante, et Philippe la rasa

pour donner un avertissement à ceux qui comptaient encore le défier.

« Il aura ainsi une bonne raison pour me qualifier de barbare ! » se mit-il à crier alors qu'Antipatros l'invitait à réfléchir aux conséquences, à Athènes et dans toute la Grèce, d'un geste aussi radical.

En effet, cette décision draconienne aggrava les désaccords au sein de la péninsule hellénique : il n'y avait pas une ville ou un village qui ne possédât alors son parti philomacédonien et son parti antimacédonien.

Pour sa part, Philippe se sentait de plus en plus proche de Zeus, père de tous les dieux par sa gloire et sa puissance, même si les conflits incessants dans lesquels il se jetait tête baissée — « comme un bélier enragé », pour reprendre ses propres mots — commençaient à le marquer. Il buvait beaucoup entre deux expéditions et s'abandonnait à des excès de toutes sortes, à des orgies qui duraient des nuits entières.

En revanche, la reine Olympias s'enfermait de plus en plus en elle-même, se consacrant à l'éducation de ses enfants et aux pratiques religieuses. Désormais, Philippe fréquentait rarement son lit, et quand il le faisait, leurs rencontres se soldaient invariablement par une insatisfaction mutuelle. La froideur et la distance de son épouse l'humiliaient, il se rendait compte que sa fougue ne suscitait pas en elle le moindre frémissement, la moindre sensation.

Olympias était dotée d'un caractère aussi fort que celui de son époux, dont la dignité la remplissait de jalousie. Elle était persuadée que son jeune frère, et surtout son fils, seraient à l'avenir ses gardiens inflexibles, qu'ils restaureraient son prestige et son pouvoir dont l'arrogance de Philippe la spoliait jour après jour.

La reine considérait les pratiques religieuses officielles comme une obligation, bien que dénuée de sens. Si les dieux de l'Olympe existaient, se disait-elle, ils ne pouvaient nourrir de l'intérêt pour les affaires des hommes. D'autres cultes la passionnaient, en particulier celui de Dionysos, un dieu mystérieux, capable d'investir l'esprit humain et de le transformer, de l'entraîner dans un tourbillon d'émotions violentes et de sensations primitives.

Le bruit courait qu'elle s'était fait initier en cachette aux rites secrets et qu'elle avait participé aux orgies nocturnes du dieu, au cours desquelles on buvait du vin mélangé à de puissantes drogues avant de danser jusqu'à l'épuisement, jusqu'à éprouver des hallucinations, au rythme d'instruments barbares.

Lorsqu'elle était dans cet état, elle avait l'impression de courir dans les bois, d'abandonner sur les branches des arbres des lambeaux de ses beaux vêtements royaux, pour suivre des bêtes sauvages, les abattre et se nourrir de leur chair crue, encore palpitante ; puis de s'effondrer, épuisée, en proie à un lourd sommeil, sur un manteau de mousse parfumée.

À demi consciente, elle voyait les divinités et les créatures des bois sortir timidement de leur cachette : les nymphes à la peau aussi verte que les feuilles des arbres, et les satyres aux poils hirsutes, mi-hommes, mi-boucs, qui se rassemblaient autour d'un gigantesque simulacre de phallus divin, le couronnaient de lierre et de pampres, y versaient du vin. Ils donnaient le signal du commencement de l'orgie en absorbant du vin pur et en s'adonnant à des étreintes bestiales pour entrer en contact avec Dionysos à travers cette extase frénétique.

D'autres l'approchaient furtivement avec d'énormes phallus en érection, se repaissant de sa nudité, excitant leur concupiscence animale...

Ainsi, dans des lieux connus des seuls initiés, la reine s'enfonçait dans les profondeurs de sa nature la plus sauvage, dans des rites qui libéraient ce que son esprit et son corps avaient de plus agressif et de plus violent. En dehors de ces manifestations, sa vie était celle que la tradition transmettait à toute femme et épouse, et quand elle y retournait, il lui semblait refermer derrière elle une lourde porte qui balayait tout souvenir et toute sensation.

Alors, dans le calme de ses appartements, elle parlait de ces cultes à Alexandre en lui racontant ce que pouvait saisir une oreille enfantine, elle lui relatait les aventures et les pérégrinations du dieu Dionysos, qui, en compagnie de son cortège de satyres et de silènes aux couronnes de pampres, avait gagné la terre des tigres et des panthères : l'Inde.

La formation d'Alexandre était certes influencée par sa mère, mais plus encore par la vaste instruction qu'on lui délivrait sur l'ordre et par la volonté de son père.

Philippe avait chargé Léonidas, responsable officiel de l'éducation de l'enfant, d'organiser ses études sans rien laisser au hasard. Ainsi, plus Alexandre progressait, plus les professeurs, les entraîneurs et les précepteurs affluaient à la cour.

Dès qu'il fut en mesure de les apprécier, Léonidas commença de lui lire les poèmes d'Homère, en particulier l'*Iliade*, qui illustrait les seuls codes d'honneur et de comportement pouvant convenir à un prince royal de la maison des Argéades. C'est ainsi que le vieux maître s'attira non seulement l'attention d'Alexandre, mais aussi son affection et celle de ses camarades. Toutefois, la comptine qui annonçait son arrivée dans la classe continua de résonner dans les couloirs du palais royal :

Ek korí korí koróne !
Ek korí korí koróne !

« La voilà qui arrive, la voilà la corneille ! » Héphestion aussi écoutait avec Alexandre les vers d'Homère, et les deux enfants, fascinés, imaginaient ces aventures extraordinaires, l'histoire du gigantesque conflit auquel avaient participé les hommes les plus forts du monde, les femmes les plus belles, et les dieux eux-mêmes, alliés à un camp ou à l'autre.

À présent, Alexandre comprenait parfaitement qui il était, il appréhendait l'univers qui l'entourait et le destin auquel on le préparait.

On lui proposait divers modèles : l'héroïsme, la résistance à la douleur, l'honneur et le respect de la parole donnée, le sacrifice jusqu'au don de sa propre vie. Et il s'y conformait jour après jour, non par empressement de disciple, mais par inclination naturelle.

Plus il grandissait, plus sa nature se révélait : un mélange de l'agressivité guerrière de Philippe, de la colère royale qui éclatait aussi brusquement que la foudre, et du charme d'Olympias, de sa curiosité pour l'inconnu, de sa soif de mystère.

Il nourrissait pour sa mère un amour profond, un attachement presque malsain, et pour son père une admiration infinie qui se muait toutefois, au fil du temps, en volonté de compétition, en un désir toujours plus fort d'émulation.

Désormais, les fréquentes nouvelles des succès de Philippe ne semblaient plus le réjouir, mais plutôt le chagriner. Il commençait à se dire que si son père étendait sa domination sur le monde entier, il ne lui resterait plus aucun endroit où exercer sa valeur et son courage.

Il était encore trop jeune pour mesurer la grandeur du monde.

Quand il pénétrait dans la classe de Léonidas avec ses camarades pour les leçons, il lui arrivait d'entrevoir un garçon à l'aspect mélancolique, de treize ou quatorze ans, qui s'éloignait rapidement.

« Qui est-ce ? demanda-t-il un jour à son maître.

— Cela ne te regarde pas », répondit Léonidas, qui changea aussitôt de sujet de conversation.

6

Depuis son arrivée au pouvoir, Philippe nourrissait une grande aspiration : introduire la Macédoine dans le monde grec. Mais il savait fort bien que pour atteindre un tel objectif, il devrait s'imposer par la force. C'est pourquoi il avait consacré toute son énergie à arracher son pays à sa condition d'État tribal de bergers et d'éleveurs, pour le transformer en une puissance moderne.

Il avait développé l'agriculture dans les plaines, grâce à des ouvriers issus des îles et des villes grecques de l'Asie Mineure, qu'il avait appelés dans ce but. De même, il avait intensifié les activités minières sur le mont Pangée, parvenant à tirer de ses mines jusqu'à mille talents d'or et d'argent par an.

Il avait établi son autorité sur les chefs tribaux et se les était attachés au terme de luttes farouches, ou au moyen d'alliances matrimoniales. En outre, il avait créé une armée d'une ampleur extraordinaire, constituée d'unités d'infanterie lourde particulièrement puissantes, d'unités d'infanterie légère très mobiles et d'escadrons de cavalerie qui n'avaient pas leur pareil sur les rives de la mer Égée.

Mais tout cela n'avait pas suffi à faire de lui un Grec aux yeux du monde. Comme Démosthène, nombre d'orateurs et d'hommes politiques d'Athènes, de Corinthe, de Mégare et de Sicyone continuaient de le surnommer Philippe le Barbare.

Ils se moquaient de l'accent des Macédoniens, marqué par l'influence des peuples sauvages qui se pressaient à leurs frontières septentrionales, des monstrueux excès avec lesquels ils s'adonnaient à l'alcool, à la nourriture et au sexe au cours de leurs banquets, qui dégénéraient régulièrement en orgies. Et ils jugeaient barbare un État encore fondé sur les liens du sang, et non sur le droit de citoyenneté, gouverné par un roi qui pouvait distribuer des ordres à tout le monde et se dresser au-dessus des lois.

Philippe atteignit son objectif quand il réussit enfin à l'emporter sur les Phocéens au cours de la guerre sacrée, obtenant leur expulsion du conseil du sanctuaire, la plus noble assemblée de toute la Grèce. Les deux voix dont leurs représentants disposaient furent offertes au roi des Macédoniens, qui reçut la charge hautement honorifique de président des jeux Pythiques, les plus prestigieux après les Olympiades.

Ce fut le couronnement de dix années d'efforts, et il correspondit avec les dix ans de son fils Alexandre.

Au cours de cette période, un grand orateur athénien du nom d'Isocrate prononça un discours exaltant qui présentait Philippe comme le protecteur des Grecs et le seul homme capable d'assujettir les barbares de l'Orient : les Perses, qui, depuis un siècle, menaçaient la civilisation et la liberté helléniques.

Alexandre fut pleinement informé de ces événements par ses précepteurs, et ces nouvelles le remplirent d'inquiétude. Il se sentait assez grand pour tenir le rôle qui lui était imparti dans l'histoire de son pays, mais il savait qu'il était encore trop jeune pour agir.

Au fur et à mesure qu'il grandissait, son père lui consacrait de plus en plus de temps, comme s'il le considérait désormais comme un homme. Cependant il l'écartait encore de ses projets les plus audacieux. En effet, dominer les États de la Grèce péninsulaire n'était pas l'objectif de Philippe, mais seulement un moyen d'y parvenir : son regard se tournait au-delà de la mer, vers les immenses territoires de l'Asie intérieure.

Parfois, lorsqu'il se trouvait dans son palais de Pella pour une période de repos, il conduisait Alexandre sur la tour la plus la haute et lui indiquait l'Orient, où la lune jaillissait des flots.

« Tu sais ce qu'il y a, là-bas, Alexandre ?

— L'Asie, papa, répondait-il. Le pays du soleil levant.

— Et connais-tu l'étendue de l'Asie ?

— Mon maître de géographie, Cratippe, dit qu'elle mesure plus de dix mille stades.

— Il se trompe, mon fils. L'Asie est cent fois plus grande. Quand je combattais sur le fleuve Istros, j'ai rencontré un guerrier scythe qui parlait notre langue. Il m'a raconté qu'au-delà du fleuve s'étendait une plaine aussi vaste que la mer, et que se dressaient des montagnes assez hautes pour percer le ciel. Il m'a expliqué qu'il y avait des déserts si grands que leur traversée demandait des mois, et, à l'extrémité de ces déserts, des montagnes semées de pierres précieuses : des lapis-lazulis, des rubis et des cornalines.

« Sur ces plaines, m'a-t-il dit, courent des milliers de chevaux aussi fougueux que le feu, des animaux infatigables, capables de voler des jours durant au-dessus d'un espace infini. " Il y a des régions, a-t-il ajouté, enserrées dans la glace et prisonnières de la nuit pendant plus de six mois ; d'autres, brûlées par l'ardeur du soleil à toutes les saisons : pas un brin d'herbe n'y pousse, les serpents y sont tous venimeux et la piqûre d'un scorpion tue un homme en quelques instants. " Telle est l'Asie, mon fils. »

Alexandre vit que les yeux de son père étaient pleins de rêves. Il comprit alors ce qui brûlait dans l'âme de Philippe.

Un jour — plus d'un an s'était écoulé depuis cet entretien —, le roi pénétra brusquement dans sa chambre. « Enfile un pantalon thrace et prends un manteau de laine brute. Pas d'insignes ni d'ornements. Nous partons.

— Où allons-nous ?

— J'ai fait préparer nos chevaux et des provisions, nous nous absenterons quelques jours. Je veux te montrer quelque chose. »

Alexandre s'exécuta sans poser de questions. Il salua rapidement sa mère du seuil de sa chambre et se précipita dans la cour où l'attendait une petite escorte de la cavalerie royale, ainsi que deux destriers.

Le roi était déjà à cheval. Alexandre sauta sur le dos de son moreau ; ensemble, ils franchirent au galop la porte grande ouverte.

Ils chevauchèrent pendant plusieurs jours en direction de l'Orient, longeant la côte, puis s'en écartant pour y revenir ensuite. Ils traversèrent Therma, Appollonia et Amphipolis, s'arrêtant la nuit dans de petites auberges de campagne et mangeant la nourriture traditionnelle des Macédoniens : de la viande de chèvre rôtie, du gibier, du fromage de brebis affiné et du pain cuit sous la braise.

Après Amphipolis, ils s'engagèrent sur un sentier à pic et débouchèrent bientôt, presque à l'improviste, au milieu d'un paysage désolé. La montagne avait été privée de son manteau boisé, et partout l'on voyait troncs mutilés et taillis calcinés. Le terrain ainsi dénudé était creusé en plusieurs endroits et d'énormes quantités de détritus s'entassaient à l'entrée de chaque galerie, comme dans une gigantesque fourmilière.

Une pluie légère et insistante commençait à tomber, aussi les cavaliers couvrirent-ils leur tête de leur capuchon et mirent-ils leurs animaux au pas. Le sentier principal se mua bien vite en un labyrinthe, où s'agitaient une multitude d'hommes émaciés et déguenillés, à la peau noircie et rêche, qui portaient de lourdes hottes remplies de cailloux.

Un peu plus loin, des colonnes de fumée noire et

dense s'élançaient dans le ciel en volutes paresseuses, répandant sur toute la région une brume épaisse qui rendait la respiration difficile.

« Couvre-toi la bouche de ton manteau », ordonna Philippe à son fils.

Un étrange silence pesait sur ces lieux, et la pluie avait changé la poussière en une boue si dense que les sabots des chevaux s'y perdaient.

Alexandre balayait le paysage d'un regard effrayé : c'est ainsi qu'il s'était représenté l'Hadès, le royaume des morts. Quelques vers d'Homère lui vinrent alors à l'esprit :

> Là se trouvaient la ville et le pays des Cimmériens. Sans cesse enveloppés de nuées et de brumes, ces hommes ne sont jamais vus par les rayons ardents du soleil, ni pendant qu'il s'élève dans le ciel étoilé, ni quand, du haut du firmament, il descend de nouveau vers la terre. Une nuit éternelle pèse sur ces infortunés.

Soudain, le silence fut rompu par un bruit sourd et rythmé, comme si le poing d'un Cyclope s'abattait avec une monstrueuse puissance sur les flancs tourmentés de la montagne. Alexandre éperonna son cheval car il voulait savoir d'où provenait le grondement qui secouait la terre autant que le tonnerre.

Après qu'il eut contourné une arête rocheuse, il vit où finissaient tous ces sentiers. Il y avait une machine gigantesque, une sorte de tour composée de grandes poutres, au sommet de laquelle on avait accroché une poulie. Un filin soutenait un maillet colossal, en fer ; à l'autre extrémité, le câble était fixé à un treuil, que faisaient tourner des centaines de malheureux qui enroulaient le câble autour du tambour de manière à soulever le maillet à l'intérieur de la tour en bois.

Quand il atteignait le sommet, l'un des surveillants ôtait la cheville d'arrêt, libérant ainsi le tambour qui se renversait, entraîné par le poids du maillet. Celui-ci jetait à terre et brisait les pierres inlassablement déversées des hottes transportées à dos d'homme dans la montagne.

Les ouvriers ramassaient le minerai fragmenté, en remplissaient leurs hottes et l'emportaient vers un lieu où d'autres ouvriers le pulvérisaient dans les mortiers. Ils le nettoyaient alors dans l'eau d'un torrent que canalisaient une série de glissières en pente, séparant les grains de la poussière d'or qu'ils contenaient.

« Voici les mines de Pangée, expliqua Philippe. Grâce à cet or, j'ai armé et équipé notre armée, j'ai construit nos palais, j'ai bâti la puissance de la Macédoine.

— Pourquoi m'as-tu amené ici ? » demanda Alexandre, profondément troublé.

Tandis qu'il parlait, l'un des porteurs s'effondra sur le sol, devant les sabots de son cheval. Un surveillant s'assura qu'il fût bien mort, puis adressa un signe à deux autres malheureux, qui posèrent leurs hottes, soulevèrent le cadavre par les pieds et l'emportèrent.

« Pourquoi m'as-tu amené ici ? » répéta Alexandre. Et Philippe s'aperçut que le ciel de plomb se reflétait dans son regard assombri.

« Tu n'as pas encore vu le pire, répondit-il. As-tu le courage de descendre sous terre ?

— Je n'ai peur de rien, affirma le garçon.

— Alors suis-moi. »

Le roi mit pied à terre et avança vers l'entrée d'une galerie. Le surveillant, qui s'était précipité pour saisir son étrivière, s'immobilisa d'un air abasourdi en reconnaissant sur sa poitrine l'étoile d'or des Argéades.

Philippe se contenta d'un petit signe et l'homme revint sur ses pas ; il alluma une lanterne afin de conduire le roi et son fils dans le sous-sol.

Dès qu'il eut pénétré dans la galerie sur les pas de son père, Alexandre se sentit suffoquer tant la puanteur d'urine, de sueur et d'excréments humains était insupportable. Il fallait suivre des méandres, le dos courbé par endroits, le long d'un étroit boyau où ne cessaient de résonner coups de marteau, halètements diffus, quintes de toux, râles d'agonie.

De temps à autre, le surveillant s'arrêtait auprès d'un groupe d'hommes qui s'efforçaient d'extraire le minerai à la pioche, ou à l'entrée d'un puits, au fond duquel la lueur hésitante d'une lanterne éclairait un dos osseux, des bras squelettiques.

Parfois, en entendant le bruit des pas ou des voix qui s'approchaient, les mineurs levaient la tête et Alexandre découvrait des masques défigurés par la fatigue, par les maladies et par l'horreur de vivre.

Plus loin, ils virent un cadavre. « De nombreux ouvriers se suicident, expliqua le surveillant. Ils se jettent sur leur pioche ou se frappent à l'aide de leur burin. »

Philippe se tourna vers Alexandre : l'enfant était muet, apparemment impassible, mais l'ombre de la mort voilait son regard.

Ils sortirent par une ouverture étroite de l'autre côté de la montagne. Leurs chevaux et leur escorte les y attendaient.

Alexandre fixa son père du regard. « Quelle faute ont-ils commise ? » demanda-t-il. Son visage était aussi pâle que la cire.

« Aucune, répondit le roi. Sinon celle d'être nés. »

7

Ils remontèrent en selle et descendirent au pas, sous la pluie qui se remettait à tomber. Alexandre chevauchait en silence aux côtés de son père.

« Je voulais que tu saches que tout a un prix. Et je voulais que tu saches aussi quel genre de prix. Notre grandeur, nos conquêtes, nos palais et nos vêtements... tout se paie.

— Mais pourquoi eux ?

— Il n'y a pas de pourquoi. Le monde est gouverné par le destin. Quand ces gens naquirent, il fut établi qu'ils mourraient ainsi, de même qu'il a été prévu pour nous, à notre naissance, un destin qui demeure caché jusqu'à notre dernier instant.

« De tous les êtres vivants, seul l'homme peut s'élever au point de toucher, ou presque, le séjour des dieux, ou s'abaisser au rang des brutes, ou pire encore. Tu as déjà vu le séjour des dieux, car tu as vécu dans la maison d'un roi. J'ai cru bon de te montrer aussi ce que le hasard peut réserver à un être humain. Il y a parmi ces misérables des hommes qui furent peut-être des chefs ou des nobles, et que le destin a précipités dans la misère.

— Mais si tel est le destin qui peut échoir à chacun de nous, pourquoi ne pas être clément tant que la fortune nous est amie ?

— C'est ce que je voulais t'entendre dire. Tu devras être clément chaque fois que cela te sera possible, mais rappelle-toi qu'on ne peut rien faire pour changer la nature des choses. »

C'est alors qu'Alexandre aperçut une fillette un peu plus jeune que lui, qui gravissait le sentier en portant deux lourds paniers remplis de fèves et de pois chiches, sans doute destinés au repas des surveillants.

Il descendit de cheval et se dressa devant elle. Elle était maigre, avait les pieds nus, les cheveux sales et de grands yeux noirs pleins de tristesse.

« Comment t'appelles-tu ? » lui demanda-t-il.

La fillette ne répondit pas.

« Elle ne sait probablement pas parler », intervint Philippe. Alexandre se tourna vers son père : « Je peux transformer son destin. Je veux le transformer. »

Philippe acquiesça : « Tu peux le faire, si tu le souhaites, mais rappelle-toi que le monde ne changera pas pour autant. »

Alexandre fit monter la petite sur son cheval, derrière lui, et la couvrit de son manteau.

Ils regagnèrent Amphipolis au crépuscule et logèrent chez un ami du roi. Alexandre ordonna que la fillette soit lavée et vêtue, et il l'observa pendant qu'elle mangeait.

Il essaya de lui parler ; elle lui répondait par monosyllabes et ce qu'elle disait n'était pas compréhensible.

« Il s'agit d'une langue barbare, lui expliqua Philippe. Pour communiquer avec elle, il te faudra attendre qu'elle apprenne le macédonien.

— J'attendrai », répliqua Alexandre.

Le lendemain, le temps s'améliora. Ils entamèrent leur voyage de retour en traversant le pont de bateaux qui enjambait le Strymon. À Bromiscos, ils se dirigèrent vers le sud et longèrent la péninsule du mont Athos. Ils chevauchèrent toute la journée et, au coucher du soleil, atteignirent un surplomb d'où l'on apercevait un énorme fossé, creusé dans la terre, qui coupait la péninsule en deux. Alexandre tira sur les rênes de son destrier et contempla avec stupéfaction cette œuvre cyclopéenne.

« Tu vois ce fossé ? demanda son père. Xerxès, l'empereur des Perses, l'a fait creuser il y a près de cent cinquante ans pour permettre à sa flotte de passer et l'empêcher de se briser contre les récifs du mont Athos. Dix mille hommes y ont travaillé en se relayant jour et nuit. Le Grand Roi avait auparavant fait construire un pont de bateaux à travers le détroit du Bosphore en soumettant l'Asie à l'Europe.

« Dans quelques jours, nous recevrons une ambassade du Grand Roi. Je voulais que tu mesures la puissance de l'empire avec lequel nous traitons. »

Alexandre hocha la tête tout en examinant longuement cette œuvre colossale. Puis, voyant son père se remettre en route, il talonna son cheval et le suivit.

« Je voudrais te poser une question, lui dit-il après l'avoir rejoint.

— Je t'écoute.

— Il y a un garçon, à Pella, qui fréquente les cours de Léonidas, mais qui reste toujours à l'écart. Les rares fois où je le croise, il évite de me parler. Il a un aspect triste et mélancolique. Léonidas refuse de me révéler son identité, mais je suis sûr que toi, tu la connais.

— Il s'agit de ton cousin Amyntas, répondit Philippe, le regard fixé devant lui. Le fils de mon frère, qui mourut au cours d'une bataille en combattant contre les Thessaliens. Il était l'héritier du trône avant ta naissance, et je gouvernais à sa place en qualité de régent.

— C'est donc lui le roi ?

— Le trône appartient à celui qui peut le défendre, répliqua Philippe. Souviens-t'en. Voilà pourquoi ceux qui ont pris le pouvoir dans notre pays ont toujours éliminé ceux qui auraient pu le leur contester.

— Mais tu as laissé vivre Amyntas.

— C'était le fils de mon frère, et il ne pouvait me nuire en aucune façon.

— Tu as été... clément.
— Si tu veux.
— Père ? »

Philippe se retourna : Alexandre ne l'appelait ainsi que lorsqu'il lui en voulait ou qu'il souhaitait lui poser une question très sérieuse.

« Si tu devais mourir au combat, qui serait l'héritier du trône ? Amyntas ou moi ?
— Le plus digne des deux. »

L'enfant se tut, mais cette réponse le frappa profondément et resta à jamais gravée dans son esprit.

Ils rentrèrent à Pella trois jours plus tard. Alexandre confia à Artémisia la fillette qu'il avait arrachée aux horreurs du mont Pangée.

« À partir d'aujourd'hui, affirma-t-il avec une suffisance enfantine, elle sera attachée à mon service. Et tu lui enseigneras tout ce qu'elle doit savoir.
— A-t-elle un nom, au moins ? demanda Artémisia.
— Je l'ignore. Quoi qu'il en soit, je l'appellerai Leptine.
— C'est un joli nom, qui convient bien à une fillette. »

Ce jour-là, on apprit que Nicomaque s'était éteint, à un âge très avancé. Cette nouvelle chagrina le roi : Nicomaque avait été un excellent médecin, et il avait mis au monde son enfant.

Son cabinet ne fut pas fermé, même si son fils, Aristote, s'était engagé dans une tout autre voie. Il se trouvait alors en Asie, dans la ville d'Atarnée où il avait fondé, après la mort de son maître Platon, une nouvelle école philosophique.

En revanche, Philippe, le jeune assistant de Nicomaque, avait continué de travailler dans le cabinet du médecin disparu. Il exerçait à présent sa profession avec grande habileté.

Les garçons qui vivaient à la cour auprès d'Alexandre avaient, eux aussi, grandi en âme et en esprit, et les inclinations qu'ils avaient montrées au cours de leur enfance s'étaient en partie confirmées. Les camarades du même âge que le prince — Héphestion, son inséparable ami, Perdiccas et Séleucos — formaient un groupe très uni, aussi bien dans leurs jeux que dans leurs études. Avec le temps, Lysimaque et Léonnatos s'étaient habitués à la vie en communauté et manifestaient leur joie de vivre dans les exercices physiques et dans les jeux d'habileté.

Léonnatos, en particulier, était passionné de lutte, raison pour laquelle il était perpétuellement ébouriffé, couvert d'égratignures et de bleus. Les plus grands, comme Ptolomée et Cratère, étaient déjà des jeunes gens et recevaient depuis longtemps une dure instruction militaire dans la cavalerie.

Au cours de cette période, leur groupe s'ouvrit à un Grec dénommé Eumène, qui travaillait comme assistant à la chancellerie du roi et qui était très apprécié pour son intelligence et sa perspicacité. Comme Philippe avait voulu qu'il fréquente la même école que les autres garçons, Léonidas lui trouva une place dans leur dortoir, mais Léonnatos le défia aussitôt à la lutte.

« Si tu veux mériter ta place, tu dois te battre », affirma-t-il, torse nu, après avoir ôté son chiton. Eumène ne daigna pas le regarder. « Tu es fou ? Cette idée ne me traverse même pas l'esprit », dit-il. Et il se mit à ranger ses vêtements dans le coffre, au pied de son lit.

Lysimaque se moqua de lui : « Je l'avais bien dit. Ce Grec ne vaut pas un pet. » À son tour, Alexandre éclata de rire.

Léonnatos poussa Eumène et l'envoya rouler à terre. « Alors, tu veux te battre, oui ou non ? »

Le Grec se releva, l'air agacé, lissa ses vêtements et dit : « Un instant, je reviens tout de suite. » À la stupéfaction générale, il se dirigea vers la porte. Une fois sorti, il s'approcha d'un soldat qui montait la garde sur la galerie supérieure du palais — un Thrace aussi gros qu'un ours —, tira de sa poche quelques pièces de monnaie et les lui tendit en lui ordonnant : « Suis-moi, j'ai un travail pour toi. » Il le précéda dans le dortoir et indiqua Léonnatos : « Tu vois ce garçon avec des taches de rousseur et des cheveux roux ? » interrogea-t-il. Le géant acquiesça. « Bien. Attrape-le et administre-lui une belle correction. »

Léonnatos comprit aussitôt que les choses tournaient mal. Il bondit entre les jambes du Thrace comme Ulysse entre celles de Polyphème, et dévala l'escalier.

« L'un de vous a-t-il quelque chose à objecter ? » demanda Eumène en retournant à ses effets personnels.

« Oui, moi », intervint Alexandre.

Eumène s'interrompit et se tourna vers lui : « Je t'écoute, dit-il avec un ton empreint de respect, parce que tu es le maître de maison ; mais je ne tolérerai pas qu'un autre de ces gamins me traite de pet. »

Alexandre éclata de rire. « Bienvenue parmi nous, monsieur le secrétaire général. »

Dès lors, Eumène fit partie du groupe comme un membre à part entière et devint l'inspirateur de toutes sortes de plaisanteries et de moqueries. Leur victime était souvent leur maître, le vieux Léonidas : les enfants glissaient des lézards dans son lit et des grenouilles vivantes dans sa soupe aux lentilles, pour se venger des coups de verge qu'il leur dispensait copieusement quand ils ne s'étaient pas assez appliqués à leurs études.

Un soir, Léonidas, qui était encore le principal responsable de leur instruction, leur annonça que le roi recevrait, le lendemain, la visite d'une ambassade perse et qu'il participerait lui aussi à cette mission diplomatique en raison de ses connaissances sur l'Asie et ses coutumes. Les plus grands, précisa-t-il, devraient prendre du service dans la garde d'honneur du roi, revêtus de leur armure de parade, alors que les plus jeunes s'acquitteraient d'une fonction similaire aux côtés d'Alexandre.

Cette nouvelle remplit les garçons d'une grande agitation : ils n'avaient jamais vu de Perses, et ce qu'ils savaient de ce pays provenait de leurs lectures d'Hérodote ou de Ctésias, ou encore du journal de la fameuse « retraite des Dix Mille » de l'Athénien Xénophon. Ils se hâtèrent donc d'astiquer leurs armes et de préparer leurs vêtements de cérémonie.

« Mon père a parlé à un homme qui avait pris part à l'expédition des Dix Mille, raconta Héphestion, et qui avait affronté les Perses à la bataille de Cunaxa.

— Vous imaginez, les garçons ? intervint Séleucos. Un million d'hommes ! »

Et il mettait ses mains en éventail devant lui comme pour représenter l'immense front des guerriers.

« Et les chars faucheurs ? ajouta Lysimaque. Ils vont aussi vite que le vent dans leurs plaines, et ils sont armés de faux qui pointent sous le caisson et sortent des essieux, pour abattre les hommes comme des épis de blé. Je n'aimerais pas les affronter sur le champ de bataille.

— Des pièges qui font plus de bruit que de mal, commenta Alexandre, qui avait écouté en silence les remarques de ses camarades. Xénophon le dit aussi dans son journal. De toute façon, nous aurons tous l'occasion de voir comment les Perses manient leurs armes. Mon père a organisé pour après-demain une battue de chasse au lion en Éordée, en l'honneur de ses invités.

— Les enfants aussi sont invités ? » ricana Ptolémée.

Alexandre se dressa devant lui : « J'ai treize ans et je n'ai peur de rien, ni de personne. Si tu répètes ce que tu viens de dire, je te ferai avaler toutes tes dents. »

Ptolémée se maîtrisa, et les autres garçons cessèrent de rire. Ils avaient appris à ne pas provoquer Alexandre qui, malgré sa taille peu développée, avait montré à plusieurs reprises une force surprenante et une grande rapidité.

Eumène proposa à la ronde une partie de dés où l'on

jouerait la paie de la semaine, et la chose en resta là. Par la suite, l'argent finit dans ses poches, car le Grec avait un faible pour le jeu aussi bien que pour l'argent.

Une fois sa colère éteinte, Alexandre abandonna ses camarades à leur passe-temps et alla rendre visite à sa mère avant de se coucher. Olympias menait depuis longtemps une vie retirée, même si elle conservait encore un pouvoir considérable à la cour, en qualité de mère de l'héritier du trône. Désormais, ses rencontres avec Philippe se limitaient presque exclusivement aux occasions prévues par le protocole.

Le roi avait entre-temps épousé d'autres femmes pour des raisons politiques, mais cela ne l'empêchait pas de respecter Olympias ; et si la reine avait été dotée d'un caractère moins revêche et moins âpre, il lui aurait peut-être prouvé que son ancienne passion n'était pas complètement morte.

La reine était assise dans un fauteuil, près d'un candélabre de bronze à cinq branches, un papyrus déployé sur ses genoux. Hors du rayon de cette lumière, sa chambre était plongée dans l'obscurité.

Alexandre entra d'un pas léger. « Que lis-tu, maman ? »

Olympias leva la tête : « Sapho, répondit-elle. Ses vers sont merveilleux et son sentiment de solitude est si proche du mien... »

Le regard tourné vers le ciel étoilé, elle s'approcha de la fenêtre et répéta d'une voix vibrante et mélancolique les vers qu'elle avait lus :

La nuit est à mi-course.
La lune et les Pléiades se sont couchées,
Et je gis dans mon lit... seule.

Alexandre la rejoignit et vit dans la lumière incertaine de la lune une larme trembler un moment sur ses cils, avant de couler sur sa joue pâle.

8

Le maître de cérémonie donna l'ordre d'emboucher les trompettes et les dignitaires perses firent leur entrée solennelle dans la salle du trône. La délégation était menée par le satrape de Phrygie, Arsamès, accompagné par le gouverneur militaire de la province et par d'autres notables, qui le suivaient à quelques pas.

Ils étaient flanqués d'une escorte de douze Immortels, les soldats de la garde impériale, tous choisis pour leur grande taille, la majesté de leur port et la dignité de leur lignage.

Le satrape portait une tiare molle — le couvre-chef le plus prestigieux après la tiare rigide, que seul l'empereur pouvait arborer —, une veste de bysse vert, sur laquelle se détachaient des dragons de fil d'argent, une culotte ouvragée et des babouches en cuir d'antilope. Les dignitaires aussi étaient habillés de vêtements incroyablement riches et raffinés.

Mais l'attention de l'assistance se concentrait sur les Immortels du Grand Roi. Ils mesuraient près de six pieds, avaient le teint olivâtre, une barbe noire et crépue, des cheveux somptueusement coiffés et frisés au fer. Ils étaient vêtus d'une veste de samit d'or tombant jusqu'à leurs pieds, d'une tunique de bysse bleu et de culottes de la même couleur, brodées d'abeilles en or, et arboraient à l'épaule leurs arcs meurtriers à double courbure et leurs carquois de cèdre à incrustations d'ivoire et de feuilles d'argent.

Ils avançaient d'un pas cadencé en posant sur le sol les hampes de leurs lances, qui se terminaient par des pommeaux d'or en forme de grenades, et exhibaient à leur côté la plus belle arme de parade qu'on eût jamais vue : l'éblouissante *akinaké*, une dague en or massif rangée dans un fourreau travaillé en bosselage, où rampait une série de griffons aux yeux de rubis.

Le fourreau, également en or pur, était accroché à un cliquet fixé au ceinturon : l'arme oscillait donc librement en rythmant le pas des majestueux guerriers, que scandait aussi l'ondoiement de ce précieux métal.

Philippe, qui s'attendait à une telle démonstration de luxe, avait préparé un accueil adéquat en disposant sur les côtés de la salle deux rangées de trente-six *pézétaïroï*, les puissants soldats de son infanterie lourde de ligne. Enfermés dans leurs cuirasses de bronze, ils tenaient des écus frappés de l'étoile en argent des Argéades et brandissaient des sarisses, immenses lances de cornouiller mesurant douze pieds. Leurs pointes de bronze, si bien astiquées qu'on pouvait se mirer dedans, touchaient le plafond.

Revêtu de sa première armure, qu'il avait lui-même dessinée, et entouré de sa garde personnelle, Alexandre était assis sur un trépied à côté de son père. La jeune Cléopâtre, d'une beauté enchanteresse, lui faisait pendant aux pieds d'Olympias. Elle portait un péplum attique qui découvrait ses bras et ses épaules et retombait en plis élégants sur sa poitrine, ainsi que des sandales composées de rubans en argent.

Une fois devant le trône, Arsamès s'inclina devant le couple royal, puis il s'effaça pour laisser avancer les dignitaires, qui remirent au couple des présents : une ceinture en mailles d'or piquée d'aigues-marines et d'œils-de-tigre pour la reine, une cuirasse indienne sculptée dans une carapace de tortue pour le roi.

Philippe ordonna au maître de cérémonie de présenter

les cadeaux qu'il avait choisis pour l'empereur et l'impératrice. Il s'agissait d'un casque scythe en feuilles d'or et d'un collier chypriote en polypes de corail enchâssés dans de l'argent.

Au terme de cette cérémonie solennelle, les Perses furent invités à passer dans la salle des audiences et à s'asseoir sur de confortables divans, afin de discuter du protocole d'entente qui était à l'ordre du jour. Alexandre aussi y fut admis, car Philippe voulait qu'il commence à mesurer les responsabilités échéant à un homme de gouvernement, ainsi que la façon de gérer les relations avec une puissance étrangère.

La négociation portait sur le protectorat que Philippe voulait établir sur les villes grecques d'Asie, tout en reconnaissant formellement la souveraineté du Grand Roi dans cette région. Les Perses étaient, quant à eux, préoccupés par l'avancée du roi macédonien dans la zone des Détroits, région clef, charnière entre deux continents et entre trois grandes régions : l'Asie Mineure, l'Asie intérieure et l'Europe.

Philippe tenta d'exposer ses raisons en évitant d'alarmer ses interlocuteurs : « Je n'ai aucun intérêt à troubler la paix dans la zone des Détroits. Mon seul but est de consolider l'hégémonie macédonienne entre le golfe adriatique et la rive occidentale de la mer Noire, ce qui constituera, sans aucun doute, un facteur de stabilité dans cette région, voie de circulation et de commerce vitale pour tous. »

Il s'interrompit afin de laisser à l'interprète le temps de traduire, et en profita pour scruter le visage de ses hôtes au fur et à mesure que ses mots étaient prononcés en perse.

Le visage d'Arsamès ne trahit aucune émotion. Il se tourna vers Philippe et affirma, en plantant ses yeux dans les siens, comme si la traduction ne lui était pas nécessaire : « Le Grand Roi souhaite résoudre le problème de tes relations avec les Grecs d'Asie et certains dynastes grecs de la rive orientale de la mer Égée.

Nous avons toujours favorisé leur autonomie et incité les Grecs, qui sont nos amis, à gouverner leurs villes. C'est, à notre avis, une solution sage, qui respecte leurs traditions et leur dignité, et sauvegarde les intérêts de tous. Hélas..., reprit-il quand l'interprète eut terminé, nous parlons d'une région frontalière qui a toujours fait l'objet de désaccords, sinon d'âpres querelles ou de guerres ouvertes. »

Le Perse pénétrait peu à peu dans le vif du sujet en touchant des points douloureux. Désireux de détendre l'atmosphère, Philippe invita alors le maître de cérémonie à faire entrer de magnifiques jeunes gens, fort peu vêtus, qui servirent des gâteaux et du vin épicé auquel on avait ajouté de la neige du mont Bermion, conservée dans des jarres de la cave royale.

Les coupes d'argent étaient couvertes d'un givre léger qui donnait au métal une sorte de patine opaque et transmettait, au regard d'abord, puis à la main, une agréable sensation de fraîcheur. Le roi attendit que les étrangers fussent servis avant de reprendre la parole.

« Je vois bien à quoi tu fais allusion, illustre invité. Je sais que des guerres sanguinaires ont opposé dans le passé les Grecs et les Perses sans qu'une solution définitive n'ait été trouvée. Mais je voudrais te rappeler que mon pays et ses rois, mes ancêtres, ont toujours joué un rôle de médiateur, et je te prie donc de rapporter au Grand Roi que notre amitié avec les villes grecques d'Asie n'est dictée que par la conscience de nos origines et de notre religion communes, ainsi que par les anciens liens d'hospitalité et de parenté qui nous unissent... »

Arsamès écoutait, sans se départir de son expression de sphinx, à laquelle ses yeux bistrés apportaient une étrange fixité de statue. Quant à Alexandre, il observait tantôt l'invité étranger, tantôt son père, essayant de comprendre ce que les deux hommes dissimulaient derrière le paravent de leurs discours conventionnels.

« Je ne nie pas, poursuivit Philippe au bout d'un

moment, que nous souhaitions entretenir des rapports commerciaux avec ces cités et, mieux encore, puiser dans l'expérience qu'elles ont accumulée dans tous les domaines du savoir. Nous voulons apprendre à construire, à naviguer sur les flots, à régler le cours des eaux sur notre terre... »

Étrangement, le Perse devança l'interprète : « Et qu'offrez-vous en échange ? »

Philippe masqua habilement sa surprise. Il attendit la traduction de la question et répondit d'une voix imperturbable : « Amitié, présents hospitaliers et produits que seule la Macédoine est en mesure de fournir : le bois de nos forêts, les chevaux magnifiques et les robustes esclaves de nos plaines. Je ne désire qu'une chose : que tous les Grecs qui vivent sur nos rivages considèrent le roi des Macédoniens comme leur ami naturel. Rien de plus. »

Les Perses semblèrent se contenter de ce que Philippe leur disait. Ils comprenaient que le roi macédonien ne pouvait pas encore se permettre de se lancer dans des projets belliqueux. Et cela leur suffisait pour le moment.

Quand on quitta la pièce pour gagner la salle où devait se dérouler le banquet, Alexandre s'approcha de son père et lui murmura à l'oreille :

« Qu'y a-t-il de vrai dans ce que tu as dit ?

— Presque rien, répondit Philippe en sortant dans le couloir.

— Et donc, eux aussi...

— Ils ne m'ont rien dit de vraiment important.

— Mais alors, à quoi servent ces rencontres ?

— À se renifler.

— Se renifler ? demanda Alexandre.

— Oui. Un vrai politicien n'a pas besoin de mots, il se fie beaucoup plus à son nez. Par exemple, à ton avis, aime-t-il les filles ou les garçons ?

— Qui ?

— Notre invité, évidemment !

— Mais... je l'ignore.

— Il aime les garçons. On pouvait croire qu'il regardait les filles, mais il observait du coin de l'œil le petit blond qui servait du vin glacé. Je dirai au maître de cérémonie de le lui fourrer dans son lit. Il vient de Bithynie et il connaît le perse. Nous réussirons peut-être à découvrir d'autres choses au sujet de notre invité. Quant à toi, tu les promèneras et leur montreras le palais royal et ses dépendances au terme du banquet. »

Alexandre acquiesça et, quand vint le moment, exécuta avec enthousiasme la tâche dont on l'avait chargé. Il avait lu de nombreux ouvrages sur l'Empire perse, connaissait presque par cœur l'*Anabase* de l'Athénien Xénophon et avait porté une grande attention à l'*Histoire des Perses* de Ctésias, certes remplie d'exagérations fantaisistes mais contenant des annotations intéressantes au sujet des coutumes et du paysage. Cependant, c'était la première fois qu'il pouvait parler à des Perses en chair et en os.

Accompagné d'un interprète, il leur montra le palais royal et les logements des jeunes nobles, et se promit aussitôt de réprimander Lysimaque, dont le lit n'était pas bien fait. Il expliqua que les descendants de l'aristocratie macédonienne étaient instruits à la cour avec lui.

Arsamès lui apprit que cette coutume existait également à Suse, leur capitale. Le roi s'assurait ainsi la fidélité des chefs tribaux et des rois clients ; il éduquait aussi une génération de nobles étroitement liés au trône.

Alexandre le conduisit aux écuries des *hétaïroï*, les aristocrates qui combattaient dans la cavalerie et qui portaient justement le titre de « compagnons du roi ». Les dignitaires assistèrent en sa présence aux évolutions de quelques chevaux thessaliens d'une grande beauté.

« De magnifiques animaux, commenta l'un d'entre eux.

— Avez-vous des étalons aussi beaux ? » demanda un peu naïvement Alexandre.

Le dignitaire sourit : « Prince, as-tu jamais entendu parler des chevaux nyséens ? »

Alexandre secoua la tête d'un air embarrassé.

« Ce sont des animaux d'une beauté et d'une puissance formidables. Ils ne paissent que sur les hauts plateaux de la Médie, où pousse une herbe très riche qu'on appelle justement " herbe médique ". Ses fleurs de couleur pourpre sont très énergétiques, et le cheval de l'empereur en est exclusivement nourri. Les palefreniers les cueillent une par une, et les distribuent fraîches en été, et sèches à l'automne et en hiver. »

Captivé par ce récit, Alexandre tentait d'imaginer l'aspect que pouvaient présenter des chevaux exclusivement nourris de fleurs.

Ils allèrent ensuite se promener dans les jardins, où la reine Olympias avait fait planter toutes les variétés connues de roses de Piérie qui dégageaient, en cette période de l'année, un parfum à la fois délicat et intense.

« Nos jardiniers en font des infusions et des essences pour les dames de la cour, dit Alexandre, mais j'ai lu beaucoup de choses à propos de vos parcs, que nous autres Grecs appelons " paradis ". Sont-ils vraiment si beaux ?

— Notre peuple tire ses origines des steppes et des hauts plateaux désertiques du Nord. C'est pourquoi les jardins ont toujours constitué un rêve pour nous. Ils se nomment dans notre langue *pairidaeza,* sont délimités par de vastes murailles et parcourus par un système complexe de canaux d'irrigation grâce auquel l'herbe reste verte en toutes saisons. Nos nobles y cultivent diverses sortes de plantes locales et exotiques, y accoutument des animaux d'apparat venus de toutes les régions de l'empire : faisans, paons, perroquets, mais aussi tigres, léopards blancs, panthères noires. Nous essayons d'y recréer la perfection du monde tel qu'il sortit des mains de notre dieu Ahura-Mazda, que son nom soit éternellement loué. »

Alexandre les emmena ensuite, dans un chariot fermé, visiter la capitale et ses monuments, ses temples, ses portiques, ses places.

« Mais nous avons aussi une autre capitale, expliqua-t-il : Aigai, sur les contreforts du mont Bermion. C'est de là que provient notre famille, et c'est là que reposent nos rois. Est-il vrai que vous possédez, vous aussi, plusieurs capitales ?

— Oh oui, jeune prince ! répondit Arsamès. Nous en avons quatre. Pasagardes, siège des premiers rois, correspond à votre Aigai. C'est là, sur le haut plateau caressé par le vent, que se dresse la tombe de Cyrus le Grand, fondateur de notre dynastie. Ecbatane est, quant à elle, située dans l'Élam, au milieu des montagnes du Zagros aux neiges éternelles. C'est la capitale d'été. Les murs de la forteresse sont recouverts de carreaux émaillés sur des feuilles d'or, que le soleil couchant fait resplendir comme un joyau sur fond de neiges immaculées. C'est un spectacle émouvant, prince Alexandre. La troisième capitale est Suse, où réside le Grand Roi durant l'hiver. Quant à la quatrième, celle du jour de l'an, c'est Persépolis la haute, au parfum de cédrat et d'encens, ornée d'une forêt de colonnes aux couleurs de la pourpre et de l'or. On y garde le trésor royal, et il n'existe pas de mots pour en décrire la merveille. J'espère que tu la visiteras un jour. »

Alexandre l'écoutait avec ravissement. Il se représentait ces villes et ces jardins de rêve, ces trésors accumulés pendant des siècles, ces paysages déserts. De retour au palais, il invita les Perses à s'asseoir sur des sièges de pierre et ordonna qu'on leur serve des coupes d'hydromel. Tandis qu'ils buvaient, il demanda encore :

« Dites-moi, quelle est la taille de l'empire du Grand Roi ? »

Les yeux du satrape s'illuminèrent. Sa voix était inspirée, comme celle d'un poète chantant sa terre natale :

« L'empire du Grand Roi s'étend au nord jusqu'aux contrées où le froid exclut toute existence humaine, et au sud jusqu'aux régions où la chaleur bannit également toute vie. Il règne sur cent nations, des Éthiopiens crépus et vêtus de peaux de léopard aux Éthiopiens à cheveux raides qui se couvrent de peaux de tigre.

« Ces frontières renferment des déserts que personne n'a jamais osé traverser, des montagnes si hautes qu'aucun pied humain ne s'est jamais hasardé à les gravir, des fleuves que les dieux et les hommes considèrent comme sacrés : le Nil, le Tigre, l'Euphrate et l'Indus, et mille autres encore, tels le majestueux Choaspès ou le tourbillonnant Araxès qui se jette dans la mer Caspienne, une mer mystérieuse et si vaste que le cinquième du ciel s'y reflète... Il existe une route qui part de la ville de Sardes et traverse la moitié de ses provinces jusqu'à Suse, la capitale : une grande route entièrement pavée de pierres et bordée de grilles en or. »

Soudain, Arsamès se tut et fixa Alexandre dans les yeux. Il lut dans son regard un formidable désir d'aventure et l'éclat d'une force vitale invincible. Il comprit que brûlait dans ce jeune homme une âme d'une puissance inouïe. C'est alors que revint à sa mémoire un épisode vieux de plusieurs années, dont on avait longuement parlé en Perse : un jour, à l'intérieur du temple du feu, sur la Montagne de la lumière, brusquement un souffle venu du néant avait éteint la flamme sacrée.

Et il eut peur.

9

La battue de chasse débuta aux premières lueurs de l'aube et le roi voulut que les plus jeunes y participent aussi. Alors Alexandre et ses amis Philotas, Séleucos, Héphestion, Perdiccas, Lysimaque et Léonnatos, ainsi que, bien sûr, Ptolomée et Cratère, s'y préparèrent.

Eumène, qui avait été invité, demanda l'autorisation de ne pas y assister, car il souffrait de troubles intestinaux : il présenta une ordonnance de Philippe, le médecin, qui lui prescrivait deux jours de repos absolu et un traitement astringent à base d'œufs durs.

Le roi Alexandre d'Épire s'était fait envoyer pour l'occasion une meute de chiens de son élevage, d'une grande taille et dotés d'un excellent flair. Ils étaient à présent sur la piste du gibier, stimulés par les rabatteurs qui s'étaient postés, la veille au soir, à l'orée d'un bois de la montagne. Ces chiens avaient été importés d'Orient plus d'un siècle auparavant, et comme ils s'étaient fort bien acclimatés en Épire, la terre des Molosses, où l'on avait fondé les meilleurs élevages, ils en avaient pris le nom. Leur puissance, leur grande taille et leur résistance à la douleur faisaient d'eux l'instrument le mieux approprié à la chasse au gros gibier.

Les bergers avaient signalé depuis longtemps qu'un lion massacrait leurs brebis et leurs troupeaux de bovins dans cette région, et Philippe avait volontairement attendu cette occasion pour abattre la bête sauvage, initier son fils au seul passe-temps qui convînt à un aristocrate et offrir à ses invités perses un divertissement digne de leur rang.

Trois heures plus tôt, à l'aube, ils avaient quitté le palais royal de Pella. Au lever du soleil, ils avaient atteint le massif qui séparait la vallée de l'Axios de celle du Ludias. La bête se dissimulait quelque part au milieu des bois de chênes et de hêtres qui recouvraient la montagne.

À un signe du roi, les veneurs embouchèrent les trompes dont le son, multiplié par l'écho, résonna jusqu'au sommet des monts. Alors les rabatteurs libérèrent leurs chiens et les lancèrent sur les traces du gibier en martelant leurs boucliers avec les embouts de leurs javelots, ce qui produisait un grand vacarme.

Les aboiements emplirent aussitôt la vallée, et les chasseurs se déployèrent en demi-cercle sur un arc mesurant près de quinze stades.

Au centre se trouvaient Philippe et ses généraux : Parménion, Antipatros et Cleitos, dit le Noir. Les Perses s'étaient placés à droite, dans des tenues qui avaient étonné tout le monde. Plus de tuniques brodées ni de vestes voyantes ; désormais, le satrape et ses Immortels arboraient le costume de leurs ancêtres nomades de la steppe : culottes de cuir, corset, chapeau droit, deux javelots à l'étrier, arc à double courbure et flèches. Avaient pris place à gauche du roi : Alexandre d'Épire, Ptolémée et Cratère, ainsi que les plus jeunes, dont Alexandre, Héphestion et Séleucos.

Un nuage de brouillard descendait le long du fleuve et s'étendait comme un voile léger sur la plaine verte et fleurie, encore en partie assombrie par la montagne. Soudain, un rugissement déchira la paix de l'aube en couvrant les aboiements lointains, et les chevaux hennirent d'excitation, piaffant et soufflant avec tant de force qu'il fut difficile de les retenir.

Personne ne bougeait ; on attendait que le lion se mette à découvert. Il y eut un deuxième rugissement, plus puissant, et un troisième lui fit écho un peu plus loin, en direction du fleuve : il y avait aussi une femelle !

Enfin, le mâle, imposant, sortit du bois et, se voyant encerclé, émit un rugissement qui secoua toute la montagne de tremblements et terrifia les chevaux. La lionne apparut peu après.

La présence des chasseurs empêchant les deux fauves d'avancer, et celle des rabatteurs de reculer, ils tentèrent de fuir vers le fleuve.

Alors, Philippe donna le signal du départ de la chasse et tout le monde se déversa dans la plaine, au moment même où le soleil se levait derrière le mont et inondait la vallée de lumière.

Désireux de couper la route aux lions, et de montrer ainsi leur audace, Alexandre et ses compagnons, qui étaient plus proches de la rive que les autres chasseurs, éperonnèrent leurs destriers.

Le roi, craignant que les garçons ne courent un grave danger, s'élança lui aussi, javelot au poing, tandis que les Perses se déployaient en demi-cercle afin d'empêcher les bêtes de se réfugier à nouveau dans le bois, où se trouvaient les chiens.

Entraîné par sa fougue, Alexandre avait presque atteint son but : il s'apprêtait à lancer son javelot sur le mâle, qui lui présentait le flanc. Mais brusquement, la meute surgit du bois, effrayant la femelle, qui se jeta du côté opposé et bondit sur le cheval du prince, le précipitant à terre.

C'était toutefois compter sans les chiens, qui encerclèrent la lionne et l'obligèrent à lâcher prise, ce qui permit au cheval de se redresser et de s'enfuir. Il le fit en ruant et en hennissant, semant du sang sur son passage.

Alors Alexandre se releva et affronta la bête, à mains nues car son javelot lui avait échappé dans sa chute. Heureusement, Héphestion surgit aussitôt, brandissant son arme, dont la lame atteignit le flanc de la bête qui rugit de douleur.

Après avoir égorgé deux chiens, la femelle rejoignit son compagnon, qui poursuivait furieusement le courageux Héphestion, lui assenant de terribles coups de patte et de queue et poussant des rugissements féroces.

Il fallait faire vite, même si Philippe et Parménion étaient proches, désormais. Alexandre avait réussi à ramasser son javelot et il était en train de régler son tir quand la lionne prit son élan pour bondir sur lui.

Alors un des guerriers perses, le plus éloigné de tous, tendit son grand arc et tira en pleine course. La lionne sauta, sans réussir à éviter la flèche qui se planta dans son flanc avec un sifflement aigu. Elle fut bientôt à terre, agonisante.

Philippe et Parménion fondirent sur le mâle et l'éloignèrent des garçons. Le roi fut le premier à le toucher, mais aussitôt Alexandre et Héphestion repartirent à l'attaque, le blessant à leur tour, si bien qu'il ne resta plus à Parménion qu'à donner le coup de grâce.

Tout autour, les chiens aboyaient et hurlaient, comme affolés. Les rabatteurs les autorisèrent à lécher le sang des bêtes féroces, de façon qu'ils mémorisent cette odeur pour la battue suivante.

Philippe mit pied à terre et embrassa son fils : « Tu m'as fait trembler, mon garçon, mais aussi frémir d'orgueil. Un jour, tu seras certainement roi. Un grand roi. » Et il embrassa aussi Héphestion, qui avait risqué sa vie pour sauver celle d'Alexandre.

Quand l'excitation se fut apaisée et que les veneurs commencèrent à dépecer les bêtes, tout le monde se souvint du moment où la lionne avait bondi.

Alors les chasseurs se retournèrent et aperçurent l'étranger, l'un des Immortels, immobile sur son cheval, tenant encore le grand arc à double courbure qui avait foudroyé la femelle à plus de cent pas de distance. Il souriait en découvrant une double rangée de dents éclatantes, encadrées par une grosse barbe noire.

C'est à ce moment-là seulement qu'Alexandre se rendit compte qu'il était couvert de bleus et d'écorchures, et qu'Héphestion perdait du sang : les griffes du lion lui avaient infligé une blessure superficielle mais douloureuse. Il embrassa son ami et le fit aussitôt conduire auprès des chirurgiens. Puis il avisa le guerrier perse qui l'observait de loin, sur son cheval nyséen, et se dirigea vers lui à pied. Une fois devant lui, il plongea ses yeux dans les siens et dit : « Merci, hôte étranger. Je n'oublierai pas. »

L'Immortel ne comprit pas les mots d'Alexandre car il ne connaissait pas le grec, mais il en saisit le sens. Il sourit encore une fois et s'inclina, avant d'éperonner son cheval et de rejoindre ses camarades.

La chasse reprit un peu plus tard et se prolongea jusqu'au couchant. Les porteurs entassèrent les proies abattues par les chasseurs : un cerf, trois sangliers et deux chevreuils.

À la tombée de la nuit, tous ceux qui avaient participé à la battue se réunirent sous une grande tente que les esclaves avaient montée au milieu de la plaine. Tandis qu'ils riaient et chahutaient en évoquant les moments importants de la journée, les cuisiniers détachèrent des broches le gibier que les écuyers tranchants découpèrent et servirent aux convives, en commençant par le roi, ses invités et le prince.

Bien vite, le vin coula à flots. On en remplit aussi la coupe d'Alexandre et celles de ses amis : n'avaient-ils pas prouvé au cours de la journée qu'ils étaient devenus des hommes ?

Alors les femmes survinrent : des flûtistes et des danseuses d'abord, qui excellaient dans l'art d'animer les banquets par leurs danses, leurs répliques grivoises et l'ardeur juvénile avec laquelle elles s'adonnaient aux plaisirs du sexe.

Philippe, qui était particulièrement gai, décida que les invités participeraient également au *cottabe*, un jeu dont l'interprète traduisit les règles aux Perses :

« Vous voyez cette fille ? demanda-t-il en indiquant une danseuse qui était en train de se déshabiller. Il faut éclabousser sa chatte des dernières gouttes de vin restant dans votre coupe. Celui qui visera dans le mille l'aura en récompense. Voilà, regardez ! » Il glissa l'index et le majeur dans l'une des anses et projeta le liquide en direction de la fille. Mais les gouttes atteignirent l'un des cuisiniers en plein visage et tout le monde éclata de rire. « Et maintenant, baise le cuisinier, sire ! Le cuisinier ! Le cuisinier ! »

Philippe haussa les épaules et recommença. La jeune fille avait beau s'être approchée, la vue du roi était à l'évidence un peu brouillée.

Peu habitués au vin pur, la plupart des Perses roulaient déjà sous les tables. Quant à l'invité principal, le satrape Arsamès, il continuait de caresser le jeune blond qui lui avait tenu compagnie durant la nuit.

Il y eut d'autres tentatives, mais ce jeu n'obtint pas un grand succès car les convives étaient trop soûls pour exceller dans de tels exercices de précision. Chacun attrapa la première fille qui lui tombait sous la main, tandis que le roi s'attribuait, en sa qualité d'amphitryon, celle qui avait constitué le trophée du jeu. Comme d'habitude, la fête dégénéra en orgie, en un enchevêtrement de corps à demi nus et en nage.

Alexandre se leva, s'éloigna du campement et marcha jusqu'à la rive du fleuve, enroulé dans son manteau. L'eau gargouillait entre les pierres, la lune qui surplombait les crêtes du mont Bermion jetait un voile argenté sur les flots, diffusant sur la plaine une légère clarté opaline.

Désormais, le vacarme et les grognements qui s'échappaient de la tente étaient assourdis par la distance, et la voix de la forêt pouvait s'exprimer : des bruissements d'ailes, des murmures, et soudain un chant. Un gazouillis qui évoquait une source, un bruit de clochettes d'abord sombre, puis de plus en plus aigu et argentin, pareil aux arpèges d'un mystérieux poète dans l'obscurité parfumée du bois : le chant du rossignol.

Alexandre s'absorba dans la mélodie du petit chanteur sans se rendre compte du temps qui passait. Mais il sentit bientôt une présence derrière lui. Il se retourna : c'était Leptine. Les servantes l'avaient emmenée pour qu'elle les aide à préparer les repas.

Elle l'observait, les mains croisées devant elle, le regard aussi limpide et serein que le ciel au-dessus de leurs têtes. Alexandre lui effleura le visage d'une caresse, la fit asseoir près de lui et la tint serrée dans ses bras, sans mot dire.

Le lendemain, les Macédoniens regagnèrent Pella avec leurs hôtes perses, qui furent invités le jour suivant à un banquet solennel.

La reine Olympias voulut que son fils lui rende visite sans tarder. Quand elle vit ses bras et ses jambes couverts de bleus et d'écorchures, elle l'embrassa, tremblante et inquiète. Mais le jeune prince se libéra de son étreinte d'un air gêné.

« On m'a rapporté ce que tu as fait. Tu aurais pu perdre la vie.

— Je ne crains pas la mort, maman. Le pouvoir et la gloire d'un roi ne se justifient que s'il est prêt à donner sa vie, quand vient son heure.

— Je le sais. Mais je tremble encore en songeant à ce qui s'est produit. Je t'en prie, mets un frein à ton audace, ne t'expose pas inutilement. Tu es encore un adolescent, tu dois grandir et te développer. »

Alexandre la fixa, puis lui dit d'une voix ferme : « Je dois aller à la rencontre de mon destin, et ma course a déjà commencé, j'en suis certain. Ce que j'ignore, c'est où elle me conduira et où elle se conclura.

— Personne ne le sait, mon fils, remarqua sa mère d'une voix tremblante. Le Destin est un dieu dont le visage est masqué d'un drap noir. »

10

Le matin qui suivit le départ des Perses, Alexandre d'Épire entra, les bras chargés, dans la chambre de son neveu.

« Qu'est-ce que c'est ? demanda Alexandre.

— Un pauvre orphelin. Sa mère a été tuée par la lionne, l'autre jour. Tu le veux ? Il est d'une excellente race, et si tu l'aimes, il s'attachera à toi comme un être humain. »

Il lui montra alors un chiot au pelage doux d'une belle couleur fauve avec, au front, une tache plus claire. « Il s'appelle Péritas. »

Alexandre s'en saisit, le posa sur ses genoux et commença à le caresser. « C'est un joli nom. Et ce chiot est une vraie merveille. Puis-je vraiment le garder ?

— Il t'appartient, répondit son oncle. Mais il faut que tu prennes soin de lui. Il tétait encore sa mère.

— Leptine s'en occupera. Il grandira rapidement et sera mon chien de chasse et de compagnie. Je t'en suis très reconnaissant. »

Leptine fut enthousiasmée par cette nouvelle tâche, à laquelle elle s'appliqua avec un grand sens des responsabilités.

Les marques de son enfance tourmentée disparaissaient désormais, et la jeune fille semblait refleurir jour après jour. Sa peau devenait de plus en plus claire et de plus en plus lumineuse, ses yeux de plus en plus limpides et de plus en plus expressifs ; ses cheveux châtains, qui s'éclairaient de reflets cuivrés, de plus en plus brillants.

« Coucheras-tu avec elle quand elle sera prête ? lui demanda Héphestion en ricanant.

— Peut-être, répliqua Alexandre. Mais ce n'est pas pour cette raison que je l'ai arrachée à la boue où je l'ai trouvée.

— Ah non ? Et pourquoi alors ? »

Alexandre s'abstint de répondre.

L'hiver suivant fut particulièrement rigoureux et le roi ressentit plusieurs fois des douleurs aiguës à la jambe gauche, où une vieille blessure le tourmentait depuis des années.

Philippe, le médecin, lui appliquait des pierres chauffées sur le feu et enveloppées dans des étoffes de laine pour absorber l'excès d'humidité, il le frictionnait avec de l'essence de térébinthe. Il l'obligeait parfois à plier le genou et à toucher la fesse de son talon, exercice que le roi détestait entre tous, car il était très douloureux. Mais sa jambe, qui était plus courte que l'autre, risquait de se raccourcir encore.

Il était facile de deviner que le roi perdait patience quand on entendait ses rugissements de lion, ou le bruit des assiettes et des tasses brisées, signe qu'il avait fracassé contre le mur les pots d'onguents, de tisanes et de médicaments que son médecin homonyme lui préparait.

Parfois Alexandre quittait le palais royal de Pella et s'isolait dans la montagne, à Aigai, l'ancienne capitale, où il faisait de longs séjours. Il ordonnait à ses serviteurs d'allumer un grand feu dans sa chambre et contemplait pendant des heures la neige qui tombait à gros flocons sur les sommets, sur les bois de sapins bleus et sur les vallées.

Il aimait regarder la fumée s'échapper des cabanes des bergers sur les collines, et des maisons villageoises. Il savourait le silence abyssal qui, à certaines heures de la soirée ou de la matinée, régnait sur ce monde magique, suspendu entre ciel et terre ; et quand il se couchait, il demeurait longtemps éveillé, les yeux ouverts dans le noir, tandis que les hurlements du loup résonnaient comme une plainte dans des vallées cachées.

Lorsque la nuit tombait après une belle journée, il pouvait voir le sommet de l'Olympe se teinter de rouge, et les nuages, poussés par les vents de Borée, voguer légèrement vers des mondes lointains. Il observait les oiseaux migrateurs, il aurait voulu voler en leur compagnie sur les vagues de l'Océan ou atteindre la lune avec les ailes du faucon ou de l'aigle.

Mais il savait que cela lui était refusé et qu'un jour il dormirait lui aussi, et à jamais, sous un grand tumulus dans la vallée d'Aigai, comme les rois qui l'avaient précédé.

Il sentait alors qu'il abandonnait son enfance et qu'il devenait un homme, et cette pensée le remplissait de mélancolie ou d'excitation fébrile, selon qu'il regardait la lumière du couchant s'éteindre dans un dernier éclat de pourpre sur la montagne des dieux, ou les flammes brûler en tourbillonnant dans les bûchers que les paysans allumaient sur les flancs des montagnes pour revigorer le soleil qui déclinait de plus en plus à l'horizon.

Péritas se blottissait à ses pieds, près du feu, et fixait ses yeux sur lui en aboyant, comme s'il saisissait les pensées qui venaient à l'esprit de son maître.

Leptine, en revanche, restait à l'écart dans un coin du palais et ne se montrait que si Alexandre l'appelait, pour lui préparer le dîner, ou pour se lancer avec lui dans une partie de bataille rangée, un jeu qu'on pratiquait sur une table avec des petits soldats de céramique.

Elle avait acquis une telle habileté qu'il lui arrivait de battre son adversaire. Alors son visage s'éclairait et elle clignait des yeux. « Je suis plus forte que toi ! disait-elle en riant. Tu pourrais me nommer général ! »

Un soir qu'il la voyait particulièrement gaie, Alexandre lui prit la main et l'interrogea : « Leptine, tu n'as donc aucun souvenir de ton enfance ? Comment t'appelais-tu, quel était ton pays, qui étaient tes parents ? »

La jeune fille se renfrogna aussitôt, baissa la tête d'un air gêné et se mit à trembler comme si un froid subit assaillait ses membres. Cette nuit-là, Alexandre l'entendit crier plusieurs fois dans son sommeil des mots étrangers.

Beaucoup de choses changèrent avec le retour du printemps. Désormais, le roi Philippe désirait ardemment que son fils soit connu à l'intérieur et à l'extérieur de la Macédoine. Il le présenta donc à plusieurs reprises à l'armée rangée et voulut qu'il l'accompagne dans de brèves campagnes militaires.

En ces occasions, il acceptait que son propre armurier fabrique les armes qu'Alexandre dessinait : de beaux et coûteux objets. Il avait ordonné à Parménion de confier la protection de son fils à ses soldats les plus valeureux, mais aussi d'autoriser le prince à se montrer sur la ligne de combat où il flairerait l'odeur du sang, comme il le disait.

Pour plaisanter, les soldats qualifiaient Alexandre de « roi » et Philippe de « général », comme si celui-ci était le subalterne de son fils, ce qui procurait au roi un immense plaisir. Il avait invité de nombreux artistes à réaliser le portrait d'Alexandre, afin d'en tirer des médailles, des bustes et des tableaux qui seraient offerts à ses amis et surtout aux délégations étrangères, ou à celles des villes grecques de la péninsule. Sur ces images, le prince était représenté selon les canons les plus classiques de l'art grec, comme un éphèbe aux traits purs et aux cheveux dorés, agités par le vent.

La beauté d'Alexandre augmentait de jour en jour : du fait de la température de son corps, naturellement élevée, son visage était privé des défauts esthétiques de l'adolescence. Sa peau était lisse, tendue et sans la moindre imperfection, légèrement rosée sur les joues et la poitrine.

Il avait des cheveux épais, doux et ondulés, de grands yeux expressifs et une façon curieuse de pencher la tête sur l'épaule droite, qui donnait à son regard une intensité particulière : on aurait dit qu'il scrutait son interlocuteur jusqu'au fond de l'âme.

Un jour, son père le convoqua dans son bureau, une pièce austère aux murs recouverts de rayonnages où reposaient les documents de sa chancellerie et les ouvrages littéraires dont il se délectait.

Alexandre se présenta aussitôt, abandonnant derrière la porte Péritas, qui le suivait partout et dormait avec lui.

« C'est une année très importante, mon fils : tu vas devenir un homme. » Il lui effleura des doigts la lèvre supérieure. « Tu commences à avoir un peu de duvet, et j'ai un cadeau pour toi. »

Il prit dans un tiroir un étui en buis marqueté sur lequel se détachait l'étoile argéade à seize pointes, et il le lui tendit. En l'ouvrant, Alexandre découvrit un rasoir en bronze bien affilé, ainsi qu'une pierre à aiguiser.

« Merci. Mais ce n'est sans doute pas pour cela que tu m'as appelé.

— Non, en effet, répondit Philippe.

— Alors, pourquoi ?

— Tu vas partir.

— Tu me renvoies ?

— D'une certaine façon.

— Où irai-je ?

— À Miéza.

— Ce n'est pas loin. Un peu plus d'une journée de cheval. Pourquoi ?

— Tu y passeras les trois années à venir afin de terminer tes études. Il y a trop de distractions à Pella : la vie de cour, les femmes, les banquets. À Miéza, en revanche, j'ai fait préparer un endroit magnifique, un jardin traversé par un ruisseau d'eau limpide, un bosquet de cyprès et de lauriers, des buissons de roses...

— Papa, l'interrompit Alexandre, qu'est-ce que tu as ? »

Philippe sursauta : « Moi ? Rien. Pourquoi ?

— Tu parles de roses, de bosquets... J'ai l'impression d'entendre un ours réciter des vers d'Alcée.

— Mon fils, je veux juste te dire que j'ai fait préparer pour toi l'endroit le plus beau et le plus accueillant qui soit, car c'est là que tu achèveras tes études et ta formation d'homme.

— Tu m'as vu monter à cheval, combattre, chasser le lion. Je sais dessiner, je connais la géométrie, je parle le macédonien et le grec...

— Cela ne suffit pas, mon garçon. Sais-tu comment les Grecs me surnomment depuis que j'ai gagné leur maudite guerre sacrée, alors que je leur ai donné la paix et la prospérité ? Philippe le Barbare. Et sais-tu ce que cela signifie ? Qu'ils n'accepteront jamais que je sois leur chef car ils me méprisent en dépit de leurs craintes.

« Nous tournons le dos à d'immenses plaines parcourues par des peuples nomades, barbares et féroces, et nous faisons face aux villes grecques qui se mirent dans la mer et qui ont atteint l'excellence dans le domaine des arts, de la science, de la poésie, de la technique, de la politique. Nous ressemblons à ces gens qui s'assoient devant un bivouac par une nuit d'hiver : leur visage est éclairé et leur poitrine réchauffée par le feu, mais leur dos demeure dans l'obscurité et le froid.

« Voilà pourquoi je me suis battu pour enfermer la Macédoine dans des frontières sûres et inexpugnables. Voilà pourquoi je ferai tout ce qui est en mon pouvoir pour que mon fils soit un Grec aux yeux des Grecs, par son esprit, par ses habitudes, et même par son aspect. Tu recevras l'éducation la plus raffinée et la plus complète qui soit. Tu pourras puiser ton savoir dans celui d'un excellent esprit, le plus apte à élaborer des pensées dans toute la grécité d'Orient et d'Occident.

— Et qui est ce personnage extraordinaire ? »

Philippe sourit : « C'est le fils de Nicomaque, le médecin qui t'a mis au monde. C'est l'élève le plus célèbre et le plus brillant de Platon. Il se nomme Aristote. »

11

« Pourrai-je emmener quelqu'un à Miéza ? demanda Alexandre après avoir entendu les volontés de son père.

— N'importe quel domestique.

— Alors, je choisis Leptine. Et mes amis ?

— Héphestion, Perdiccas, Séleucos et les autres ?

— J'aimerais bien.

— Ils t'accompagneront, mais certaines leçons te seront exclusivement réservées, celles qui feront de toi un homme différent. Ton maître décidera du déroulement de son enseignement, des sujets d'études communs et de ceux qui ne concerneront que toi. Il fera régner une discipline de fer : désobéissance, manque d'attention ou d'application seront exclus. Et si tu les as mérités, tu subiras les mêmes châtiments que tes camarades.

— Quand dois-je partir ?

— Bientôt.

— Mais quand, exactement ?

— Après-demain. Prépare tes bagages, choisis tes domestiques, en dehors de la jeune fille, et passe un peu de temps auprès de ta mère. »

Alexandre acquiesça avant d'observer un moment de silence. Son père s'aperçut qu'il se mordait la lèvre inférieure pour éviter de trahir son émotion.

Il s'approcha et lui posa une main sur l'épaule : « C'est nécessaire, mon garçon, crois-moi. Je veux que tu deviennes grec, que tu appartiennes à la seule civilisation au monde qui forme des hommes et non des esclaves, qui possède les connaissances les plus avancées, qui parle la langue dans laquelle l'*Iliade* et l'*Odyssée* furent composés, qui représente les dieux comme des hommes et les hommes comme des dieux... Cela ne signifie pas que tu renieras tes origines, car tu resteras macédonien au plus profond de toi : les enfants des lions sont des lions. »

Alexandre tournait et retournait entre ses mains son rasoir tout neuf.

« Nous n'avons pas passé beaucoup de temps ensemble, mon fils, reprit Philippe. » Il passait sa main rêche dans les cheveux d'Alexandre en les ébouriffant. « Nous n'en avons pas eu le temps. Tu vois, je suis un soldat et j'ai fait pour toi ce dont j'ai été capable : te conquérir un empire trois fois plus grand que celui que j'ai reçu en héritage de ton grand-père Amyntas, et faire comprendre aux Grecs, en particulier aux Athéniens, qu'ils doivent respecter la grande puissance que nous constituons. Mais je ne suis pas en mesure de former ton esprit. Et les maîtres que tu as eus ici, au palais, ne le sont pas non plus. Ils n'ont plus rien à t'apprendre.

— Je t'obéirai, affirma Alexandre. J'irai à Miéza.

— Je ne t'envoie pas en exil, mon fils, nous nous verrons, je te rendrai visite, comme ta mère et ta sœur si elles le désirent. Tu trouveras un lieu de recueillement pour pouvoir étudier. Naturellement, tu partiras avec ton maître d'armes, ton professeur d'équitation et ton veneur. Je ne veux pas d'un philosophe, je veux un roi.

— Comme tu le souhaites, papa.

— Encore une chose. Ton oncle Alexandre nous quitte.

— Pourquoi ?

— Jusqu'à présent, il a été un roi tel que peut l'être un acteur au théâtre. Il portait les vêtements et le diadème d'un roi, mais il ne gouvernait pas son royaume, qui est entre les mains d'Arybbas. Ton oncle a désormais vingt ans, il est temps qu'il se mette au travail. Je le débarrasserai d'Arybbas et je le rétablirai sur le trône d'Épire.

— J'en suis content pour lui, mais je suis désolé qu'il parte », dit Alexandre, habitué à écouter les projets de son père comme s'ils étaient déjà réalisés.

Arybbas, il le savait, était soutenu par les Athéniens qui disposaient d'une flotte à Corcyre, avec un contingent d'infanterie.

« Est-il vrai que les Athéniens sont à Corcyre et qu'ils préparent un débarquement ? Tu finiras par te heurter à eux.

— Je n'en veux pas aux Athéniens ; à vrai dire, je les admire. Mais ils doivent comprendre qu'en s'approchant trop de la Macédoine, ils se jettent dans la gueule du loup. Quant à ton oncle, je suis moi aussi chagriné de me séparer de lui. C'est un gentil garçon, un excellent soldat et... je m'entends mieux avec lui qu'avec ta mère.

— Je le sais.

— Il me semble que nous nous sommes tout dit. N'oublie pas de faire tes adieux à ta sœur et, naturellement, à ton oncle. À Léonidas aussi. Ce n'est pas un philosophe célèbre, mais c'est un brave homme, qui t'a appris tout ce qu'il pouvait et qui est aussi fier de toi que si tu étais son fils. »

On entendait Péritas qui grattait derrière la porte.

« Je n'y manquerai pas, répliqua Alexandre. Puis-je m'en aller ? »

Philippe acquiesça avant de gagner les rayonnages derrière son écritoire, comme pour y chercher un document. En réalité, il ne voulait pas montrer à son fils qu'il avait les yeux humides.

12

Alexandre alla trouver sa mère le lendemain, à la tombée du jour. Elle finissait son repas et les servantes débarrassaient la table. La reine les arrêta d'un geste et leur ordonna d'apporter un siège.

« As-tu dîné ? demanda-t-elle. Puis-je te faire servir quelque chose ?

— J'ai déjà mangé, maman. Au banquet d'adieu donné pour ton frère.

— Je le sais, il viendra me dire au revoir avant de se coucher. Alors... demain est un grand jour ?

— À ce qu'il paraît.

— Triste ?

— Un peu.

— Il ne faut pas. Sais-tu ce que dépense ton père pour transporter à Miéza la moitié de l'Académie ?

— Pourquoi la moitié de l'Académie ?

— Parce que Aristote n'est pas seul. Il est accompagné de son neveu et disciple Callisthène, ainsi que de Théophraste, le grand scientifique.

— Que dépense-t-il ?

— Quinze talents par an pendant trois ans. Il peut se le permettre, par Zeus, les mines du Pangée lui en rapportent mille par an ! En or. Il a placé une telle quantité d'or sur le marché en aidant ses amis, en corrompant ses ennemis et en finançant ses projets, que les prix ont quintuplé dans toute la Grèce au cours de ces cinq dernières années ! Même ceux des philosophes.

— Je vois que tu es de mauvaise humeur, maman.

— Je ne devrais pas l'être ? Tu pars, mon frère part. Je reste seule.

— Il y a Cléopâtre. Elle t'aime, et puis elle te ressemble beaucoup. Malgré son jeune âge, elle a un caractère fort et décidé.

— Oui, acquiesça Olympias. C'est vrai. »

Suivirent de longs instants de silence. Dans la cour résonnaient les pas cadencés des soldats qui relevaient la garde.

« Tu n'es pas d'accord ? »

Olympias secoua la tête : « Non, ce n'est pas ça. Ou plutôt, c'est la décision la plus sage que Philippe ait jamais prise. Ma vie est difficile, Alexandre, et elle se dégrade de jour en jour. J'ai toujours été considérée ici, à Pella, comme " l'étrangère " : on ne m'a jamais acceptée. Tant que ton père m'a aimée, j'ai tout supporté. C'était même agréable. Mais maintenant...

— Je crois que mon père...

— Ton père est un roi, mon fils, et les rois ne sont pas comme les autres hommes : ils doivent se marier quand l'intérêt du peuple le requiert, une, deux, trois fois s'il le faut. Ou répudier leurs femmes pour la même raison. Ils doivent mener des guerres interminables, intriguer, nouer et dénouer des alliances, trahir leurs amis et leurs frères si cela est nécessaire. Crois-tu qu'il y ait une place pour moi dans le cœur d'un tel homme ? Mais ne me plains pas. Je suis une reine, et la mère d'Alexandre.

— Je penserai à toi tous les jours, maman. Je t'écrirai et je viendrai te voir chaque fois que cela me sera possible. Mais rappelle-toi que mon père est meilleur que tant d'autres hommes. Que la plupart des hommes que je connais, en vérité. »

Olympias se leva : « Je le sais », dit-elle. Et elle s'approcha de lui. « Puis-je t'embrasser ? »

Alexandre serra sa mère contre sa poitrine et sentit sur ses joues la tiédeur de ses larmes ; puis il se retourna et sortit. La reine reprit place sur son siège à accoudoirs et y demeura longtemps, immobile, les yeux dans le vague.

Dès qu'elle le vit, Cléopâtre se jeta à son cou en pleurant.

« Mais enfin ! s'exclama Alexandre, je ne pars pas en exil, je vais seulement à Miéza, à quelques heures de marche. Tu pourras venir me voir quand tu le voudras, papa me l'a dit. »

Cléopâtre sécha ses larmes et se moucha. « Tu dis ça pour me donner du courage. » Elle se mit à pleurnicher.

« Pas du tout. Et puis, il y aura aussi mes amis. Je sais que l'un d'eux a essayé de te faire la cour. »

Cléopâtre haussa les épaules.

« Cela signifie-t-il que personne ne te plaît ? »

La jeune fille ne répondit pas.

« Sais-tu ce qu'on murmure ?

— Quoi ? » demanda-t-elle, soudain intriguée.

« Que tu es attirée par Perdiccas. Ou par Eumène, selon d'autres sources. Mais peut-être te plaisent-ils tous les deux ?

— Je n'aime que toi. »

Et elle se blottit de nouveau dans les bras de son frère.

« C'est un beau mensonge, dit Alexandre, mais je vais l'accepter comme une vérité, car il me comble de joie. D'ailleurs, si quelqu'un te plaisait, il n'y aurait là rien de mal, même si tu ne dois pas te faire d'illusions : ce sera notre père qui décidera de ton mariage et qui choisira ton époux quand le moment viendra. Tu souffrirais donc si tu étais amoureuse.

— Je le sais.

— Si j'en avais le pouvoir, je t'autoriserais à épouser l'homme de ton choix, mais tel que je connais papa, il ne laissera pas échapper l'avantage politique qu'il pourrait tirer de ton mariage. Et il n'y a pas un homme qui ne tenterait pas tout pour se marier avec toi. Tu es tellement belle ! Alors, tu me promets que tu viendras me voir ?

— Je te le promets.

— Et que tu ne pleureras pas quand je franchirai la porte, dans un instant ? »

Cléopâtre acquiesça tandis que deux grosses larmes roulaient sur ses joues. Alexandre lui donna un dernier baiser et partit.

Il passa le reste de la soirée avec ses amis, qui avaient organisé pour lui un banquet d'adieu ; il se soûla pour la première fois, et tous les autres avec lui. N'étant pas habitués à l'alcool, ils vomirent et furent malades. Pour ne pas être en reste, Péritas urina sur le sol.

Quand il tenta de regagner sa chambre, Alexandre se rendit compte que l'entreprise n'était pas aisée. Une silhouette apparut alors dans l'obscurité, une lanterne à la main. Elle vint vers lui et le soutint, l'aida à se coucher, mouilla son visage à l'aide d'un tissu humide, lui trempa les lèvres dans du jus de grenade et sortit. Elle revint quelques instants plus tard et lui tendit une tasse fumante — une décoction de camomille, qu'il avala —, puis le borda dans son lit.

Dans un éclair de conscience, Alexandre reconnut Leptine.

Miéza était un lieu enchanteur, situé dans une conque très verte au pied du mont Bermion, traversé par un ruisseau et entouré de bois de chênes. Un instant, Alexandre pensa que le jardinier avait demandé aux Perses de lui confier quelques secrets afin de créer en Macédoine un « paradis » semblable à ceux qu'ils possédaient dans l'Élam ou la Susiane.

Une vieille et belle résidence de chasse avait été entièrement restaurée et remodelée de façon à y installer des quartiers pour les hôtes, des salles d'étude et des bibliothèques, un odéon où jouer de la musique et même un petit théâtre où représenter des drames. On connaissait la très haute considération qu'Aristote nourrissait pour la tragédie en particulier, mais aussi pour la comédie.

On y trouvait encore un cabinet pour le classement des plantes, un laboratoire pharmaceutique et surtout — c'est ce qui étonna le plus Alexandre — un atelier de dessin et de peinture, ainsi qu'une fonderie dotée des appareils les plus perfectionnés et des meilleurs matériaux, rangés sur des étagères : pains d'argile, cire, étain, cuivre, argent, tous marqués du sceau des Argéades, l'étoile à seize pointes, qui en garantissait le poids et le titre.

Se sachant assez doué pour le dessin, Alexandre avait imaginé un petit atelier lumineux, garni de quelques tableaux à la céruse et de quelques fusains. Cet équipement imposant lui parut excessif.

« Nous attendons un invité, expliqua le surintendant, mais ton père m'a donné l'ordre formel de ne rien te révéler. Ce doit être une surprise.

— Et lui, où est-il ? demanda Alexandre.

— Viens. »

Le surintendant le conduisit près d'une fenêtre du rez-de-chaussée qui donnait sur la cour intérieure du bâtiment. « Le voici », dit-il en lui montrant le plus âgé des trois hommes qui se promenaient sous l'aile orientale du portique.

C'était un homme sec et droit, d'une quarantaine d'années, à l'attitude réservée, presque affectée. Ses petits yeux mobiles suivaient les gestes de ses interlocuteurs et le mouvement de leurs lèvres, sans rien perdre de ce qui se trouvait, ou se produisait, aux alentours.

Alexandre comprit que le philosophe l'observait déjà, même s'il ne l'avait pas encore fixé un seul instant du regard. Il sortit et patienta devant la porte jusqu'à ce que celui-ci ait effectué un demi-tour du portique.

Bientôt, Aristote lui fit face : ses yeux étaient gris, nichés sous un front large et haut, sillonné de deux rides profondes. Il avait des pommettes saillantes, que ses joues creuses accentuaient. Sa bouche, au contour régulier, était ombrée par une épaisse moustache et une barbe très soignée qui encadrait son visage, apportant à son expression un air pensif et profond.

Alexandre ne put s'empêcher de remarquer que le philosophe ramenait les cheveux qui poussaient sur sa nuque sur le sommet de son crâne afin d'en couvrir l'ample calvitie. Aristote s'en aperçut et, un instant, son regard devint glacial. Le prince baissa aussitôt les yeux.

Le philosophe lui tendit la main. « Je suis heureux de te rencontrer. Je voudrais te présenter mes disciples : voici mon neveu Callisthène, qui étudie la littérature et l'histoire ; et voici Théophraste, ajouta-t-il en indiquant l'homme qui se tenait à sa gauche. Son habileté de zoologue et de botaniste est peut-être déjà parvenue jusqu'à toi. Quand nous avons rencontré ton père pour la première fois à Assos, en Troade, Théophraste s'est aussitôt plongé dans l'examen des sarisses aux hampes immenses que brandissaient ses lanciers. Et quand le roi a fini de parler, il a murmuré à mon oreille : " Boutures de cornouiller mâle, coupées au mois d'août, à la nouvelle lune, vieillies, poncées et traitées à la cire d'abeille. C'est ce qui existe de plus dur et de plus élastique dans le monde végétal. " N'est-ce pas extraordinaire ?

— Ça l'est, en effet », confirma Alexandre, qui serra d'abord la main d'Aristote, puis celle de ses assistants, selon l'ordre dans lequel le maître les avait nommés.

« Soyez tous bienvenus à Miéza, continua-t-il. Je serais honoré si vous acceptiez de déjeuner avec moi. »

Aristote n'avait pas cessé de l'observer depuis le premier instant, et il l'admirait déjà profondément. Le « garçon de Philippe », comme on l'appelait à Athènes, avait un regard intense et profond, des traits d'une merveilleuse harmonie, une voix au timbre sonore et vibrant. Tout en lui dénotait un ardent désir de vivre et d'apprendre, de grandes facultés d'intelligence et d'application.

L'aboiement joyeux de Péritas, qui surgissait dans la cour et s'attaquait déjà aux lacets d'Alexandre, interrompit cette communication silencieuse entre maître et disciple.

« C'est un chiot magnifique, observa Théophraste.

— Il s'appelle Péritas, dit Alexandre en se penchant pour prendre l'animal dans ses bras. C'est mon oncle qui me l'a offert. Sa mère a été tuée par une lionne au cours de notre dernière partie de chasse.

— Il t'aime beaucoup », remarqua Aristote.

Sans rien ajouter, Alexandre les conduisit à la salle à manger. Il les fit allonger devant les tables et les imita avec grâce. Aristote se trouvait exactement en face de lui.

Un domestique apporta une cruche et une cuvette pour les ablutions, puis passa une serviette. Un autre commença à servir le repas : des œufs durs de caille, une poule au pot, de la viande de pigeon grillée et du vin de Thasos. Un troisième serviteur déposa sur le sol, près d'Alexandre, l'écuelle de Péritas.

« Crois-tu vraiment qu'il m'aime ? demanda Alexandre en regardant le chiot frétiller gaiement, le nez dans son écuelle.

— J'en suis certain, répondit Aristote.

— Une telle conviction n'implique-t-elle pas qu'un chien ait des sentiments, et donc une âme ?

— C'est une question qui te dépasse, observa Aristote en écaillant un œuf. Et qui me dépasse aussi. Une question à laquelle il n'existe pas de réponse sûre. Souviens-toi d'une chose, Alexandre : un bon maître ne donne que des réponses honnêtes.

« Je t'apprendrai à distinguer les caractéristiques des animaux et des plantes, à les classer en espèces et en genres, à utiliser tes yeux, tes oreilles et tes mains pour connaître profondément la nature qui t'entoure. De cette façon, tu appréhenderas également les lois qui la gouvernent, dans les limites du possible.

« Tu vois cet œuf ? Ton cuisinier l'a fait bouillir, il a donc arrêté son devenir, alors qu'il y avait dans cette coquille un oiseau en puissance, capable de marcher, de se nourrir, de se reproduire, de migrer à des dizaines de milliers de stades de distance. En tant qu'œuf, il n'est rien de tout cela, mais il porte en lui les caractéristiques de son espèce, la forme, pourrait-on dire.

« La forme opère à l'intérieur de la matière avec divers résultats, ou conséquences. Péritas est une de ces conséquences, et nous le sommes aussi. »

Il mordit dans l'œuf. « Tout comme cet œuf, s'il avait pu devenir un oiseau. »

Alexandre le regarda. La leçon avait déjà commencé.

13

« Je t'ai apporté un cadeau », annonça Aristote en entrant dans la bibliothèque, tenant un coffret en bois qui semblait très ancien.

« Merci, dit Alexandre. Qu'est-ce que c'est ?

— Ouvre-le », répondit le philosophe.

Alexandre s'exécuta en posant l'objet sur une table : il contenait deux gros rouleaux de papyrus, marqués d'un petit signet blanc attaché aux bâtonnets, portant des inscriptions à l'encre rouge.

« L'*Iliade* et l'*Odyssée* ! s'exclama-t-il avec enthousiasme. Un cadeau merveilleux. Merci vraiment. J'en avais envie depuis bien longtemps.

— C'est une édition plutôt ancienne, un des premiers exemplaires de la version athénienne de Pisistrate, expliqua Aristote en lui montrant le titre. Je l'ai fait transcrire à mes frais en trois exemplaires quand j'étais à l'Académie. Et je suis heureux de t'en offrir un. »

Le surintendant, qui se tenait non loin de là, se dit en son for intérieur qu'il pouvait se le permettre, étant donné l'argent que Philippe lui versait ; mais il se contenta de préparer en silence ce qu'Aristote lui avait demandé pour les leçons de la journée.

« Il est fondamental, pour l'éducation d'un jeune homme, de lire les hauts faits des héros du passé et d'assister à la représentation des tragédies, continua le philosophe. Le lecteur et le spectateur sont ainsi amenés à admirer les grands et nobles exploits, la générosité du comportement de ceux qui ont souffert et donné leur vie pour leur communauté et leurs idéaux, qui ont expié jusqu'au bout leurs erreurs ou celles de leurs ancêtres. Tu n'es pas d'accord ?

— Si, bien sûr, admit Alexandre en refermant avec soin le coffret. Il y a une chose que je voudrais toutefois te demander : pourquoi dois-je être instruit comme les Grecs ? Pourquoi ne puis-je pas être simplement un Macédonien ? »

Aristote s'assit. « Ta question est intéressante, mais pour te répondre, il faut que je t'explique d'abord ce que signifie être grec. Après, seulement, tu pourras choisir ou non de t'appliquer vraiment à l'étude de mon enseignement. Être grec, Alexandre, est le seul mode de vie digne d'un être humain. Connais-tu le mythe de Prométhée ?

— Oui, Prométhée était le Titan qui vola le feu aux dieux pour le donner aux hommes et les sauver de leur misère.

— C'est exact. Quand les hommes s'émancipèrent de leur état de brutes, ils essayèrent de s'organiser pour vivre en communauté et développèrent principalement trois façons de le faire. La première se nomme monarchie, c'est le règne d'un seul homme. La deuxième s'appelle oligarchie, et l'on y voit commander une élite. Dans la troisième enfin, tous les citoyens exercent leur pouvoir. C'est la démocratie. Telle est la réalisation la plus grande de la grécité.

« Ici, en Macédoine, la parole de ton père est loi ; à Athènes, celui qui gouverne a été élu par la majorité des citoyens. Mais un cordonnier ou un porteur peut se lever, en pleine assemblée, pour demander qu'une mesure déjà approuvée par le gouvernement de la cité soit retirée, s'il existe un nombre de personnes suffisant pour soutenir sa motion.

« En Égypte, en Perse et en Macédoine, il n'y a qu'un homme libre : le roi. Tous les autres sont des esclaves.

— Mais les nobles..., tenta d'intervenir Alexandre.

— Les nobles aussi. Certes, ils ont plus de privilèges, jouissent d'une vie plus agréable, mais ils doivent eux aussi obéir. »

Aristote se tut, car il avait remarqué que ses mots avaient fait mouche, et il voulait qu'ils résonnent dans l'esprit du garçon.

« Tu m'as offert les poèmes d'Homère, répliqua finalement Alexandre, mais je les connais déjà en partie. Et je me rappelle que lorsque Ulysse, désireux de reprendre en main son armée, surprit un homme de troupe en train de crier, il le frappa avec le sceptre que le roi Agamemnon lui avait remis, en lui disant :

> L'autorité multiple ne vaut rien. Un seul homme doit être le chef, doit être le roi : celui à qui le fils de Cronos aux pensées tortueuses a donné les sceptres et les lois pour régner sur les hommes.

« Ce sont les mots mêmes d'Homère.

— C'est vrai. Mais Homère parle d'une époque très ancienne, où les rois étaient indispensables du fait de la dureté des temps et des assauts incessants des barbares, du fait de la présence de bêtes sauvages et de monstres dans une nature encore sauvage et primitive. Je t'ai offert les poèmes d'Homère pour que tu grandisses dans le culte des sentiments les plus nobles, de l'amitié, de la valeur, du respect de la parole donnée. Mais l'homme d'aujourd'hui, Alexandre, est un animal politique. Cela ne fait pas de doute. Le seul endroit où il puisse grandir est la *polis*, la cité, telle que les Grecs l'ont conçue.

« C'est la liberté qui permet à chaque esprit de s'exprimer, de créer, d'engendrer la grandeur. Tu vois, dans un État idéal, tout le monde saurait commander à la perfection dans sa vieillesse après avoir su obéir à la perfection dans sa jeunesse.

— C'est ce que je fais à présent, et ce que je ferai à l'avenir.

— Tu es seul, rétorqua Aristote. Je te parle de plusieurs milliers de citoyens, qui vivent dans l'égalité sous la tutelle de la loi et de la justice, laquelle couvre d'honneurs ceux qui le méritent, règle les échanges et les commerces, punit et corrige ceux qui ont commis des erreurs. Une telle communauté ne repose pas sur des liens de sang, sur la famille ou la tribu, comme ici en Macédoine, mais sur la loi devant laquelle tous les citoyens sont égaux. La loi remédie aux défauts et aux imperfections des individus, limite les conflits et la compétition, récompense la volonté d'agir et d'émerger, encourage les forts, soutient les faibles. Dans une telle société, ce qui est honteux, ce n'est pas d'être humble et pauvre, c'est de ne rien faire pour améliorer sa propre condition. »

Alexandre réfléchit en silence.

« Je vais te donner une preuve concrète de ce que j'avance, reprit Aristote. Viens avec moi. »

Il quitta la pièce par une porte latérale, donnant sur l'extérieur, et gagna une petite fenêtre qui laissait entrevoir l'atelier de fonderie.

« Regarde, dit-il en indiquant l'intérieur. Tu vois cet homme ? »

Alexandre acquiesça. Il y avait dans l'atelier un homme d'une quarantaine d'années, vêtu d'une courte tunique de travail et d'un tablier de cuir ; à ses côtés se trouvaient deux assistants, l'un d'environ vingt ans, l'autre de seize. Ils étaient tous trois occupés à installer des outils, à disposer la grosse chaîne qui soutenait le creuset, et à verser du charbon dans la forge.

« Sais-tu qui est cet homme ? demanda Aristote.

— Je ne l'ai jamais vu.

— C'est le plus grand artiste qui existe aujourd'hui au monde. C'est Lysippe de Sicyone.

— Le grand Lysippe... Un jour, j'ai vu une de ses sculptures dans le sanctuaire d'Héra.

— Sais-tu ce qu'il faisait avant de devenir ce qu'il est aujourd'hui ? Il était ouvrier. Il l'a été pendant quinze ans dans une fonderie, où il percevait une paie de deux oboles par jour. Et sais-tu comment il est devenu le divin Lysippe ? Grâce aux institutions de la cité. La cité permet au talent de s'exprimer, et c'est grâce au talent que chaque homme peut grandir à l'instar d'une plante luxuriante. »

Alexandre observa le nouvel invité, qui semblait très vigoureux : il avait les épaules larges, les bras musclés, les grandes mains noueuses de ceux qui ont travaillé durement et longuement.

« Quelle est la raison de sa présence ici ?

— Viens. Allons le trouver, il te l'apprendra lui-même. »

Ils pénétrèrent dans l'atelier par la porte principale, et Alexandre salua Lysippe.

« Je suis Alexandre, fils de Philippe, roi des Macédoniens. Bienvenue à Miéza, Lysippe. Je suis honoré de faire ta connaissance. Voici mon maître, Aristote, fils de Nicomaque, de Stagire. D'une certaine façon, il est macédonien, lui aussi. »

Lysippe présenta ses élèves, Archélaos et Charès, mais Alexandre sentit qu'en même temps qu'il parlait, le sculpteur l'examinait. Le regard de l'artiste parcourait ses traits en les redessinant mentalement.

« Ton père m'a chargé de façonner ton portrait dans le bronze. J'aimerais savoir quand tu seras prêt à poser pour moi. »

Alexandre jeta un coup d'œil à Aristote, qui sourit : « Quand tu le voudras, Lysippe. Je peux fort bien parler pendant qu'il pose... si cela ne te dérange pas.

— Bien au contraire, répliqua Lysippe. T'écouter sera un privilège pour moi. »

Après qu'Alexandre fut sorti avec Charès et Archélaos pour leur faire visiter les lieux, Aristote demanda à l'artiste : « Que penses-tu de ce garçon ?

— Il a les traits et le regard d'un dieu. »

14

La vie à Miéza était organisée de façon extrêmement rigoureuse. Chaque jour, Alexandre et ses camarades étaient réveillés avant le lever du soleil, ils prenaient un petit déjeuner à base d'œufs crus, de miel, de vin et de farine, une mixture qu'on appelait le « gobelet de Nestor », dont la recette figurait déjà dans l'*Iliade* ; puis ils montaient à cheval avec leur instructeur pendant deux heures.

Au terme de la leçon d'équitation, les jeunes gens passaient sous la tutelle du maître d'armes qui les entraînait à la lutte, à la course, à l'escrime et au tir à l'arc, au maniement de la lance et du javelot. Ils consacraient le reste de leur temps à Aristote et aux autres précepteurs.

Il arrivait que le maître d'armes remplace les exercices habituels par une partie de chasse, où il conviait tous les hôtes de la maison. Les bois regorgeaient de sangliers, de cerfs, de chevreuils, de loups, d'ours, de lynx et même de lions.

Un jour, au retour d'une battue, Aristote les accueillit sur la porte d'entrée, vêtu d'étranges vêtements : il portait des bottes de cuir à mi-jambes et un tablier à bavette. Ayant examiné les animaux tués, il choisit une laie qui, à l'évidence, attendait des petits.

« Veux-tu bien la porter dans mon laboratoire ? »

dit-il au veneur avant de faire signe à Alexandre de le suivre. Cela signifiait qu'une leçon particulière allait se dérouler.

Le garçon prit les dispositions nécessaires afin que les exigences de son maître fussent satisfaites. Le corps de la laie fut déposé sur une grosse table près de laquelle Théophraste avait aligné une série d'instruments chirurgicaux parfaitement affilés et scintillants.

Aristote demanda qu'on lui tende un bistouri. Puis il s'adressa au jeune prince : « Si tu n'es pas trop fatigué, je souhaiterais que tu assistes à cette opération. Tu apprendras nombre de choses importantes. Il y a ici de quoi écrire », ajouta-t-il en indiquant une plume, de l'encre et des feuilles de papyrus sur un pupitre, « tu pourras prendre des notes sans perdre de vue la dissection. »

Alexandre posa dans un coin son arc et ses flèches, prit la plume et le papyrus, et s'approcha de la table.

Quand le philosophe ouvrit le ventre de la laie, six marcassins apparurent à l'intérieur de l'utérus. Il les mesura un à un.

« La grossesse aurait été portée à terme dans deux semaines, observa-t-il. Regarde, voici l'utérus, c'est-à-dire la matrice où se forment les fœtus. Le sac qui se trouve à l'intérieur, c'est le placenta. »

Dominant le premier mouvement de répugnance que provoquaient en lui l'odeur et le spectacle de ces entrailles sanguinolentes, Alexandre se hâta de prendre des notes et d'esquisser des croquis.

« Tu vois ? Les organes des porcs et des sangliers, animaux pratiquement identiques, ressemblent beaucoup à ceux des êtres humains. Regarde : voici les poumons, des sortes de soufflets qui permettent de respirer, et voici le *phrên*, la membrane qui sépare la partie supérieure des entrailles — la plus noble — de la partie inférieure. Les Anciens croyaient que c'était le siège de l'âme. Dans notre langue, les mots qui indiquent l'activité de la pensée, du raisonnement, ou même de la folie — laquelle est une dégénérescence de la pensée — dérivent tous du terme *phrên*. Une membrane. »

Alexandre aurait aimé lui demander ce qui animait le *phrên*, ce qui réglait son mouvement régulier, mais il savait déjà ce qu'Aristote rétorquerait : « Il n'y a pas de réponses simples à des problèmes complexes. » Alors il s'abstint.

« Et là, voici le cœur, une pompe qui évoque un peu celles qu'on utilise pour vider les sentines des navires, même si elle est infiniment plus compliquée et plus efficace. C'est là que résident, selon les Anciens, les sentiments et l'intellect. En effet, son mouvement s'accélère quand l'homme est sous l'emprise de la colère, de l'amour, ou simplement des plaisirs de la chair. En réalité, les battements s'intensifient également si je monte un escalier, ce qui démontre bien que c'est le centre de toutes les fonctions de la vie humaine.

— Effectivement, admit Alexandre en fixant avec perplexité les mains ensanglantées de son maître qui fouillaient les viscères.

— Selon une hypothèse plausible, il est nécessaire que le sang circule plus rapidement quand l'intensité de la vie s'accroît. Il existe deux systèmes de circulation : celui qui part du cœur, et celui qui y revient. Comme tu peux le voir, ils sont tous deux distincts. Nous sommes en cela très semblables aux animaux, ajouta-t-il en posant son bistouri sur le plateau. Mais nous différons nettement en une chose. »

Il s'interrompit alors pour demander à Théophraste le scalpel et le maillet, avant de découvrir, à l'aide de petits gestes secs et habiles, la boîte crânienne de l'animal.

« Le cerveau. Notre cerveau est beaucoup plus grand que celui de tous les animaux. J'ai toujours pensé que ses circonvolutions servaient à disperser la chaleur du corps engendrée par le cœur, mais l'homme ne semble pas produire plus de chaleur que les animaux. C'est donc un problème que je dois étudier. »

Aristote en avait terminé. Il tendit les instruments à Théophraste afin qu'il soient nettoyés. Puis il se lava les mains et invita Alexandre à lui remettre ses notes et ses croquis.

« Excellent, commenta-t-il. Je n'aurais pas mieux fait. Tu peux maintenant livrer cet animal au boucher. Je raffole des saucisses et du boudin, mais j'ai hélas du mal à les digérer depuis quelque temps. Donne l'ordre qu'on me rôtisse quelques côtelettes pour le dîner, si cela ne te dérange pas. »

Un autre jour, Alexandre trouva son maître occupé à la même opération, mais cette fois-ci sur un œuf de poule qui n'avait été couvé que pendant dix jours.

« Ma vue n'est plus aussi bonne qu'autrefois, je dois demander de l'aide à Théophraste. Sois bien attentif, car c'est toi qui m'assisteras plus tard. »

Théophraste maniait avec une incroyable précision une lame très fine et très affilée qu'il tenait entre pouce et index. Il avait ôté l'albumen et isolé le fœtus à l'intérieur du jaune.

« Il est possible de reconnaître, après dix jours d'existence, le cœur et les poumons du poussin. Les vois-tu ? Toi qui as de bons yeux, les vois-tu ? »

Théophraste lui montra les petits grumeaux de sang auxquels le maître faisait allusion.

« Je les vois, affirma Alexandre.

— Voilà, c'est en vertu d'un mécanisme semblable qu'une graine se transforme en plante. »

Alexandre plongea son regard dans les yeux gris et mobiles d'Aristote. « As-tu déjà fait cette expérience sur un être humain ? questionna-t-il.

— Plus d'une fois. J'ai disséqué des fœtus de quelques semaines. Je versais de l'argent à une sage-femme qui pratiquait l'avortement dans un bordel du côté du Céramique, à Athènes. »

Le jeune homme blêmit.

« Il ne faut pas craindre la nature, dit Aristote. Vois-tu, plus les êtres vivants sont proches du moment de leur conception, plus ils se ressemblent entre eux.

— Cela signifie-t-il que toutes les formes de vie ont la même origine ?

— Peut-être, mais pas nécessairement. Le fait est, mon garçon, que la matière est abondante, la vie brève et les moyens d'enquêter fort rares. Comprends-tu pourquoi il est difficile de livrer des réponses ? L'humilité est de règle. Il faut étudier, décrire, classer, avancer petit à petit, atteindre des niveaux de connaissance de plus en plus élevés. C'est un peu comme si l'on gravissait une échelle : un échelon après l'autre.

— Bien sûr », confirma Alexandre.

Mais l'expression de son visage trahissait une inquiétude qui contrastait avec ses mots, comme si son désir de connaître le monde ne pouvait se concilier avec la patiente discipline que son maître lui proposait.

Longtemps, Lysippe se contenta de quelques apparitions pendant les leçons. Tandis qu'Aristote parlait, ou mettait en pratique ses expériences, il dessinait le visage d'Alexandre, aussi bien sur des feuilles de papyrus que sur des planches blanchies au gypse ou à la céruse. Un jour, il s'approcha du jeune homme et lui dit : « Je suis prêt. »

Dès lors, Alexandre dut se prêter, chaque jour, à une séance de pose d'une heure dans l'atelier de Lysippe. L'artiste avait placé un bloc d'argile sur un socle et modelait un portrait. Ses doigts glissaient fébrilement sur l'argile humide en cherchant les formes qui traversaient son esprit, des formes reconnues un instant sur le visage du modèle, ou suggérées par la lumière soudaine de son regard.

Puis la main effaçait brusquement ce qu'elle avait façonné, ramenait la matière à un état informe pour se remettre aussitôt après, avec entrain et entêtement, à reproduire une expression, une émotion, l'éclair d'une intuition.

Aristote le contemplait avec fascination, il suivait ses doigts qui dansaient sur l'argile, la sensibilité mystérieuse de ces énormes mains de forgeron qui créaient, instant après instant, l'imitation presque parfaite de la vie.

« Ce n'est pas lui, pensait parfois le philosophe. Ce n'est pas Alexandre... Lysippe est en train de modeler le jeune dieu qu'il imagine devant lui, un dieu qui possède les yeux, les lèvres, le nez et les cheveux d'Alexandre, mais qui est différent, qui est plus, et qui est moins en même temps. »

Le scientifique observait l'artiste, en examinait le regard attentif et fébrile, miroir magique absorbant la vérité et la reflétant à sa manière, transformée, recréée d'abord par son esprit, puis par ses mains.

Le modèle en argile fut achevé après seulement trois séances de pose, au cours desquelles Lysippe avait refaçonné mille fois les traits du jeune homme. Puis il passa au modèle en cire, qui céderait sa forme éphémère à l'éternité du bronze.

La lumière du soleil, qui tombait peu à peu sur les dômes du mont Bermion, diffusait une clarté dorée dans la chambre quand l'artiste fit tourner le socle mobile sur lequel reposait le portrait d'Alexandre.

Le jeune homme fut frappé par la vue de sa propre effigie, prodigieusement imitée par les tons diaphanes de la cire ; il sentit une vague d'émotion l'envahir. Aristote s'approcha également de l'œuvre.

Il y avait beaucoup plus qu'un portrait dans ces formes à la fois superbes et exténuées, dans cette chevelure frémissante qui bordait et assaillait presque ce visage à la beauté surhumaine, dans ce front majestueux et serein, ces yeux emplis d'une mystérieuse mélancolie, cette bouche sensuelle et impérieuse, dans le contour sinueux de ces lèvres.

Un grand silence, une grande paix, régnait alors

dans la pièce, inondée de la lumière liquide et douce du soir. Dans l'esprit d'Alexandre résonnaient les paroles de son maître, qui expliquait comment la forme façonne la matière, comment l'intellect règle le chaos, et comment l'âme imprime sa propre marque à la chair périssable et éphémère.

Il se tourna vers Aristote, qui contemplait de ses petits yeux gris d'épervier ce miracle échappant aux catégories de son génie, et il lui demanda : « Qu'en penses-tu ? »

Le philosophe sursauta avant de se tourner vers l'artiste, qui s'était écroulé sur son siège, comme si sa formidable énergie s'était soudain éteinte.

« Si Dieu existe, dit-il, il a les mains de Lysippe. »

15

Lysippe demeura tout le printemps à Miéza, et Alexandre se lia également d'amitié avec ses assistants, qui lui racontaient de merveilleuses histoires concernant l'art et le caractère de leur maître.

Le jeune homme posa encore pour lui, en pied et même à cheval ; mais un jour, pénétrant par hasard dans l'atelier momentanément déserté par Lysippe, il remarqua parmi les dessins entassés en désordre sur la table un portrait extraordinaire d'Aristote.

« Il te plaît ? demanda alors la voix du sculpteur, soudain surgi dans son dos.

— Pardonne-moi, dit Alexandre en sursautant légèrement. Je n'avais pas l'intention de fouiller dans tes affaires, mais ce dessin est magnifique. Il a posé pour toi ?

— Non, j'ai exécuté quelques esquisses en le regardant parler ou se promener. Le veux-tu ?

— Non, garde-le. Peut-être devras-tu un jour exécuter aussi sa statue. Ne penses-tu pas qu'un grand sage la mérite davantage qu'un roi ou qu'un prince ?

— Je crois qu'ils la méritent tous trois, en admettant que le roi et le prince soient sages », répondit Lysippe avec un sourire.

De temps à autre, Alexandre recevait des visites, et il put pendant quelques mois vivre auprès de ses amis en intensifiant son entraînement physique et militaire, notamment quand Aristote s'absentait pour mener à bien des recherches ou des tâches dont Philippe le chargeait. Parfois, il regagnait Pella pour voir ses parents ou sa sœur Cléopâtre, qui embellissait de jour en jour.

De retour à Miéza, il reprenait ses activités, qui l'occupaient de plus en plus et absorbaient toute son énergie, aussi bien physique que mentale. La méthode qu'Aristote appliquait à ses recherches inspirait aussi son organisation des études.

Il avait ordonné qu'on place dans la cour un cadran solaire, et dans la bibliothèque une horloge hydraulique, qu'il avait tous deux inventés et au moyen desquels il mesurait la durée de chaque leçon ou de chaque séance en laboratoire, afin qu'un juste temps soit accordé à toutes les disciplines.

Il avait installé dans une aile du bâtiment une riche collection de plantes officinales, d'animaux empaillés, d'insectes, de papillons et de minéraux. Elle contenait même du bitume, que ses amis d'Atarnée lui avaient envoyé, et Alexandre n'en crut pas ses yeux quand il vit son maître l'enflammer en provoquant une flamme chaude et malodorante.

« L'huile d'olive me semble bien meilleure », commenta-t-il, et Aristote l'approuva.

Obsédé par sa volonté de classer tout ce qui était matière à connaissance dans la nature, le maître collectionnait toutes choses, il avait même tracé une carte des sources d'eaux thermales disséminées dans le pays, dont il avait étudié les propriétés curatives. Philippe lui-même avait soulagé les douleurs de sa jambe en prenant des bains de boue chaude à une source de la Lyncestide.

Tout un mur de rayonnages était consacré à une collection d'animaux fossilisés : des poissons surtout, mais aussi des plantes, des feuilles, des insectes et même un oiseau.

« C'est la preuve, je le crois, que le déluge a vraiment existé, puisque nous trouvons ces poissons sur les montagnes qui nous entourent », disait Alexandre non sans logique.

Aristote aurait aimé lui fournir une autre explication, mais il dut admettre que le mythe du déluge était encore l'unique récit en mesure de justifier ce phénomène. En tout cas, la chose ne lui paraissait pas d'une importance capitale : selon lui, il fallait ramasser ces objets, les mesurer, les décrire et les dessiner en attendant qu'un autre chercheur trouve une explication incontestable, fondée sur des données irréfutables.

Il tirait toutefois une grande satisfaction de ses relations avec son disciple, car le fils de Philippe ne cessait de lui poser des questions — une attitude que tout maître désire.

Dans le domaine de la politique, Aristote commença à rassembler, avec l'aide de ses assistants et d'Alexandre lui-même, les constitutions des divers États et des diverses villes aussi bien d'Orient que d'Occident, aussi bien grecs que barbares.

« Tu as l'intention de réunir toutes les constitutions existant au monde ? lui demanda Alexandre.

— J'aimerais bien, soupira Aristote, mais je crains qu'il ne s'agisse d'une entreprise irréalisable.

— Et quel est le but de cette recherche ? Élire la meilleure constitution ?

— Impossible, répondit le philosophe. En premier lieu, parce qu'il n'existe pas de repères nous permettant de distinguer la constitution parfaite, malgré tout ce que mon maître Platon a dit à ce sujet. Mon but n'est pas tant d'arriver à la constitution idéale que d'observer la façon dont chaque communauté s'est organisée selon ses propres nécessités, selon le milieu dans lequel elle s'est développée, les ressources dont elle pouvait disposer, les amis et les ennemis avec qui elle devait compter.

« Cela implique, naturellement, qu'il ne peut y avoir

de constitution idéale, étant bien entendu que les institutions démocratiques des cités grecques sont les seules capables de régler la vie des hommes libres. »

C'est alors que Leptine traversa la cour, une amphore remplie d'eau serrée contre sa hanche ; un instant, Alexandre revit l'enfer du mont Pangée.

« Et les esclaves ? demanda-t-il. Peut-il exister un monde sans esclaves ?

— Non, répondit Aristote. De même qu'il ne peut exister de métier tissant la toile sans tisseur. Quand cela se vérifiera, alors on pourra se passer d'esclaves ; mais je nourris des doutes à ce sujet. »

Un jour, le jeune prince posa à son maître une question qu'il n'avait pas encore osé formuler : « Si l'organisation démocratique des cités grecques est la seule digne des hommes libres, pourquoi as-tu accepté d'instruire le fils d'un roi, et pourquoi es-tu l'ami de Philippe ?

— Aucune institution humaine n'est parfaite, et le système des cités grecques comporte un gros problème : la guerre. Bien qu'étant régies intérieurement par des ordonnances démocratiques, de nombreuses villes tentent d'en surpasser d'autres, de s'assurer les marchés les plus riches, les terres les plus fertiles, les alliances les plus avantageuses. Cela les conduit à des guerres incessantes qui consument leurs meilleures énergies et avantagent l'ennemi séculaire des Grecs : l'empire des Perses.

« Un roi de l'envergure de ton père peut s'ériger en médiateur au milieu de ces querelles et de ces luttes intestines. Il peut faire prévaloir le sens de l'unité contre le germe de la division, et remplir un rôle de guide et d'arbitre au-dessus des parties, en imposant la paix par la force, s'il le faut. Mieux vaut un roi grec qui sauve la civilisation des Grecs de la destruction, qu'une guerre permanente de tous contre tous, et au bout du compte la domination et l'esclavage sous le talon des barbares.

« Telle est ma pensée. Voilà pourquoi j'ai accepté d'instruire un roi. Autrement, il n'y aurait jamais eu assez d'argent pour acheter Aristote. »

Alexandre fut satisfait de cette réponse, qu'il jugea honnête et juste. Mais il se rendait compte, au fil du temps, qu'une contradiction grandissait irrémédiablement en lui : d'un côté, l'éducation qu'il recevait, et dont il était convaincu, le poussait vers la modération en matière de comportement, de pensée et de désirs, ainsi que vers l'art et la connaissance ; de l'autre, sa nature, fougueuse en soi, l'amenait à suivre les idéaux archaïques de valeur guerrière et de prouesses qu'il découvrait dans les vers d'Homère et des poètes tragiques.

Le fait qu'il descende par sa mère d'Achille, le héros de l'*Iliade*, l'ennemi irréductible de Troie, était à ses yeux fort naturel, et la lecture du poème, qu'il conservait sous son coussin et auquel il ne manquait jamais de consacrer les derniers instants de sa journée, excitait son âme et son imagination, lui transmettait une frénésie irrépressible.

Alors, seule Leptine parvenait à le calmer. Depuis un certain temps, il lui permettait de rester à ses côtés, ou exigeait d'elle plus d'intimité. C'était peut-être le besoin d'une mère ou d'une sœur lointaines, ou le contact de ces mains qui savaient caresser, procurer un plaisir léger et subtil qui s'accroissait avec douceur jusqu'à enflammer son regard et ses membres. Chaque soir, Leptine lui préparait un bain chaud et laissait couler l'eau sur ses épaules et son corps, lui caressait les cheveux et le dos jusqu'à ce qu'il s'abandonne...

Ces moments se conjuguaient de plus en plus fréquemment avec une volonté effrénée d'agir, de quitter la paix de ce refuge et de suivre les traces des grands du passé. Et ses actes quotidiens trahissaient parfois une fureur primitive, une obsession de l'affrontement physique. Un jour, au cours d'une partie de chasse entre amis, il s'était querellé avec Philotas à propos d'un chevreuil que celui-ci affirmait avoir abattu le premier, et il avait fini par refermer ses mains autour du cou de son camarade. Il l'aurait sans doute étranglé si ses compagnons ne l'avaient arrêté.

Une autre fois, il avait presque giflé Callisthène, qui avait mis en doute la véridicité d'Homère.

Aristote l'observait avec attention et inquiétude ; il y avait deux natures en Alexandre : celle du jeune homme à la culture raffinée et à la curiosité insatiable, qui lui posait mille questions, qui savait chanter, dessiner et réciter les tragédies d'Euripide ; et celle du guerrier furieux et barbare, de l'exterminateur implacable, qui transparaissait de plus en plus dans les moments de chasse et de course, pendant les exercices guerriers où la fougue s'emparait de lui, l'amenant à pointer son épée sur la gorge de l'homme dont le seul but était de le préparer et de l'entraîner.

Alors le philosophe semblait deviner le mystère de ce regard qui se noircissait soudain, de l'ombre inquiétante qui se concentrait au fond de son œil, lugubre comme la nuit du chaos primitif. Cependant, le moment de remettre en liberté le jeune lion argéade n'était pas encore venu.

Aristote sentait qu'il devait encore lui apprendre beaucoup de choses, canaliser sa formidable énergie, lui indiquer une visée et un but. Il devait doter ce corps, né pour la violence sauvage de la bataille, d'un esprit politique en mesure de concevoir un programme et de le mener à bien. C'est seulement ainsi qu'il achèverait son chef-d'œuvre, comme Lysippe.

L'automne passa et l'hiver arriva. Les courriers apportèrent à Miéza une nouvelle : Philippe ne regagnerait pas Pella. Les rois de Thrace avaient relevé la tête et il était nécessaire de leur donner une leçon.

L'armée affronta donc les rigueurs de l'hiver dans ces régions battues par des vents glacials, soufflant depuis les plaines enneigées de la Scythie ou les pics gelés du Hémon.

Ce fut une campagne d'une effroyable difficulté, au cours de laquelle les soldats se battirent contre un ennemi fuyant qui luttait sur son propre territoire, habitué à survivre dans les pires conditions. Mais quand le printemps revint, l'immense étendue qui reliait les rives de la mer Égée au grand fleuve Istros était pacifiée et unie à l'empire macédonien.

Le roi fonda une ville au centre de ces terres sauvages, et il lui donna son nom, Philippopolis, suscitant à Athènes les commentaires ironiques de Démosthène, qui l'appela « la ville des voleurs » ou « la ville des criminels ».

Le printemps fit reverdir les prairies de Miéza et ramena les bergers et les gardiens de troupeaux vers les pâturages montagneux.

Un jour, après le coucher du soleil, la tranquillité de ces lieux fut brisée par un bruit de galop effréné, puis par des ordres secs, des voix enflammées. Un cavalier de la garde royale frappa à la porte de l'école d'Aristote.

« Le roi Philippe est ici. Il veut voir son fils et te parler. »

Aristote se leva avec empressement pour aller à la rencontre de son hôte illustre et, tandis qu'il parcourait le couloir, distribua rapidement des ordres à ceux qu'il croisait afin qu'ils préparent le bain et le dîner du roi.

Lorsque le philosophe pénétra dans la cour, Alexandre l'avait déjà précédé en dévalant les escaliers.

« Papa ! cria-t-il en se précipitant vers son père.

— Mon garçon ! » s'exclama Philippe, qui le serra longuement dans ses bras.

16

Alexandre se libéra de l'étreinte de son père et le dévisagea. La campagne de Thrace l'avait profondément marqué : il avait la peau brûlée par le gel, une grosse cicatrice sur l'arcade sourcilière droite, l'œil à moitié fermé et les tempes blanchies.

« Papa, que t'est-il arrivé ?

— J'ai mené la campagne la plus dure de ma vie, mon garçon, et l'hiver a constitué un ennemi plus acharné et plus impitoyable que les guerriers thraces ; mais désormais notre empire s'étend de l'Adriatique au Pont-Euxin, du fleuve Istros au col des Thermopyles. Les Grecs seront obligés de me reconnaître comme leur chef de file. »

Alexandre aurait aimé lui poser mille autres questions, mais il vit les domestiques et les servantes accourir, et il dit : « Tu as besoin d'un bain, papa. Nous poursuivrons notre conversation pendant le dîner. Désires-tu quelque chose de particulier ?

— Il y a du chevreuil ?

— Autant que tu en voudras. Et du vin de l'Attique.

— Tant pis pour Démosthène !

— Tant pis pour Démosthène, papa ! » s'exclama Alexandre avant de se précipiter à la cuisine pour veiller aux préparatifs du repas.

Aristote rejoignit Philippe dans la salle de bains et

s'assit pour écouter ce que le roi avait à lui dire, tandis que les servantes lui massaient les épaules et lui savonnaient le dos.

« C'est un bain tonifiant à la sauge. Après, tu te sentiras beaucoup mieux. Comment te portes-tu, sire ?

— Je suis épuisé, Aristote, et j'ai encore tant de choses à accomplir...

— Si tu restais ici deux semaines, je suis sûr que je parviendrais à te remettre en forme, à défaut de te rendre la jeunesse. Un bon régime désintoxiquant, des massages, des bains thermaux, des exercices pour ta jambe. Et cet œil... Il a été mal soigné. Il faut que je t'examine dès que tu auras un moment.

— Ah ! Je ne peux me permettre aucun de ces luxes, et les chirurgiens militaires sont ce qu'ils sont... En tout cas, je te remercie : le régime hivernal que tu as mis au point pour mes soldats a donné d'excellents résultats. Je crois même qu'il a sauvé la vie à bon nombre d'entre eux. »

Le philosophe inclina légèrement le chef.

« J'ai des problèmes, Aristote, reprit le roi. J'ai besoin de tes conseils.

— Parle.

— Je sais que tu me désapprouves, mais je me prépare à occuper les villes qui sont encore liées à Athènes dans la zone des Détroits. Périnthe et Byzance seront mises à l'épreuve : il faut que je sache à quel camp elles appartiennent.

— Si tu les obliges à choisir entre Athènes et toi, elles choisiront Athènes, et tu seras contraint d'utiliser la force.

— J'ai engagé le meilleur ingénieur militaire. Il est en train de concevoir des machines monstrueuses, mesurant quatre-vingt-dix pieds de hauteur. Elles me coûtent une fortune, mais cela en vaut la peine.

— Quoi qu'il en soit, ma désapprobation ne pourra te dissuader d'une telle entreprise.

— Effectivement.

— Alors, à quoi te servent mes conseils ?

— À évaluer la situation athénienne. Mes informateurs me disent que Démosthène entend constituer une ligue panhellénique contre moi.

— C'est compréhensible. À ses yeux, tu es l'ennemi le plus dangereux qui soit, et tu représentes une menace pour l'indépendance et la démocratie des cités grecques.

— Si j'avais voulu frapper Athènes, je l'aurais déjà fait. Mais je me suis contenté d'affirmer mon autorité dans les régions directement placées sous l'influence macédonienne.

— Tu as rasé Olynthe et...

— Ils m'avaient fait sortir de mes gonds ! »

Aristote leva les sourcils et soupira :

« Je comprends.

— Alors, que puis-je faire pour cette ligue ? Si Démosthène parvient à la fonder, je serai obligé de l'affronter avec mon armée en rase campagne.

— Pour l'instant, je pense qu'il n'y a pas de danger. Les Grecs sont aux prises avec des discordes, des rivalités et des jalousies si fortes qu'aucune alliance ne se conclura, selon moi. Mais si tu poursuis ta politique agressive, tu n'obtiendras qu'un résultat : resserrer leurs liens. C'est du reste ce qui s'est produit lors des invasions perses.

— Mais je ne suis pas un Perse ! » tonna le roi.

Et il abattit violemment son poing sur le bord de la baignoire, déchaînant une petite tempête.

Dès que les eaux se furent calmées, Aristote reprit : « Cela ne change rien. Il est une règle immuable : lorsqu'une puissance se fait dominante, toutes les autres se coalisent contre elle. Les Grecs sont très attachés à leur indépendance totale, ils sont prêts à tout pour la conserver. Démosthène serait capable de traiter avec les Perses, tu comprends ? Pour eux, la conservation de l'indépendance compte plus que les liens de sang et de culture.

— Bien sûr. Ainsi, je devrais attendre tranquillement la suite des événements ?

— Non. Mais tu dois savoir que chaque fois que tu prendras une initiative militaire contre des possessions ou des alliés athéniens, tu mettras en difficulté les amis que tu possèdes à l'intérieur des cités, lesquels se verront traités de traîtres et de corrompus.

— Certains le sont, observa Philippe sans se démonter. En tout cas, je sais que j'ai raison, et je mènerai à bien mes projets. Mais il faut que je te demande un service. Ton beau-père est seigneur d'Assos. Si Démosthène entame une négociation avec les Perses, il pourrait en être informé.

— Je lui écrirai, promit le philosophe. Rappelle-toi, cependant : si tu es déterminé à mener à bien tes projets de cette façon, tu devras affronter tôt ou tard la coalition de Démosthène. Ou quelque chose de très semblable. »

Le roi garda le silence. Lorsqu'il se leva, Aristote ne put s'empêcher de remarquer que son corps était couvert de cicatrices récentes. Les femmes l'essuyèrent et lui passèrent des vêtements propres.

« Comment se comporte mon garçon ? demanda bientôt le roi.

— C'est un des êtres les plus extraordinaires que j'aie jamais rencontrés. Mais j'ai de plus en plus de mal à le brider. Il suit tes entreprises et ronge son frein. Il voudrait se distinguer, montrer sa valeur. Il craint que lorsque son tour viendra, il ne lui reste plus rien à conquérir. »

Philippe secoua la tête en souriant : « Si les problèmes étaient là... Je lui parlerai. Mais je veux qu'il reste ici pour le moment. Il faut que tu achèves son éducation.

— As-tu vu le portrait que Lysippe a fait de lui ?

— Pas encore. On m'a dit qu'il était magnifique.

— Il l'est. Alexandre a décidé que seul Lysippe

pourra le représenter à l'avenir. Il a été très impressionné par son art.

— J'ai déjà pris les dispositions nécessaires pour qu'on exécute des copies afin de les offrir à toutes nos villes alliées qui les exposeront publiquement. Je veux que les Grecs constatent que mon fils a grandi au flanc du mont des dieux. »

Aristote l'accompagna jusqu'à la salle à manger, qu'il serait peut-être plus juste d'appeler réfectoire. En effet, le philosophe avait fait supprimer les lits et les tables précieuses, auxquels il avait substitué une table entourée de chaises, comme dans les maisons des pauvres, ou sous les tentes militaires. Cela lui semblait mieux convenir à l'atmosphère d'étude et de réflexion qui devait régner à Miéza.

« Sais-tu s'il entretient des relations avec des femmes ? Il serait temps qu'il s'y mette, observa le roi tandis qu'ils parcouraient les couloirs.

— Il est doté d'un caractère très réservé, presque farouche. Mais il y a cette fille... elle se nomme Leptine, je crois. »

Philippe fronça les sourcils.

« Continue.

— Je n'ai pas grand-chose à te rapporter. Elle lui est aussi dévouée qu'à une divinité. Et c'est sans doute le seul être humain de sexe féminin en mesure de l'approcher à n'importe quelle heure du jour et de la nuit. Je ne peux rien te dire d'autre. »

Philippe gratta la barbe hirsute qui ornait son menton. « Je n'aimerais pas qu'il me fasse un bâtard avec cette servante. Il vaudrait peut-être mieux que je lui envoie une " compagne " connaissant le métier. Cela nous éviterait des problèmes, et elle pourrait aussi lui apprendre quelque chose d'intéressant. »

Ils avaient désormais atteint le seuil de la salle à manger. Aristote s'immobilisa. « À ta place, je m'en abstiendrais.

— Mais cela ne vous gênera pas. Je te parle d'une

personne de premier ordre en matière d'éducation et d'expérience.

— Il ne s'agit pas de cela, objecta le philosophe. Alexandre t'a déjà laissé choisir son maître et l'artiste qui a réalisé son portrait car il t'aime et parce qu'il est très cultivé pour son âge. Mais je ne crois pas qu'il te permettra de franchir ces limites, de violer son intimité. »

Philippe marmonna quelque chose d'incompréhensible, puis il dit : « J'ai faim. On ne mange donc pas, dans cet endroit ? »

Ils dînèrent tous gaiement ; sous la table, Péritas rongeait les os de chevreuil que les convives jetaient au sol.

Alexandre voulut connaître tous les détails de la campagne de Thrace : comment étaient les armes des ennemis et les techniques de combat, les fortifications de leurs villages et de leurs villes. Et il voulut savoir comment s'étaient battus les deux rois ennemis : Kersoblepte et Térès.

Puis, tandis que les domestiques débarrassaient la table, Philippe salua tout le monde : « Permettez-moi de prendre congé de vous et de vous souhaiter une bonne nuit. Je voudrais profiter un peu de la compagnie de mon fils. »

Tous les convives se levèrent, lui rendirent son salut et se retirèrent. Philippe et Alexandre se retrouvèrent donc seuls, dans la grande salle vide, à la lumière des lanternes. On n'entendait que le bruit des os brisés, sous la table. Péritas avait grandi et il était désormais doté d'une denture de lion.

« Est-il vrai que tu vas repartir ? demanda Alexandre. Dès demain ?

— Oui.

— J'espérais que tu resterais au moins quelques jours.

— Je l'espérais moi aussi, mon fils. »

Suivit un long silence. Philippe avait pour habitude de ne pas justifier ses décisions.

« Que vas-tu faire ?

— J'occuperai toutes les positions athéniennes de la Chersonèse. Je fais construire les plus grandes machines de siège qu'on ait jamais vues. Je veux que notre flotte occupe les Détroits.

— C'est par les Détroits que transite le blé destiné à Athènes.

— Il en est ainsi.

— La guerre éclatera.

— Ce n'est pas dit. Je veux qu'on me respecte. Il faut que tout le monde comprenne que si une ligue panhellénique se forme, c'est moi qui en prendrai la tête.

— Emmène-moi, papa. »

Philippe plongea ses yeux dans ceux de son fils. « Le moment n'est pas encore venu, mon garçon. Tu dois d'abord terminer tes études, ta formation, ton entraînement.

— Mais, je...

— Écoute-moi : tu as une petite expérience des campagnes militaires, tu as montré du courage et de l'habileté dans la chasse, et je sais que tu manies fort bien les armes. Mais, crois-moi, ce que tu devras un jour affronter sera mille fois plus dur. J'ai vu mes hommes mourir de froid et de fatigue, je les ai vus supporter des peines atroces, les membres déchirés par d'épouvantables blessures. Je les ai vus tomber en escaladant un mur et s'effondrer sur le sol, et j'ai entendu ensuite leurs hurlements poignants résonner des heures durant dans la nuit, avant que le silence revienne.

« Regarde-moi, regarde mes bras : on dirait les branches d'un arbre sur lequel un ours aurait aiguisé ses griffes. J'ai été blessé onze fois, estropié, et j'ai presque perdu la vue... Alexandre, Alexandre, tu vois la gloire, mais la guerre est surtout faite d'horreur. La guerre, c'est du sang, de la sueur et des excréments. C'est de la poussière et de la boue ; c'est la soif et la faim, un froid et une chaleur insupportables. Laisse-moi affronter tout cela pour toi, tant que je pourrai le faire. Reste à Miéza, Alexandre. Encore un an. »

Le jeune homme ne dit rien. Il savait que ces mots n'admettaient pas de réplique. Mais le regard éprouvé et blessé de son père réclamait sa compréhension et son amour.

Dehors, on entendait au loin le grondement du tonnerre, et des éclairs jaunes illuminaient les contours de grands nuages noirs sur les pics obscurcis du mont Bermion.

« Comment va maman ? » interrogea soudain Alexandre.

Philippe baissa le regard.

« J'ai appris que tu avais ramené une nouvelle femme. La fille d'un roi barbare.

— Un chef scythe. Je devais le faire. Et tu le feras aussi quand le moment viendra.

— Je le sais. Mais comment va maman ?

— Bien. Étant donné les circonstances.

— Alors, j'y vais. Bonne nuit, papa. »

Il se leva et se dirigea vers la porte, suivi de son chien. Philippe envia alors l'animal qui allait tenir compagnie à son fils, qui allait pouvoir écouter son souffle dans la nuit.

Il se mit à pleuvoir. De grosses gouttes, de plus en plus nombreuses. Le roi, qui était resté seul dans la salle déserte, se leva à son tour. Il sortit sous le portique tandis qu'un éclair aveuglant illuminait comme en plein jour la vaste cour, accompagné d'un éclat de tonnerre fracassant. Il s'appuya contre une colonne et demeura immobile, absorbé par le spectacle de la pluie qui tombait à verse.

17

Les choses se déroulèrent exactement comme Aristote l'avait prévu : contraintes et forcées, Périnthe et Byzance se rangèrent dans le camp d'Athènes. Philippe répliqua en assiégeant Périnthe, située sur un promontoire rocheux dans l'Hellespont et reliée au continent par un isthme.

Il avait planté sa tente sur une hauteur d'où il pouvait dominer toute la situation et tenait chaque soir conseil avec ses généraux : Antipatros, Parménion et Cleitos, surnommé « le Noir », car telle était la couleur de ses cheveux, de ses yeux et de son teint. Son humeur aussi était sombre, mais c'était un excellent officier.

« Ont-ils décidé de négocier leur reddition, oui ou non ? demanda Philippe en entrant, sans même s'asseoir.

— Non, répondit Parménion. Et cette idée ne leur vient sûrement pas à l'esprit. La ville est bloquée par voie terrestre, à cause de notre tranchée, mais elle continue de recevoir du ravitaillement par voie maritime, grâce à la flotte byzantine.

— Et nous ne pouvons nous y opposer, rétorqua le Noir. Nous ne possédons pas le contrôle de la mer. »

Philippe abattit son poing sur la table : « Je me fiche du contrôle de la mer ! hurla-t-il. Dans quelques jours, mes machines de guerre seront achevées et je détruirai leurs murs. Nous verrons alors s'ils ont encore envie de jouer les dégoûtés ! »

Le Noir secoua la tête.

« Qu'as-tu donc à redire ?

— Rien. Mais cela ne me semble pas aussi facile.

— Ah non ? Alors, écoute-moi bien : je veux que ces maudites machines soient prêtes dans deux jours, et s'il le faut, je ferai botter le cul de tout le monde, de l'ingénieur en chef au dernier charpentier. Vous m'avez bien compris ?

— Nous t'avons fort bien compris, roi », répondit Antipatros avec sa patience habituelle.

Dans certaines situations, la colère de Philippe engendrait des miracles. Trois jours plus tard, les machines de guerre entamèrent leur marche sur les murailles, au milieu des craquements et des grincements. Ces tours automotrices étaient plus hautes que les remparts de Périnthe ; elles étaient actionnées par un système de contrepoids et capables de contenir chacune plusieurs centaines de guerriers, de catapultes et de béliers.

Les assiégés devinèrent alors ce qui les attendait, et le souvenir de ce qui s'était produit à Olynthe, réduite en cendres par la colère du roi, multiplia leurs énergies. Ils creusèrent des galeries et incendièrent les machines au cours d'une sortie nocturne. Philippe les fit reconstruire et ordonna à ses soldats de creuser des contre-mines pour affaiblir les fondations des murailles tandis que les béliers les frappaient sans répit, nuit et jour, répandant l'écho assourdissant de leurs coups dans toute la ville.

Les murailles finirent par céder, mais les généraux macédoniens eurent alors une amère surprise. Antipatros, qui était le plus âgé et le plus respecté d'entre eux, fut chargé d'apprendre au roi la mauvaise nouvelle.

« Sire, les murs sont tombés, mais je te déconseille de lancer l'infanterie à l'assaut.

— Ah oui ? Et pourquoi ?

— Viens voir. »

Philippe gagna l'une des tours et grimpa à son sommet. Il jeta un coup d'œil au-delà des murailles abattues et demeura sans voix : les assiégés avaient réuni la rangée de maisons situées sur le premier terrassement de la ville, créant de fait un second mur d'enceinte. Et comme Périnthe était entièrement constituée de terrasses, la manœuvre risquait de se répéter à l'infini.

« Malédiction ! » gronda le roi en redescendant à terre.

Il se retira sous sa tente, où il se rongea les sangs pendant des jours entiers, essayant de trouver une issue à l'impasse dans laquelle il s'était fourré. Mais les mauvaises nouvelles ne s'arrêtèrent pas là. Son état-major au complet vint les lui apporter.

« Sire, annonça Parménion, les Athéniens ont enrôlé dix mille mercenaires grâce aux sommes que leur ont versées les gouverneurs perses de l'Asie Mineure, et ils les ont conduits à Périnthe par la mer. »

Philippe baissa la tête. Les prédictions d'Aristote s'étaient hélas réalisées : la Perse avait pris position contre la Macédoine.

« C'est un sérieux problème, commenta le Noir, comme si l'atmosphère n'était pas encore assez sombre.

— Et ce n'est pas tout, ajouta Antipatros.

— Qu'y a-t-il d'autre ? hurla Philippe. Est-il possible qu'il faille toujours vous arracher les mots de la bouche ?

— Ce sera bref, continua Parménion. Notre flotte est bloquée dans la mer Noire.

— Quoi ? cria le roi encore plus fort. Et que fabriquait-elle dans la mer Noire ?

— Elle tentait d'intercepter un convoi de blé qui se dirigeait vers Périnthe. Les Athéniens s'en sont hélas aperçus ; ils ont déplacé leur flotte pendant la nuit et ont bloqué l'embouchure du Bosphore. »

Philippe s'effondra sur une chaise et se cacha la tête entre les mains.

« Cent trente navires et trois mille hommes, murmura-t-il. Je ne peux pas les perdre. Je ne peux pas les perdre ! » Il bondit en hurlant et se mit à faire les cent pas sous sa tente.

Pendant ce temps, sur le Bosphore, les équipages athéniens chantaient victoire ; chaque soir, à la tombée de la nuit, ils allumaient des feux dans leurs braseros et en projetaient la lumière sur les flots au moyen de leurs boucliers afin que les navires macédoniens ne tentent pas de passer à la faveur de l'obscurité. Mais ils ignoraient une chose : quand Philippe était pris au piège et dans l'incapacité d'utiliser la force, il avait recours à la ruse, ce qui le rendait encore plus dangereux.

Une nuit, le commandant d'une trirème athénienne, qui patrouillait sur la rive occidentale du détroit, vit une chaloupe descendre le courant en longeant la rive, dans l'espoir de passer inaperçue.

Il ordonna qu'on dirige sur elle la lumière des braseros. La chaloupe apparut aussitôt dans le rayon lumineux réfléchi par les boucliers.

« Ne bougez plus, intima l'officier, ou je vous coule ! » Et il demanda au timonier de virer à tribord et de tourner le grand rostre en bronze de la trirème vers le flanc de la petite embarcation.

Terrorisés, les occupants de la chaloupe s'immobilisèrent. Quand le commandant athénien leur ordonna de s'approcher, ils ramèrent vers le navire grec et montèrent à bord.

Il y avait quelque chose d'étrange dans leur comportement et dans leur aspect. Lorsqu'ils ouvrirent la bouche, l'officier athénien n'eut plus de doute : c'étaient des Macédoniens, et non des pêcheurs thraces, comme ils voulaient le faire croire.

On entreprit de les fouiller et on trouva au cou de

l'un d'entre eux un étui de cuir contenant un message. Une véritable chance ! L'officier demanda à l'un de ses hommes de l'éclairer avec une lanterne, et lut l'inscription qu'il portait :

> Philippe, roi des Macédoniens, à Antipatros.
> Lieutenant-général, salut !
> Voilà que se présente à nous l'occasion d'une victoire écrasante sur la flotte athénienne qui croise dans le Bosphore. Fais avancer cent navires de Thasos et bloque la sortie méridionale de l'Hellespont. Je ferai descendre ma flotte du nord et nous les prendrons en tenaille. Ils ne pourront pas nous échapper. Trouve-toi à l'embouchure du détroit la première nuit de la nouvelle lune.
> Porte-toi bien.

« Dieux du ciel ! s'exclama le commandant dès qu'il eut terminé. Il n'y a pas un instant à perdre. »

Il ordonna aussitôt de changer de cap et de ramer rapidement vers le centre du détroit, où le vaisseau amiral se balançait à l'ancre. Il monta à bord, demanda à parler au navarque, un vieil officier doté d'une grande expérience qui se nommait Phocion, et lui remit le message qu'il avait intercepté. L'officier le parcourut et le tendit au scribe, un homme fort compétent qui avait occupé pendant plusieurs années le poste de secrétaire de l'assemblée à Athènes.

« J'ai déjà vu des lettres de Philippe dans nos archives. Elle est de lui, aucun doute. Tout comme le sceau », ajouta-t-il après avoir examiné scrupuleusement le document.

Un peu plus tard, sur le vaisseau amiral, le navarque faisait lancer, au moyen d'un bouclier, le signal de la retraite pour tous les navires de la flotte.

Trois jours plus tard ils atteignirent Thasos, où ils constatèrent l'absence de la flotte d'Antipatros, qui n'avait au reste jamais existé. Mais entre-temps, l'escadre royale avait pu tranquillement descendre le Bosphore et l'Hellespont, et trouver refuge dans un port sûr.

Dans un de ses discours contre Philippe, Démosthène l'avait surnommé « le renard ». Quand il apprit ce qui s'était produit, il comprit que jamais aucun surnom n'avait mieux été mérité.

Le roi macédonien quitta le siège de Périnthe au début de l'automne et marcha vers le nord pour punir les tribus scythes qui avaient refusé de lui envoyer des renforts ; il défit et tua leur roi Atéas, qui s'était présenté sur le champ de bataille en dépit de ses quatre-vingt-dix ans.

Mais sur le chemin du retour, en plein hiver désormais, l'armée de Philippe fut attaquée par la plus féroce des tribus thraces, les Triballes : elle subit de graves pertes et dut abandonner tout le butin. Le roi lui-même fut blessé, et ne parvint qu'avec grande difficulté à ramener ses soldats dans leur patrie, en se frayant un chemin à l'épée.

Il regagna son palais de Pella, épuisé par ses efforts et par les douleurs lancinantes que lui provoquait sa blessure à la jambe, abattu, presque méconnaissable. Mais le jour même, il réunit le conseil et voulut savoir ce qui s'était passé en Grèce et en Macédoine pendant son absence.

Les nouvelles n'étaient pas bonnes, et si Philippe avait encore eu la moindre énergie, il se serait emporté comme un taureau furieux.

Il pensa, en fait, que la nuit lui porterait conseil. Le lendemain, il convoqua Philippe, le médecin, et lui dit : « Regarde-moi bien, comment me trouves-tu ? »

Le médecin l'observa attentivement. Il remarqua son teint terreux et son regard terne, ses lèvres sèches et gercées, sa voix fêlée. « En très mauvais état, sire.

— Tu ne mâches pas tes mots, dit le roi.

— Tu veux un bon médecin, n'est-ce pas ? Quand tu as besoin d'un adulateur, tu sais où le chercher.

— Tu as raison. Maintenant, écoute-moi bien : je suis prêt à avaler toutes les mixtures que tu voudras me préparer, à me faire rompre l'échine et briser le cou par tes masseurs, à accepter qu'on me fiche tes clystères dans le cul, à manger des poissons puants plutôt que du bœuf rôti pendant tout le temps qu'il faudra, à boire de l'eau de source jusqu'à ce que des grenouilles clapotent dans mon ventre, mais par les dieux, remets-moi sur pied car je veux que mon rugissement résonne jusqu'à Athènes, et au-delà, au début de l'été !

— Tu m'obéiras ? interrogea le médecin avec méfiance.

— Je t'obéirai.

— Tu ne jetteras pas mes médicaments et mes décoctions contre le mur ?

— Non, je m'y engage.

— Alors viens dans mon cabinet. Je dois t'examiner. »

Un peu plus tard, par une paisible soirée de printemps, Philippe se présenta dans les appartements de la reine sans se faire annoncer. Avertie par ses servantes, Olympias vint sur le seuil à sa rencontre, après avoir jeté un coup d'œil à son image dans le miroir. « Je suis heureuse de te voir rétabli. Entre, assieds-toi. C'est un honneur pour moi de recevoir dans ces appartements le roi des Macédoniens. »

Philippe prit place et garda un moment les yeux baissés. « Ce langage officiel est-il nécessaire ? Ne pouvons-nous pas converser comme deux époux qui vivent ensemble depuis de nombreuses années ?

— Ensemble n'est peut-être pas le mot le plus approprié, répliqua Olympias.

— Ta langue est plus coupante qu'une épée.

— C'est parce que je n'ai pas d'épée, justement.

— Je suis venu te parler.

— Je t'écoute.

— Il faut que je te demande un service. Mes dernières campagnes n'ont pas été très heureuses. J'ai perdu beaucoup d'hommes et usé mes forces en vain. Les Athéniens pensent que je suis fini, ils boivent les paroles de Démosthène comme s'il s'agissait un oracle.

— C'est ce que j'ai entendu dire.

— Olympias, je ne souhaite pour le moment aucun affrontement direct, et je refuse de le provoquer. Pour l'heure, la bonne volonté doit encore prévaloir. Le désir d'apaiser nos désaccords...

— En quoi puis-je t'être utile ?

— Il m'est impossible d'envoyer une ambassade à Athènes en ce moment, mais je pensais que si tu le faisais, toi, la reine, cela changerait beaucoup de choses. Tu n'as jamais pris d'initiative contre eux. Certains pensent même que tu es une victime de Philippe. »

Olympias s'abstint de tout commentaire.

« Bref, l'ambassade semblerait ainsi venir d'une puissance neutre, comprends-tu ? Olympias, j'ai besoin de temps, aide-moi ! Et si tu ne veux pas m'aider, pense à ton fils. C'est son royaume que je construis, son hégémonie sur le monde entier que je prépare. »

Il se tut et reprit son calme après sa plaidoirie. Olympias se tourna vers la fenêtre comme si elle voulait éviter son regard, et observa elle aussi quelques instants de silence. Puis elle dit :

« J'accepte. J'enverrai Oréos, mon secrétaire. C'est un homme sage et prudent.

— C'est un excellent choix, approuva Philippe qui ne s'attendait pas à une telle disponibilité.

— En quoi puis-je t'être encore utile ? demanda la reine en prenant le ton froid des adieux.

— Je voulais aussi te dire que dans quelques jours je me rendrai à Miéza. » Soudain, le visage d'Olympias se transforma, ses joues pâles rosirent. « Je ramène Alexandre. »

La reine cacha son visage derrière son étole, mais elle ne put dissimuler la violente émotion qui l'assaillait en cet instant.

« Tu ne me demandes même pas si j'ai dîné », dit Philippe.

Olympias leva vers lui ses yeux luisants. « As-tu dîné ? répéta-t-elle servilement.

— Non. Je... j'espérais que tu me demanderais de rester. »

La reine baissa la tête : « Je suis souffrante aujourd'hui. Je regrette. »

Philippe se mordit la lèvre et sortit en claquant la porte.

Olympias s'appuya contre le mur comme si elle se sentait défaillir et écouta son pas lourd résonner dans le couloir puis s'éteindre au fond de l'escalier.

18

Alexandre courait dans la prairie, inondée de la lumière printanière et constellée de fleurs ; il courait, torse, jambes et pieds nus, contre le vent qui soufflait dans ses cheveux en lui apportant l'odeur légère des embruns.

Péritas l'accompagnait, réglant sa course sur la sienne pour éviter de le dépasser ou de le semer. Il aboyait de temps à autre comme pour attirer l'attention de son maître, qui se tournait vers lui dans un sourire, sans s'arrêter pour autant.

C'était un de ces moments où il libérait son esprit, volait comme un oiseau, galopait comme un cheval. Alors, sa nature ambiguë et mystérieuse de centaure, tour à tour violente et sensible, ténébreuse et solaire, semblait s'exprimer en un mouvement harmonieux, en une sorte de danse initiatique, sous l'œil resplendissant du soleil, ou dans l'ombre soudaine d'un nuage.

Son corps sculptural se contractait à chaque bond, avant de se détendre en une large foulée ; sa chevelure dorée, douce et brillante, rebondissait dans son dos comme une crinière, ses bras légers battaient comme des ailes tandis que sa poitrine se soulevait dans le halètement de la course.

Philippe le contemplait en silence, à califourchon sur son cheval, depuis l'orée du bois. Quand il le vit s'approcher et qu'il comprit, à l'aboiement du chien, que celui-ci l'avait remarqué, il éperonna son destrier et rejoignit son fils en agitant la main. Mais il ne songea pas à l'arrêter. Il galopa à ses côtés, fasciné par la puissance de sa course, par le prodige de ses membres infatigables.

Bientôt, le jeune homme fit halte devant un ruisseau, dans lequel il plongea. Philippe mit alors pied à terre. Un peu plus tard, l'adolescent et son chien firent un bond hors de l'eau et s'ébrouèrent ensemble. Le roi serra son fils contre sa poitrine et sentit que son étreinte était désormais aussi puissante que la sienne. Il se rendit compte qu'il était devenu un homme.

« Je suis venu te chercher, dit-il. Nous rentrons à la maison. »

Alexandre le fixa d'un air incrédule : « Parole de roi ?

— Parole de roi, assura Philippe. Mais un jour viendra où tu évoqueras cette période avec regret. Je n'ai jamais eu une telle chance ; je n'ai jamais eu de chants, de poèmes, de discours sages. Voilà pourquoi je suis si las, mon fils, voilà pourquoi mes ans pèsent si lourd. »

Alexandre ne dit rien. Le père et le fils cheminèrent ensemble dans la prairie, en direction de l'école : le jeune homme suivi de son chien, le père tenant son cheval par les rênes.

Soudain, un hennissement s'échappa de derrière une colline qui dissimulait à leur vue la retraite de Miéza. C'était un son aigu et pénétrant, un souffle puissant, pareil à celui d'une bête sauvage, d'une créature chimérique. Puis on entendit le hurlement des hommes, leurs cris et leurs appels, et bientôt le bruit de sabots de bronze qui faisaient trembler la terre.

Les hennissements retentirent à nouveau, avec plus de force et de fureur. Philippe se tourna vers son fils et lui dit : « Je t'ai apporté un cadeau. »

Ils gagnèrent le sommet de la colline. Alexandre s'arrêta, stupéfait : devant lui, en contrebas, un étalon noir se cabrait, luisant de sueur comme une statue de bronze sous la pluie. Cinq hommes, agrippés à des cordes et à des rênes, tentaient d'en contrôler la formidable puissance.

Il était plus noir qu'un corbeau et avait sur le front une étoile blanche en forme de bucrane. Au moindre mouvement du col ou de l'échine, il projetait au sol les palefreniers qu'il traînait ensuite sur l'herbe comme des pantins inertes. Puis il retombait sur ses antérieurs et ruait avec fureur, fouettait l'air de sa queue, secouait sa longue crinière brillante.

Une bave sanglante ourlait son nez. Il s'immobilisait, l'encolure fléchie, pour reprendre sa respiration, remplir d'air son poitrail et le vider à nouveau comme s'il exhalait une haleine de feu, un souffle de dragon. Il hennissait encore, secouait sa superbe tête, contractait le faisceau de muscles pour mettre en valeur son garrot.

Comme frappé par un coup de fouet, Alexandre sursauta soudain et s'écria : « Laissez-le ! Laissez ce cheval en liberté, par Zeus ! »

Philippe posa une main sur son épaule. « Attends encore un peu, mon garçon, attends qu'on l'ait dressé. Encore un peu de patience, et il t'appartiendra.

— Non ! hurla Alexandre. Non ! Je suis le seul à pouvoir le dresser. Laissez-le tranquille ! Je vous dis de le laisser tranquille !

— Mais il va s'enfuir, dit Philippe. Je l'ai payé une fortune, mon fils !

— Combien ? demanda Alexandre. Combien l'as-tu payé ?

— Treize talents.

— J'en parie autant que je réussirai à le dompter ! Mais ordonne à ces misérables de le libérer ! Je t'en prie ! »

Philippe le regarda et vit qu'il était bouleversé : les veines de son cou étaient aussi gonflées que celles de l'étalon furieux.

Alors, il se tourna vers ses hommes et leur cria : « Libérez-le ! »

Ils obéirent. L'un après l'autre, ils relâchèrent les cordes et les entraves, à l'exception des rênes, maintenues autour de son encolure. Comme prévu, l'étalon s'éloigna en galopant dans la prairie. Mais Alexandre se lança à sa poursuite et le rejoignit, sous l'œil ébahi du roi et de ses palefreniers.

Le roi secoua la tête en murmurant : « Oh, par tous les dieux, le cœur de ce garçon va éclater, son cœur va éclater. » Péritas grondait entre ses dents. Les hommes levèrent la main. Ils entendirent que l'adolescent parlait au cheval, qu'il lui criait quelque chose dans le halètement de la course, des mots que le vent emportait avec les hennissements de l'animal, qui semblait lui répondre.

Brusquement, alors que le jeune homme paraissait s'écrouler de fatigue, le cheval ralentit sa course. Il se mit à trotter, secouant la tête et soufflant.

Alexandre s'avança, tout doucement, dos au soleil. Il pouvait le voir, pleinement éclairé, il pouvait voir son front large et noir, et sa tache blanche en forme de crâne de bœuf.

« Bucéphale, murmura-t-il. Bucéphale... Voilà, voilà ton nom... C'est ton nom. Il te plaît, mon beau ? Il te plaît ? » Et il s'approcha de lui, au point de l'effleurer. L'animal remua la tête, mais il ne bougea pas ; l'adolescent tendit la main et caressa délicatement son encolure, sa joue, son nez doux comme la mousse.

« Tu veux courir avec moi ? dit-il. Tu veux courir ? »

Le cheval hennit et Alexandre comprit qu'il acquiesçait. Il plongea son regard dans ses yeux ardents et d'un bond se hissa sur lui. Il cria : « Vas-y, Bucéphale ! » et il lui pressa les flancs de ses talons.

L'animal partit au galop en étirant son échine resplendissante, sa tête, ses membres et sa longue queue frangée. Il fila aussi rapidement que le vent et traversa la plaine en direction du bois et de la rivière. Le martèlement de ses sabots évoquait le grondement du tonnerre.

Puis il s'immobilisa devant Philippe qui ne parvenait pas à en croire ses yeux.

Alexandre glissa au sol et s'écria : « J'ai l'impression de monter Pégase, père ! On dirait qu'il a des ailes. Tels devaient être sans doute Balios et Xanthos, les chevaux d'Achille, les fils du vent. Merci pour ce cadeau ! » Il caressait l'encolure du cheval et son poitrail trempé de sueur, au désespoir de Péritas qui, jaloux, se mit à aboyer. Alors, le jeune homme se pencha pour lui dispenser une caresse rassurante.

Philippe le contemplait d'un air stupéfait, comme s'il n'avait pas encore saisi ce qui venait de se passer. Puis il posa un baiser sur sa tête et déclara : « Mon enfant, il te faut chercher un autre royaume : la Macédoine n'est pas assez grande pour toi. »

19

Tandis qu'il chevauchait Bucéphale aux côtés de son père, Alexandre l'interrogea : « Tu l'as vraiment payé treize talents ?

— Oui, et je crois que c'est le prix le plus élevé qu'on ait jamais payé pour un cheval. C'est le plus bel animal qu'ait produit l'élevage de Philonicos, en Thessalie, depuis de nombreuses années.

— Il en vaut plus, dit Alexandre en caressant l'encolure de Bucéphale. Aucun autre destrier au monde ne serait digne de moi. »

Ils déjeunèrent en compagnie d'Aristote et de Callisthène : Théophraste avait regagné l'Asie pour poursuivre ses recherches et transmettait régulièrement à son maître des comptes rendus concernant ses découvertes.

Il y avait aussi deux peintres céramistes de Corinthe qu'Aristote avait appelés non pour peindre des vases, mais pour travailler à une entreprise bien plus délicate, une commande de Philippe : la carte du monde connu.

« Puis-je la voir ? demanda le roi avec impatience quand ils eurent terminé le repas.

— Bien sûr, répondit Aristote. Le mérite de ce que nous avons réussi à représenter revient aussi à tes conquêtes. »

Ils passèrent dans une vaste salle, bien éclairée, où

se déployait la grande carte, réalisée sur une peau de bœuf tannée et fixée au moyen de pinces à une table en bois de même taille. Les couleurs avec lesquelles les artistes avaient dessiné les mers, les montagnes, les fleuves et les lacs, les golfes et les îles, étaient resplendissantes.

Philippe la contempla d'un air ravi. Son regard en parcourut les contours, de l'Orient à l'Occident, des Colonnes d'Héraclès aux étendues de la plaine scythe, du Bosphore au Caucase, de l'Égypte à la Syrie.

Il l'effleurait du bout des doigts, craignant presque de la toucher, cherchant les contrées amies et ennemies, reconnaissant, l'œil brillant, la ville qu'il avait récemment fondée en Thrace et qui portait son nom : Philippopolis. Il pouvait enfin mesurer l'ampleur de ses conquêtes.

Vers l'ouest et vers le nord, la carte s'estompait jusqu'au néant, tout comme vers le sud, où s'étendaient les sables infinis des Libyens et des Garamantes.

De nombreuses feuilles de papyrus, couvertes d'études préparatoires, reposaient sur une table, non loin de là. Philippe en examina certaines, s'attardant en particulier sur une représentation de la terre.

« Tu penses donc qu'elle est ronde, dit-il à Aristote.

— Je ne le pense pas seulement, j'en suis certain, rétorqua le philosophe. L'ombre que la terre projette sur la lune, au cours des éclipses, est ronde. Et lorsque tu observes un bateau qui s'éloigne du port, tu vois d'abord disparaître sa coque, et seulement ensuite son mât. Le contraire se produit, en revanche, quand tu le regardes s'approcher.

— Et là, qu'y a-t-il ? le questionna Philippe en indiquant une région sur laquelle se détachait l'inscription *antipodes*.

— Personne ne le sait. Sans doute des terres aussi vastes que les nôtres. C'est une question d'équilibre. Le problème, c'est que nous ne connaissons pas la superficie des régions boréales. »

Alexandre se tourna vers lui avant d'examiner les provinces de l'immense empire qui s'étendait, disait-on, de la mer Égée jusqu'aux Indes, et il se remémora les mots inspirés avec lesquels, trois ans auparavant, l'invité perse avait décrit sa patrie.

Il se vit alors galoper avec Bucéphale sur ces hauts plateaux immenses, se lancer à l'assaut des montagnes et des déserts jusqu'aux confins du monde, jusqu'aux flots du fleuve Océan qui, selon Homère, entourait toute la terre.

La voix de son père et la main qu'il avait posée sur son épaule le tirèrent de sa rêverie. « Rassemble tes affaires, mon fils, ordonne à tes esclaves de préparer tes bagages, tout ce que tu souhaites ramener à Pella. Et salue ton maître. Tu ne le reverras pas de sitôt. »

Puis il s'éloigna afin qu'Alexandre et Aristote demeurent seuls pour se dire adieu.

« Le temps a passé rapidement, observa Aristote. J'ai l'impression d'être arrivé hier à Miéza.

— Où iras-tu ? lui demanda Alexandre.

— Je vais demeurer ici encore un moment. Nous avons accumulé beaucoup de matériel, ainsi qu'une quantité de notes qui doivent être soigneusement répertoriées. Il me faudra un peu de temps. En outre, j'ai commencé des études sur la transmission des maladies.

— Je suis content que tu restes. Je pourrai ainsi te rendre visite de temps en temps. J'ai encore beaucoup de questions à te poser. »

Aristote le fixa et put lire, pendant un court instant, toutes ces interrogations dans la lumière changeante et inquiète de son regard.

« Les questions que tu ne m'as pas posées sont sans réponse, Alexandre... Ou si réponses il y a, il faut que tu les cherches dans ton esprit. »

La lumière de cet après-midi printanier éclairait les feuilles de papyrus éparses, remplies d'annotations et de croquis, les coupelles des peintres, leurs couleurs et leurs pinceaux, la grande carte du monde connu et les petits yeux gris et sereins du philosophe.

« Et ensuite, où iras-tu ? demanda encore Alexandre.

— Dans un premier temps, à Stagire, chez moi.

— Penses-tu être parvenu à faire de moi un Grec ?

— Je pense que je t'ai aidé à devenir un homme, mais surtout, j'ai compris une chose : tu ne seras jamais grec, ni macédonien. Tu seras seulement Alexandre. Je t'ai appris tout ce qui était en mon pouvoir, désormais tu suivras ton propre chemin et personne n'est en mesure de dire où il te conduira. Une seule chose est certaine : ceux qui voudront te suivre devront tout abandonner, maison, parents et amis, patrie, et s'aventurer dans l'inconnu. Adieu, Alexandre, que les dieux te protègent.

— Adieu, Aristote. Que les dieux te gardent aussi, s'ils veulent qu'un peu de lumière brille sur ce monde. »

Ils se quittèrent ainsi, sur un long regard. Jamais plus ils ne se revirent.

Cette nuit-là, Alexandre demeura longtemps éveillé, sous l'emprise d'une forte agitation qui l'empêchait de s'endormir. Il regardait par la fenêtre la campagne paisible et la lune qui éclairait les cimes encore blanches du mont Bermion et de l'Olympe, mais déjà il entendait le fracas des armes, le hennissement des chevaux lancés au galop.

Il songeait à la gloire d'Achille, qui avait mérité le chant d'Homère, songeait à la bataille qui faisait rage et aux chocs des armes, mais ne parvenait pas à comprendre comment tout cela pourrait cohabiter dans son esprit avec la pensée d'Aristote, les images de Lysippe, les poèmes d'Alcée et de Sapho.

La réponse résidait peut-être dans ses origines, pensa-t-il, dans la nature de sa mère Olympias, à la fois sauvage et mélancolique, et dans celle de son père, aimable et impitoyable, impulsive et rationnelle. Peut-être résidait-elle dans la nature de son peuple, qui tournait le dos aux tribus barbares les plus sauvages et faisait face aux cités grecques, avec leurs temples et leurs bibliothèques.

Le lendemain, il rencontrerait sa mère et sa sœur. Les trouverait-il changées ? Et avait-il changé lui-même ? Quelle serait sa place, désormais, au palais royal de Pella ?

Il tenta de calmer le tumulte de son esprit par la musique et, après s'être saisi de sa cithare, il vint s'asseoir sur le rebord de la fenêtre. Il joua une chanson qu'il avait entendue de nombreuses fois dans la bouche des soldats de son père, la nuit, autour du feu du corps de garde. Une chanson aussi rude que le dialecte montagnard, mais pleine de passion et de nostalgie.

À un certain moment, il s'aperçut que Leptine était entrée dans sa chambre, attirée par la mélodie, et qu'elle l'écoutait avec fascination, assise au bord du lit.

La lueur de la lune caressait son visage et ses épaules, ses bras blancs et lisses. Alexandre reposa la cithare tandis qu'elle dénudait sa poitrine d'un geste léger, et il s'allongea à ses côtés. Alors elle serra sa tête contre ses seins et lui caressa les cheveux.

20

Alexandre fut présenté à l'armée rangée trois jours après son retour à Pella ; il passa les troupes en revue aux côtés de son père, revêtu de son armure et monté sur Bucéphale : d'abord, de droite à gauche, la cavalerie lourde des *hétaïroï*, les « compagnons du roi », les nobles macédoniens de toutes les tribus montagnardes ; puis l'infanterie de ligne des *pézétaïroï*, les « compagnons à pied », composée de paysans de la plaine et encadrée par la formidable phalange.

Ils étaient disposés sur cinq lignes et brandissaient des sarisses de plus en plus longues au fur et à mesure que l'on s'éloignait du premier rang, si bien que lorsque les soldats les baissaient, toutes les pointes se trouvaient alignées sur le devant.

Un officier ordonna aux hommes de présenter les armes et une forêt de lances ferrées se tendit pour rendre les honneurs au roi et à son fils.

« Souviens-toi, mon garçon : la phalange est l'enclume, et la cavalerie le marteau, dit Philippe. Quand une armée ennemie est poussée par nos cavaliers contre cette barrière de pointes, elle n'a pas d'issue possible. »

Puis, sur l'aile gauche, ils passèrent en revue la « Pointe », l'escadron de tête de la cavalerie royale, qu'on lançait au moment crucial de la bataille pour lâcher la dernière salve, celle qui tirait de ses gonds l'armée ennemie.

Les cavaliers crièrent : « Salut à toi, Alexandre ! » Ils firent retentir leurs javelots sur leurs boucliers — un hommage exclusivement réservé à leur chef.

« Le commandement t'appartient, expliqua Philippe. C'est toi, désormais, qui prendras la tête de la Pointe sur le champ de bataille. » Alors qu'il prononçait ces mots, un groupe de cavaliers, revêtus de magnifiques armures et coiffés de casques étincelants ornés de hauts cimiers, sortirent des rangs.

Ils montaient des chevaux aux mors d'argent et aux couvertures de laine pourpre, se distinguaient par la puissance de leurs montures et par la noblesse de leur port. Comme une charge furieuse, ils se lancèrent au galop, puis, à un signal donné, se présentèrent selon une disposition nouvelle, large et imposante : le cavalier qui se trouvait au centre de l'ample cercle retenait son destrier, tandis que les autres accéléraient de plus en plus l'allure de façon que le dernier ne fût pas obligé de ralentir.

Au terme de cette manœuvre spectaculaire, ils poussèrent de nouveau leurs animaux au galop, épaule contre épaule, tête contre tête, laissant dans leur sillage un épais nuage de poussière, et s'immobilisèrent brusquement devant le prince.

Un officier hurla d'une voix de stentor : « La troupe d'Alexandre ! »

Puis, les appelant l'un après l'autre :

« Héphestion ! Séleucos ! Lysimaque ! Ptolémée ! Cratère ! Perdiccas ! Léonnatos ! Philotas ! »

Ses amis !

À la fin de l'appel, ils brandirent leurs javelots et s'écrièrent : « Salut à toi, Alexandre ! » Puis, enfreignant le protocole, ils l'entourèrent, le faisant presque tomber, et l'embrassèrent dans une étreinte sans fin sous les yeux du roi et de ses soldats, immobiles dans leurs rangs.

Ils se pressaient autour de leur prince en criant de joie, lançant leurs armes en l'air, bondissant et dansant comme des fous.

Quand la parade fut terminée, le groupe accueillit Eumène qui, en raison de sa nationalité, ne pouvait pas appartenir à l'armée. Il était devenu entre-temps le secrétaire personnel de Philippe et occupait à la cour un poste de grande importance.

Ce soir-là, Alexandre dut présider le banquet que ses amis avaient organisé pour lui dans la demeure de Ptolémée. La salle avait été soigneusement et richement décorée : on pouvait y admirer des lits et des tables de bois marqueté aux applications de bronze doré, des chandeliers qui n'étaient autres que de spectaculaires bronzes de Corinthe en forme de jeunes filles tenant des lanternes, d'autres lanternes encore, composées de vases découpés qui pendaient du plafond en projetant sur les murs un étrange jeu d'ombres et de lumières. Les plats étaient en argent massif finement ciselé, les mets avaient été confectionnés par des cuisiniers de Smyrne et de Samos, qui avaient le goût grec et connaissaient parfaitement la cuisine asiatique.

Quant aux vins, ils provenaient de Chypre, de Rhodes, de Corinthe et même de la lointaine Sicile, où les agriculteurs coloniaux surpassaient désormais, par la qualité et l'excellence de leurs produits, leurs collègues de la mère patrie.

Ils étaient servis dans un gigantesque cratère attique datant de près d'un siècle, orné d'une danse de satyres poursuivant des ménades à moitié nues. Sur chaque table se trouvait une coupe du même service, où les mêmes artistes avaient représenté de piquantes scènes de banquet : des joueuses de flûte nues, dans les bras de jeunes gens couronnés de lierre, qui buvaient, offrant comme un avant-goût de ce que la soirée réservait.

Alexandre fut accueilli par une ovation, et le maître de maison vint à sa rencontre en lui tendant une magnifique coupe à deux anses, remplie de vin de Chypre.

« Alors, Alexandre ! Après trois ans à l'eau fraîche, tu dois avoir des grenouilles dans l'estomac ! Nous, au moins, nous sommes partis avant toi ! Bois un peu de ce breuvage qui te revigorera !

— Alors, que t'a appris Aristote au cours de ses leçons secrètes ? demanda Eumène.

— Et où as-tu pris ce cheval ? enchaîna Héphestion. Je n'ai jamais rien vu de la sorte.

— Je veux bien le croire ! commenta Eumène sans attendre la réponse. Il a coûté treize talents. C'est moi qui ai signé l'ordre de paiement.

— Oui, confirma Alexandre. C'est un cadeau de mon père. Mais j'en ai gagné autant en pariant que je l'apprivoiserais. Vous auriez dû voir ça ! poursuivit-il en s'animant. Le pauvre animal était terrorisé : cinq hommes le tenaient, ils tiraient sur son mors au point de le blesser.

— Et toi ? demanda Perdiccas.

— Moi ? J'ai seulement ordonné à ces misérables de le lâcher et je lui ai couru après.

— Assez parlé de chevaux ! cria Ptolémée pour couvrir le vacarme que produisaient ses amis en se pressant autour d'Alexandre. Parlons de femmes ! Et prenez place, le dîner est prêt !

— De femmes ? intervint Séleucos. Sais-tu que Perdiccas est amoureux de ta sœur ? »

Perdiccas rougit et poussa son camarade si violemment qu'il le projeta au sol.

« Vraiment ! insista Séleucos. Je l'ai vu lui faire les yeux doux au cours d'une cérémonie officielle. Un garde du corps qui fait les yeux doux ! Ah, ah !

— Et vous ne savez pas tout, ajouta Ptolémée. Demain, il doit commander l'escorte qui conduira la princesse au temple de la déesse Artémisia, où elle ira offrir son premier sacrifice d'initiation. Si j'étais toi, je ne me fierais pas à lui ! »

Notant le visage cramoisi de Perdiccas, Alexandre tenta de changer conversation. Il réclama un peu de silence. « Dites, jeunes gens ! Juste une chose. Je voudrais vous dire que je suis content de vous retrouver et que je suis fier que mes amis et camarades composent la troupe d'Alexandre ! » Il leva la coupe et la but d'un trait.

« Du vin ! ordonna Ptolémée. Du vin pour tout le monde ! »

Il battit des mains. Alors, tandis que ses hôtes prenaient place sur leurs lits, les esclaves commencèrent à verser le vin en penchant le cratère, puis ils servirent les plats : des perdrix à la broche, des grives, des coqs de montagne, des canards, ainsi que de rares et excellents faisans.

Alexandre avait voulu que son meilleur ami, Héphestion, soit assis à sa droite ; à sa gauche se trouvait Ptolémée, le maître de maison.

Après le gibier, on servit un quart de veau rôti que l'écuyer tranchant découpa avant d'en déposer un morceau devant chaque convive, tandis que les serviteurs apportaient des paniers de pain sortant du four, des cerneaux de noix et des œufs de canard bouillis.

Puis les flûtistes firent leur apparition et se mirent à jouer. Elles venaient de Mysie, de Carie, de Thrace et de Bithynie, toutes exotiques et fort jolies. Certaines avaient les cheveux tirés et attachés par des rubans colorés, d'autres des coiffes ourlées d'or et d'argent ; leur costume imitait celui des Amazones : de courtes tuniques, des arcs et des carquois, accessoires courants dans les théâtres.

Plusieurs d'entre elles déposèrent leur arc après la première chanson, leur carquois après la deuxième, puis leurs chaussons et leur tunique, dénudant complètement leurs jeunes corps luisant d'onguents parfumés à la lumière des lanternes. Elles dansèrent au son des flûtes et des timbales, évoluant, légères, devant les tables et entre les lits des convives.

Ceux-ci avaient cessé de manger, mais ils continuaient de boire, ce qui redoublait leur excitation. Certains se levèrent, ôtèrent leurs habits et s'unirent à la danse, que le rythme de plus en plus rapide des timbales et des tambours conduisait à son paroxysme.

Soudain, Ptolémée attrapa par la main une fille en train de tourbillonner. Il la fit tourner sur elle-même de façon qu'Alexandre pût la contempler.

« C'est la plus belle, affirma-t-il. Je l'ai prise pour toi.

— Et pour moi ? demanda Héphestion.

— Celle-ci te plaît-elle ? » dit Alexandre en arrêtant une fille ravissante, aux cheveux roux.

Les serviteurs avaient été chargés de veiller que les lumières s'éteignent à un certain moment et que la salle fût plongée dans une demi-pénombre.

Les jeunes gens s'étreignaient sur les lits, sur les tapis et sur les peaux qui couvraient partiellement le sol, tandis que la musique des flûtistes résonnait entre les murs ornés de fresques. Elle semblait rythmer leur souffle et le mouvement de leurs corps entrevus sous la lumière vacillante des rares lanternes brûlant encore aux coins de la grande salle.

Alexandre quitta les lieux au cœur de la nuit, en proie à l'ivresse et à une excitation incontrôlable. On aurait dit qu'une force longtemps réprimée s'était brusquement déchaînée en lui et qu'elle le dominait complètement.

Il s'immobilisa sur une terrasse du palais pour reprendre ses esprits. Le vent de Borée soufflait. Il s'approcha du parapet et contempla la lune qui se couchait derrière les monts de l'Éordée.

Là-bas, cachée dans l'obscurité, se trouvait la calme retraite de Miéza, où Aristote veillait peut-être en suivant le fil subtil de ses pensées. Il lui sembla que des années s'étaient écoulées depuis leurs adieux.

Il fut réveillé par un garde, juste avant l'aube, et se redressa sur son lit. Il avait l'impression que sa tête allait éclater.

« J'espère que tu as une bonne raison, autrement...

— Le roi te fait demander, Alexandre. Il veut que tu le rejoignes immédiatement. »

Le jeune homme se leva avec difficulté et gagna une cuvette où il plongea la tête à plusieurs reprises ; puis il jeta une chlamyde sur ses épaules nues, laça ses sandales et suivit son guide.

Philippe l'accueillit dans une pièce de l'armurerie royale. Il était facile de comprendre qu'il était de fort mauvaise humeur.

« Il s'est produit quelque chose de très grave, dit-il. Avant que tu reviennes, j'avais demandé à ta mère de m'aider dans une mission délicate : mander une ambassade à Athènes pour tenter de bloquer un projet de Démosthène, qui risquait de se révéler nuisible à notre politique. Je pensais qu'un envoyé de la reine aurait plus de chances d'être écouté et d'obtenir des résultats. Hélas, je me trompais. L'envoyé a été accusé d'espionnage et torturé à mort. Sais-tu ce que cela signifie ?

— Que nous devons nous mettre en guerre contre Athènes, répondit Alexandre, qui avait recouvré une partie de sa lucidité à la vue de son père.

— Ce n'est pas aussi simple. Démosthène essaie de constituer contre nous une ligue panhellénique et de la pousser à la guerre.

— Nous les battrons.

— Alexandre, il est temps que tu apprennes que les armes ne sont pas la solution à tous les problèmes. J'ai fait l'impossible pour être considéré comme le chef d'une ligue panhellénique, non comme son ennemi. Je nourris un projet ambitieux : déplacer le champ de bataille en Asie, contre les Perses ; vaincre et repousser loin de la mer Égée l'ennemi séculaire des Grecs ; prendre le contrôle des voies commerciales qui mènent de l'Orient à nos rivages. Pour mener à bien ce projet, il faut que je m'impose comme le chef indiscuté d'une grande coalition réunissant toutes les forces des États grecs. En outre, il est nécessaire que s'affirme dans les villes les plus puissantes le parti philo-macédonien, et non celui qui souhaite ma mort. Tu comprends ? »

Alexandre acquiesça. « Que penses-tu faire ?

— Pour l'heure, attendre. Au cours de ma dernière campagne, j'ai subi des pertes considérables, et je dois reconstruire les subdivisions de notre armée que la guerre dans l'Hellespont et en Thrace a fauchées. Je n'ai pas peur de me battre, mais je préfère le faire lorsque les chances de victoire seront plus nombreuses.

« Je vais avertir tous nos informateurs à Athènes, à Thèbes et dans les autres cités grecques, de façon à être constamment informé de l'évolution de la situation politique et militaire. Démosthène a besoin de Thèbes s'il veut espérer nous battre. Thèbes dispose, en effet, de la seule armée de terre qui surpasse la nôtre. Il nous faut donc attendre le moment opportun pour empêcher cette alliance de se consolider. Cela ne devrait pas être difficile : les Athéniens et les Thébains se sont toujours détestés. Quoi qu'il en soit, si malgré tous mes efforts l'alliance était scellée, nous serions alors contraints de frapper avec la force et la rapidité de l'éclair.

« Le temps de ton éducation est terminé, Alexandre. À partir d'aujourd'hui, je te tiendrai informé des événements qui nous concernent de près. De jour comme de nuit, par beau temps comme par mauvais temps. Pour l'heure, je te demande d'apprendre à ta mère la mort de son envoyé. Elle était attachée à lui. Mais ne lui épargne pas les détails : je veux qu'elle sache tout ce qui est arrivé.

« Quant à toi, tiens-toi prêt : la prochaine fois que tu guideras tes camarades, ce ne sera pas dans une chasse au lion ou à l'ours. Ce sera à la guerre. »

Alexandre sortit et se dirigea vers les appartements de sa mère. Sur la promenade, il rencontra Cléopâtre qui descendait l'escalier, vêtue d'un magnifique péplum ionien brodé et suivie par deux servantes portant une corbeille volumineuse.

« Il est donc vrai que tu pars, lui dit-il.
— Oui, je vais au sanctuaire d'Artémisia dédier à la déesse tous mes jouets et mes poupées, répondit sa sœur en indiquant la corbeille.
— Eh oui, tu es une femme, maintenant. Le temps passe vite. Tu les lui dédies vraiment tous ? »
Cléopâtre sourit : « Non, pas tous... Tu te souviens de cette petite poupée égyptienne aux jambes et aux bras articulés, avec son coffret à maquillage, que papa m'avait offerte pour mon anniversaire ?
— Oui, je crois, répliqua Alexandre en accomplissant un effort de mémoire.
— Eh bien, je la garde. La déesse me pardonnera bien, qu'en penses-tu ?
— Oh, pour ça, je n'ai pas le moindre doute. Bon voyage, petite sœur. »
Cléopâtre déposa un baiser sur sa joue avant de dévaler l'escalier en compagnie de ses servantes. Une charrette l'attendait au corps de garde, ainsi que l'escorte menée par Perdiccas.
« Mais je ne veux pas de voiture, se plaignit-elle. Ne puis-je pas monter à cheval ? »
Perdiccas secoua la tête. « J'ai reçu l'ordre de... et puis, quel accoutrement, princesse ! »
Cléopâtre releva son péplum jusqu'au menton, découvrant ainsi un chiton très court. « Tu vois ? N'ai-je pas l'air de la reine des Amazones ? »
Le visage de Perdiccas s'empourpra. « Je le vois, princesse, admit-il en déglutissant.
— Alors ? »
Cléopâtre laissa retomber le péplum sur ses chevilles. Perdiccas soupira. « Tu sais bien que je ne peux rien te refuser. Voilà ce que nous allons faire. Pour l'instant, installe-toi dans la charrette. Quand nous nous serons un peu éloignés et que nous ne croiserons plus personne, tu pourras monter à cheval. Un de mes gardes prendra ta place. Il ne sera pas trop mal en compagnie de tes servantes.

— Magnifique ! » exulta la jeune fille.

Ils se mirent en route alors que le soleil apparaissait derrière le mont Rhodope. Ils s'engagèrent sur la voie qui conduisait au nord, vers Europos : le temple d'Artémisia se dressait à mi-chemin, sur un isthme qui séparait deux lacs jumeaux. Un lieu d'une immense beauté.

Dès qu'ils furent hors de vue, Cléopâtre ordonna à l'escorte de s'arrêter. Elle ôta son péplum sous les regards perplexes des soldats et s'empara du cheval d'un des gardes, qu'elle fit monter dans la voiture. Puis tous se remirent en route, accompagnés par les petits cris des servantes.

« Tu vois ? observa Cléopâtre. De cette façon, c'est plus amusant pour tout le monde. »

Perdiccas acquiesça en essayant de fixer son regard devant lui, mais ses yeux revenaient inexorablement se poser sur les jambes nues de la princesse et sur le mouvement ondoyant de ses hanches, qui lui procurait une sorte de vertige.

« Je regrette de t'avoir posé autant de problèmes, s'excusa la jeune fille.

— Aucun problème, répliqua Perdiccas. Au contraire... C'est moi qui ai réclamé cette charge.

— Vraiment ? » demanda Cléopâtre en le regardant à la dérobée.

Perdiccas confirma, de plus en plus gêné.

« Je t'en suis reconnaissante. Moi aussi, je suis heureuse que tu m'accompagnes. Je sais que tu es très courageux. »

Le cœur du jeune homme se mit à battre la chamade. Il essaya toutefois de se donner une contenance : il se savait observé par ses hommes.

Quand le soleil eut atteint le zénith, la petite troupe s'arrêta pour déjeuner à l'ombre d'un arbre. Perdiccas pria Cléopâtre de se changer et de réintégrer la charrette : le sanctuaire n'était plus loin.

« Tu as raison », admit la jeune fille. Elle fit sortir le garde et enfila son péplum de cérémonie.

Ils atteignirent le temple dans l'après-midi. Cléopâtre y entra, suivie par ses servantes portant la corbeille ; elle s'avança vers la statue d'Artémisia, une belle et ancienne sculpture de bois peint, au pied de laquelle elle déposa ses jouets — poupées, amphores et coupes en miniature. Puis elle l'invoqua : « Vierge divine, voilà, j'abandonne à tes pieds les souvenirs de mon enfance, et je te prie de m'excuser si je n'ai pas la force ou la volonté de garder, comme toi, ma virginité. Sois heureuse, je t'en supplie, de ces présents, et ne m'envie pas si je souhaite jouir des plaisirs de l'amour. » Elle remit une généreuse offrande aux prêtres du sanctuaire et quitta celui-ci.

Ces lieux étaient d'une incroyable beauté : le petit temple, entouré de buissons de roses, se dressait sur un pré très vert et se réfléchissait dans l'eau de deux lacs jumeaux qui s'ouvraient, à droite et à gauche, comme deux yeux reflétant le ciel.

Perdiccas s'approcha. « Je t'ai fait préparer un logement pour la nuit dans l'hôtellerie du sanctuaire.

— Et toi ?

— Je veillerai sur ton sommeil, ma maîtresse. »

La jeune fille baissa la tête. « Toute la nuit ?

— Bien sûr. Toute la nuit. Je suis responsable de... »

Cléopâtre leva les yeux et sourit. « Je sais que tu es très robuste, Perdiccas, mais je regrette que tu restes éveillé toute la nuit. Je pensais que...

— Que pensais-tu, ma maîtresse ? demanda le jeune homme avec une inquiétude croissante.

— Que... si jamais tu t'ennuyais... tu pourrais monter chez moi pour bavarder un peu.

— Oh, ce serait un grand plaisir et un honneur...

— Alors, je laisserai la porte ouverte. »

Elle sourit encore en clignant de l'œil et courut rejoindre ses servantes, qui jouaient à la balle sur la pelouse parmi les roses en fleur.

21

Peu après le retour d'Alexandre à Pella, le conseil du sanctuaire de Delphes demanda à Philippe de défendre les droits du temple d'Apollon contre la ville d'Amphissa, dont les habitants cultivaient abusivement des terres appartenant au dieu. Alors que le roi s'apprêtait à évaluer le véritable objectif de cette guerre sacrée, il reçut d'Asie des nouvelles importantes.

Un de ses espions, un Grec de Cilicie dénommé Eumolpos, qui exerçait une activité commerciale dans la ville de Soles, débarqua dans le port de Therma et vint les lui délivrer en personne. Les deux hommes se rencontrèrent en tête à tête dans le bureau privé du roi.

« Je t'ai apporté un cadeau », sire, annonça l'espion en déposant sur la table de Philippe une précieuse statuette en lapis-lazuli qui représentait la déesse Astarté. « Elle est très ancienne et très rare, elle représente l'Aphrodite des Cananéens. Elle protégera longtemps ta virilité.

— Je te remercie, je tiens beaucoup à ma virilité, mais j'espère que ce n'est pas le seul motif de ta venue.

— Bien sûr que non, répliqua Eumolpos. Il y a de grandes nouvelles dans la capitale perse : l'empereur Artaxerxès III a été empoisonné par son médecin, sur l'ordre d'un eunuque de la cour, semble-t-il. »

Philippe secoua la tête. « Les châtrés sont déloyaux. Jadis, on a voulu m'en offrir un, mais j'ai refusé. Ils sont jaloux de tous ceux qui ont encore la possibilité de baiser. C'est compréhensible, d'une certaine façon, puisqu'on la leur a niée. Quoi qu'il en soit, voilà qui me donne raison.

— L'eunuque se nomme Bagoas. Il s'agit, paraît-il, d'une histoire de jalousie.

— Châtré et enculé qui plus est. C'est normal, commenta Philippe. Et maintenant, que va-t-il se passer ?

— Il s'est déjà passé quelque chose, sire. Bagoas a persuadé les nobles d'offrir la couronne à Arsès, fils du défunt Artaxerxès et d'une de ses épouses, Atossa. Regarde, dit-il en tirant une pièce de monnaie de sa poche et en la tendant à Philippe. Elle vient juste d'être frappée. »

Le roi examina le profil du nouvel empereur, caractérisé par un nez énorme, pareil à un bec de rapace. « Il n'a pas l'air rassurant. Il semble encore pire que son père, qui était déjà un dur à cuire. Penses-tu que cela durera ?

— Ma foi, soupira Eumolpos en haussant les épaules, c'est difficile à dire. Mais nos observateurs s'accordent pour penser que Bagoas a l'intention de gouverner en se servant d'Arsès et que ce dernier vivra tant qu'il obéira au châtré.

— Cela me paraît sensé. J'enverrai mes salutations au nouveau roi et à ce couilles-sèches de Bagoas, et nous verrons comment ils prendront la chose. Informe-moi de tout ce qui se produit à la cour de Suse et tu n'auras pas à t'en plaindre. Et maintenant, passe chez mon secrétaire, qui te paiera ton dû, et dis-lui de me rejoindre. »

Eumolpos le salua cérémonieusement et disparut en laissant Philippe méditer sur la suite des événements. Quand Eumène surgit, il avait déjà pris sa décision.

« Tu m'as appelé, sire ?

— Assieds-toi et écris. »

Eumène s'empara d'un tabouret, d'une tablette et d'un stylet, tandis que le roi commençait à dicter :

> Philippe, roi des Macédoniens, à Arsès, roi des Perses, Roi des Rois, lumière des Aryens, etc., etc. salut !
>
> Le roi Artaxerxès, troisième de ce nom, ton père et prédécesseur, nous a fait un grand affront sans qu'il y ait jamais eu de provocation de notre part. Il a enrôlé et payé des troupes mercenaires qu'il a prêtées à nos ennemis alors que nous étions occupés par le siège de Périnthe et la guerre contre Byzance.
>
> Les dommages que nous avons subis sont considérables. C'est pourquoi je te demande le paiement d'une indemnité de...

Eumène leva la tête.

> ... cinquante talents.

Le secrétaire laissa échapper un sifflement.

> Si tu n'acceptes pas notre requête, nous devrons te considérer comme un ennemi, avec toutes les conséquences qu'une telle considération pourra comporter.
>
> Prends soin de toi, etc., etc.

« Transcris-la sur un papyrus et rapporte-la-moi pour que j'y appose mon sceau. Elle devra être envoyée par un courrier rapide.

— Par Zeus, sire ! s'exclama Eumène. C'est la lettre la plus péremptoire que j'aie jamais vue. Arsès n'aura qu'une possibilité : te répondre sur le même ton.

— C'est exactement ce que je souhaite, affirma le roi. La missive mettra un ou deux mois pour arriver et un ou deux mois pour revenir, ce qui me laisse tout juste le temps de régler mes affaires en Grèce. Après quoi, je m'occuperai de ce châtré et de son pantin. Fais lire cette lettre à Alexandre et note ses réactions.

— Je n'y manquerai pas », assura Eumène en sortant, la tablette sous le bras.

Alexandre lut la missive et comprit que son père avait décidé d'envahir l'Asie, qu'il cherchait un prétexte pour déclencher les hostilités.

Il retourna à Miéza dès qu'il se fut libéré des multiples devoirs que son retour à Pella avait engendrés : participation aux réunions du gouvernement, à la réception des hôtes étrangers, des ambassades et des délégations, et aux assemblées de l'armée, fondamentales pour les relations que la couronne entretenait avec les nobles qui l'appuyaient.

Aristote avait déjà quitté les lieux, mais son neveu Callisthène était encore là. Il mettait de l'ordre dans la collection de plantes de son oncle et s'occupait de l'édition des œuvres que le philosophe avait expressément dédiées à son royal élève : une étude consacrée à la monarchie et une autre à la colonisation, où il théorisait sur la diffusion, dans le monde, du modèle de la cité grecque, seul et véritable véhicule de liberté, laboratoire de civilisation spirituelle et matérielle.

Quoi qu'il en soit, Alexandre demeura quelques jours à Miéza afin de se reposer et de méditer, prenant ses repas en compagnie de Callisthène, un jeune homme d'une grande culture, qui possédait une profonde connaissance de la situation politique des États grecs.

Passionné par l'histoire, il s'était procuré non seulement les grands ouvrages classiques d'Hécatée de Milet, d'Hérodote et de Thucydide, mais aussi ceux des historiens occidentaux tels que le Syracusain Philistos, qui relatait l'histoire des cités grecques de Sicile et d'Italie, un pays où émergeaient de nouvelles puissances, comme la ville de Rome, fondée par le héros troyen Énée et visitée par Héraclès au cours du voyage qui l'avait ramené de la lointaine Ibérie.

Après le dîner, ils s'asseyaient à l'extérieur, sous le portique, et discutaient jusqu'à une heure avancée. « Pendant que ton père se battait contre les Scythes, dit un soir Callisthène, le conseil du sanctuaire de Delphes a déclaré une nouvelle guerre sainte contre les habitants d'Amphissa.

— Je le sais, répliqua le prince. Mais aucun des deux partis n'est en mesure de l'emporter. Les Thébains se cachent derrière Amphissa, ils refusent de sortir à découvert pour éviter d'encourir les foudres du conseil. La situation est à nouveau critique, notamment si l'on considère la future décision d'Athènes. Le conseil nous a déjà envoyé une demande d'intervention officielle, et je ne crois pas que mon père se le fera dire deux fois. »

Callisthène se versa un peu de vin après avoir servi le prince. « Le conseil est présidé par les Thessaliens, qui sont vos amis... Connaissant ton père, je ne m'étonnerais pas d'apprendre qu'il est l'auteur de cette manœuvre. »

Alexandre l'observa tandis qu'il sirotait négligemment sa coupe de vin. « Dois-je penser que tu as les oreilles qui traînent, Callisthène ? »

Le jeune homme reposa sa coupe. « Je suis un historien, Alexandre, et je crois être un bon élève de mon oncle, comme tu l'as été toi-même. Tu ne devrais pas être surpris de me voir utiliser les instruments de la logique, plutôt que les racontars de deuxième ou troisième main.

« Maintenant, laisse-moi deviner : ton père sait que l'opinion publique athénienne n'est pas favorable aux Thébains, mais il sait aussi que Démosthène fera tout ce qui est en son pouvoir pour que les Athéniens changent d'avis et soutiennent Thèbes, laquelle appuie Amphissa contre le conseil du sanctuaire, c'est-à-dire contre Philippe.

« Démosthène, quant à lui, sait que le seul espoir de faire obstacle à l'hégémonie macédonienne sur la Grèce est d'unir les forces d'Athènes à celles de Thèbes. Il s'efforcera donc de conclure un pacte avec les Thébains, même s'il lui faut pour cela défier le plus grand consensus religieux des Grecs, l'oracle du dieu Apollon.

— Et à ton avis, comment réagiront les Thébains ? » demanda Alexandre, curieux de connaître dans les moindres détails les hypothèses de son interlocuteur.

« Cela dépendra de deux facteurs : la réaction des Athéniens, et celle de l'armée macédonienne en Grèce centrale. Ton père tentera d'exercer la plus forte pression possible sur les Thébains pour les dissuader de se lier à Athènes. Il n'ignore pas qu'une alliance l'obligerait à affronter la plus grande puissance terrestre et la plus grande puissance navale de toute la Grèce, un morceau trop gros à avaler même pour le roi des Macédoniens. »

Alexandre observa un moment de silence, comme s'il écoutait les bruits de la nuit qui s'échappaient de la forêt voisine, et Callisthène lui versa un peu de vin.

« Que feras-tu lorsque tu auras terminé ton travail à Miéza ? interrogea-t-il après avoir trempé ses lèvres dans le breuvage.

— Je pense que je rejoindrai mon oncle à Stagire, mais j'aimerais aussi suivre la guerre de près.

— Tu pourrais venir avec moi au cas où mon père me demanderait de l'accompagner.

— J'en serais heureux », répliqua Callisthène ; il était facile de comprendre qu'il s'attendait à une telle proposition, qui comblait aussi bien son ambition que celle d'Alexandre.

« Alors, viens à Pella dès que tu en auras terminé ici. »

Callisthène accepta avec enthousiasme cette invitation. Ils se quittèrent tard dans la nuit, après avoir longuement discuté de sujets philosophiques. Le lendemain, le jeune homme remit à son invité les deux ouvrages d'Aristote qu'il lui avait promis, accompagnés l'un et l'autre d'une lettre autographe du philosophe.

Alexandre regagna le palais trois jours plus tard, dans la soirée, à temps pour participer au conseil de guerre réuni par son père. Il y avait là les généraux Antipatros, Parménion et Cleitos le Noir, ainsi que les commandants des principales unités de la phalange et de la cavalerie. Alexandre était présent en qualité de commandant de la Pointe.

Sur le mur du fond de la salle du conseil s'étalait une carte de la Grèce, que Philippe avait fait exécuter quelques années plus tôt par un géographe de Smyrne. Le roi s'en servit pour illustrer la façon dont il entendait procéder.

« Je ne veux pas attaquer immédiatement Amphissa, affirma-t-il. La Grèce centrale est un territoire dangereux où il est facile de se laisser enfermer dans des vallées étroites, de se voir ôter brusquement toute liberté de manœuvre et d'être écrasé par l'ennemi. Nous devrons donc nous emparer d'abord des clés de cette région, à savoir Chithinion et Élatée. Nous déciderons plus tard de la suite des événements.

« Nos troupes ont déjà entamé leur marche d'approche en Thessalie ; Parménion et moi les rejoindrons rapidement puisque nous partirons demain. Antipatros prendra la tête des subdivisions restant en Macédoine. »

Alexandre attendait avec impatience que le roi communique la tâche qu'il lui avait réservée dans ces opérations, mais il fut déçu.

« Je laisserai à mon fils le sceau des Argéades afin qu'il me représente en mon absence. Chacun de ses actes aura valeur de décret royal. »

Le jeune homme feignit de se lever, mais son père le foudroya du regard. C'est alors qu'entra Eumène, portant le sceau. Il le remit à Alexandre, qui le passa à son doigt à contrecœur en disant : « Je suis reconnaissant au roi de l'honneur qu'il me fait et j'essaierai d'être à la hauteur de cette tâche. »

Philippe se tourna ensuite vers son secrétaire : « Lis

aux commandants la lettre que j'ai fait envoyer au nouveau roi des Perses. Je veux qu'ils sachent qu'un de mes hommes pourrait gagner rapidement l'Asie afin de nous préparer la route. »

Eumène lut le texte d'une voix claire et solennelle.

« Si la réponse est celle que j'imagine, reprit le roi, Parménion pourrait partir pour les Détroits et nous assurer la possession de la rive orientale en prévision de notre invasion de l'Asie, tandis que nous nous emploierons à montrer définitivement aux Grecs qu'il ne peut y avoir qu'une seule ligue panhellénique : celle que je conduirai moi-même. C'est tout ce que j'avais à vous dire ; vous pouvez donc retourner à vos occupations. »

Alexandre attendit que tout le monde fût sorti pour s'entretenir en tête à tête avec son père.

« Pourquoi me laisses-tu à Pella ? Si je dois commander la Pointe, c'est sur le champ de bataille, et non à la parade. Antipatros est capable de régler les affaires du gouvernement en ton absence.

— J'ai longuement réfléchi avant de prendre cette décision, et je n'ai pas l'intention de revenir sur mon choix. Le gouvernement du pays est une entreprise plus difficile et peut-être plus importante que la guerre. J'ai de nombreux ennemis, Alexandre, non seulement à Athènes et à Thèbes, mais aussi à Pella et en Macédoine, sans parler de la Perse. Je veux pouvoir partir et me battre au loin en sachant que la situation est calme, qu'elle repose dans des mains fiables. Et j'ai confiance en toi. »

Ne pouvant opposer aucun argument à ces paroles, le jeune homme baissa la tête. Mais Philippe avait deviné son état d'âme, et il reprit : « Le sceau qui t'est donné est le signe d'une des plus hautes dignités du monde entier. Le fait de le porter exige des capacités bien plus élevées que celles qu'il est nécessaire de posséder pour guider la charge d'un escadron de cavalerie.

« C'est ici, au palais, que tu apprendras à être un roi,

et non sur le champ de bataille ; le métier d'un roi, c'est la politique et non l'usage de la lance et de l'épée. Toutefois, quand viendra l'affrontement final, quand j'aurai besoin de toutes les forces dont je dispose, je t'enverrai chercher et c'est toi qui mèneras la Pointe dans la bataille. Personne d'autre. Allez, ne fais pas cette tête, je t'ai préparé une surprise pour te réconforter. »

Alexandre secoua la tête : « Que trames-tu, papa ?

— Tu verras », dit Philippe en souriant à moitié.

Il se leva et quitta la salle du conseil. Un peu plus tard, Alexandre l'entendit appeler son écuyer à pleine voix, lui réclamer son cheval et lui ordonner d'alerter la garde. Le jeune homme gagna la loge qui donnait sur la cour, à temps pour voir son père s'éloigner au galop dans la nuit.

Il s'attarda longtemps dans son bureau afin de se préparer pour les tâches du lendemain, puis, un peu avant minuit, il éteignit sa lampe et prit le chemin de ses appartements. Dès qu'il fut entré, il appela Leptine, mais la jeune fille ne répondait pas.

« Leptine ! » répéta-t-il d'une voix impatiente. Il songea qu'elle devait être malade ou fâchée contre lui, pour une raison qu'il ignorait. Une autre voix s'échappa de la pénombre : « Leptine a dû s'absenter. Elle reviendra demain matin.

— Par Zeus ! » s'exclama Alexandre en entendant cette voix inconnue.

La main sur son épée, il pénétra dans sa chambre.

« Ce n'est pas cette épée qui te permettra de me transpercer », observa la voix. Alexandre découvrit alors une magnifique jeune fille, qu'il n'avait encore jamais vue, assise sur son lit.

« Qui es-tu, et qui t'a donné l'autorisation d'entrer dans mes appartements ? interrogea-t-il.

— Je suis la surprise que ton père, le roi Philippe, désirait te faire. Je m'appelle Campaspé.

— Je regrette, Campaspé, répliqua Alexandre en lui indiquant la porte. Si je souhaitais une surprise de ce genre, je saurais très bien me débrouiller tout seul. Adieu. »

La jeune fille se leva. Mais, au lieu de se diriger vers la porte, elle dégrafa son péplum d'un geste rapide et demeura devant lui dans ses seules sandales de rubans d'argent.

Alexandre laissa retomber sa main et la contempla sans mot dire. C'était la plus belle femme qu'il eût vue de toute son existence, belle à vous couper le souffle et à vous faire bouillir le sang. Son cou était soyeux et doux, ses épaules droites, ses seins turgescents et dressés, ses cuisses aussi fuselées et lisses que si on les avait sculptées dans le marbre de Paros. Il sentit sa langue coller à son palais.

La jeune femme s'approcha de lui et, le prenant par la main, l'entraîna vers la salle de bains. « Puis-je te déshabiller ? lui demanda-t-elle en dégrafant les fibules qui retenaient son chiton et sa chlamyde.

« J'ai bien peur que Leptine soit furieuse et qu'elle... balbutia Alexandre.

— Peut-être, mais toi, tu seras certainement heureux et comblé. Je te l'assure. »

Maintenant le prince aussi était nu. La jeune fille se blottit contre lui, mais dès qu'elle perçut l'effet extraordinaire qu'elle avait provoqué, elle recula et le conduisit dans la baignoire.

« Ici, ce sera encore mieux. Tu verras. »

Alexandre la suivit. Elle se mit à le caresser avec un savoir et une habileté inconnus jusqu'alors du jeune homme, excitant son désir jusqu'à l'excès, se refusant délicatement avant de recommener doucement, de plus loin, d'un geste de plus en plus précis...

Quand elle constata qu'il avait atteint le summum de l'excitation, elle se glissa hors de la baignoire et alla s'allonger sur le lit, ruisselant d'eau parfumée sous la lumière dorée des lampes, puis elle s'offrit. Le jeune homme l'étreignit avec fougue, cependant qu'elle murmurait à son oreille : « C'est ainsi que tu utiliseras le bélier quand tu devras démanteler les murs d'une ville. Permets-moi de te guider et tu verras... »

Alexandre la laissa faire et il plongea dans le plaisir comme une pierre dans l'eau, un plaisir de plus en plus fort et de plus en plus intense, jusqu'à l'explosion. Mais Campaspé le voulait encore, et elle l'excita à nouveau de sa bouche humide et brûlante, avant de monter sur lui et de mener, avec une lenteur exténuante, la danse d'amour. Cette nuit-là, le jeune homme comprit que le plaisir pouvait atteindre des sommets qu'il n'avait jamais connus avec l'amour naïf et rude de Leptine.

22

Après le départ de l'armée, Alexandre reçut chaque jour, sans exception, des dépêches du roi l'informant du déroulement des opérations et de ses déplacements. Il apprit ainsi que dans sa première intervention, Philippe avait complètement réalisé son projet en occupant Chithinion puis Élatée, vers la fin de l'été.

Philippe, roi des Macédoniens, à Alexandre, salut.

Aujourd'hui, troisième jour du mois de Métageitnion, j'ai occupé Élatée.

Mon entreprise a suscité la panique à Athènes car tout le monde pensait que j'allais aussitôt retourner l'armée contre eux et pousser les Thébains à marcher avec moi. Mais Démosthène a convaincu les habitants que mon action ne visait qu'à faire pression sur Thèbes pour les empêcher de s'allier avec les Athéniens. Il s'est fait nommer à la tête d'une délégation destinée à stipuler une alliance avec les Thébains. J'ai décidé, moi aussi, d'envoyer une ambassade dans cette cité afin de les persuader du contraire. Je te tiendrai informé.

Prends soin de toi et de la reine, ta mère.

Alexandre convoqua Callisthène, qui l'avait rejoint au palais depuis quelques jours. « Les choses se passent plus ou moins selon tes prévisions, lui communiqua-t-il. Je viens de recevoir une dépêche de mon père concernant le déroulement de son expédition. Deux ambassades, l'une athénienne et l'autre macédonienne, tenteront d'attirer les Thébains dans leurs camps respectifs. Qui l'emportera, selon toi ? »

D'un geste affecté, Callisthène lissa son manteau sur son bras gauche et dit : « Faire des prévisions est un exercice dangereux, qui convient davantage à un devin qu'à un historien. Qui conduira l'ambassade athénienne ?

— Démosthène.

— Alors c'est lui qui réussira. Il n'y a pas en Grèce d'orateur plus brillant. Prépare-toi à partir.

— Pourquoi ?

— Parce qu'il y aura un affrontement final, et ce jour-là ton père voudra t'avoir à ses côtés sur le champ de bataille. »

Alexandre plongea son regard dans le sien. « Si cela se produit, c'est toi qui écriras l'histoire de mes exploits. »

Le prince comprit bien vite que son père était dans le vrai : administrer le pouvoir politique constituait une entreprise plus ardue que combattre en rase campagne. Tout le monde, à la cour, se croyait en devoir de lui distribuer des conseils, étant donné son jeune âge, et tout le monde, à commencer par sa mère, pensait pouvoir influencer ses décisions.

Un soir, Olympias l'invita à dîner dans ses appartements, sous prétexte de lui offrir un manteau qu'elle avait elle-même brodé.

« Il est magnifique », affirma Alexandre dès qu'il le vit. Et, bien qu'ayant reconnu la facture raffinée d'Éphèse, il ajouta : « Cela a dû te demander des mois de travail. »

Il n'y avait que deux lits et deux tables, côte à côte.

« Je pensais que Cléopâtre aurait été présente, ce soir.

— Elle a pris froid et elle a un peu de fièvre. Elle te

prie de l'excuser. Mais installe-toi, s'il te plaît. Le dîner est prêt. »

Alexandre s'étendit et prit quelques amandes sur une petite assiette, tandis qu'une jeune fille servait un bouillon de viande d'oie ainsi que des fougasses cuites sous la cendre. Les repas de sa mère étaient toujours simples et frugaux.

Olympias s'allongea à son tour et attendit qu'on remplisse sa tasse pour parler.

« Alors, comment te sens-tu depuis que tu sièges sur le trône de ton père ? lui demanda-t-elle après avoir avalé quelques cuillerées.

— Exactement comme lorsque je suis assis sur un autre siège, répondit son fils sans dissimuler un léger agacement.

— N'élude pas ma question, le réprimanda Olympias en le regardant droit dans les yeux. Tu sais bien ce à quoi je fais allusion.

— Je le sais, maman. Que veux-tu que je te dise ? J'essaie de faire de mon mieux, d'éviter les erreurs, de veiller attentivement sur les affaires de l'État.

— Louable », observa la reine.

Une servante déposa alors sur la table un plat de légumes et de salade, qu'elle assaisonna d'huile, de vinaigre et de sel.

« Alexandre, reprit Olympias, as-tu jamais songé que ton père pourrait brusquement disparaître ?

— Mon père combat dans les rangs avec ses soldats. Cela peut lui arriver.

— Et si cela arrivait ? »

La servante versa du vin, emporta le plat et revint avec de la viande de grue à la broche et un bol de purée de petits pois, que le prince refusa d'un geste de la main.

« Pardonne-moi, j'avais oublié que tu détestais les petits pois... Alors, y as-tu songé ?

— J'en serais terriblement chagriné. J'aime mon père.

— Ce n'est pas la question, Alexandre. Je parle de la succession.

— Personne ne remet en cause ma place sur le trône.

— Tant que ton père vit et que je vis moi aussi...

— Maman, tu as trente-sept ans.

— Cela ne veut rien dire. Les malheurs arrivent à tout le monde. Le fait est que ton cousin Amyntas a cinq ans de plus que toi, et qu'il était l'héritier avant ta naissance. Quelqu'un pourrait poser sa candidature au trône. En outre, ton père a un autre fils avec l'une de ses... épouses. »

Alexandre haussa les épaules. « Arrhidée est un pauvre idiot.

— Idiot, mais de sang royal. Il pourrait te faire de l'ombre, lui aussi.

— Alors comment devrais-je réagir, selon toi ?

— Tu détiens le pouvoir en ce moment, et ton père est au loin. Tu disposes du trésor royal : tu peux donc agir à ta guise. Il te suffit de payer quelqu'un. »

Alexandre s'assombrit. « Mon père a laissé vivre Amyntas, et ce, même après ma naissance. Je n'ai aucunement l'intention de faire ce que tu me suggères. Jamais.

— Aristote t'a certainement rempli la cervelle de ses idées sur la démocratie, mais les choses sont différentes pour un roi. Un roi doit assurer son arrivée au pouvoir : le comprends-tu ?

— Cela suffit, maman. Mon père est vivant, tu le sais fort bien, la discussion est close. Si jamais, un jour, j'avais besoin d'aide, je m'adresserais à ton frère, le roi d'Épire. Il m'aime bien et il me soutiendra.

— Écoute-moi », insista Olympias. Mais Alexandre se leva d'un air agacé et posa un baiser rapide sur sa joue.

« Merci pour le dîner, maman. Je dois m'en aller, bonne nuit. »

Il descendit dans la cour intérieure du palais, inspecta le corps de garde à l'entrée, puis monta chez Eumène, qui veillait dans son bureau, enregistrant la correspondance destinée au roi.

« Des nouvelles de mon père ? demanda-t-il.

— Oui, mais rien de neuf. Les Thébains n'ont pas encore choisi leur camp.

— Sais-tu ce que fait Amyntas, ces jours-ci ? »

Eumène lui lança un regard surpris. « Que veux-tu dire ?

— Exactement ce que j'ai dit.

— Eh bien, je l'ignore. Je crois qu'il chasse dans la Lyncestide.

— Bon. Quand il reviendra, confie-lui une mission diplomatique.

— Diplomatique ? Mais de quel genre ?

— Tu n'as qu'à décider. Il doit bien y avoir une mission appropriée pour lui. En Asie, en Thrace, dans les îles. Où bon te semblera. »

Eumène commença à objecter : « Vraiment, je ne vois pas... »

Mais Alexandre était déjà sorti.

L'ambassade de Philippe se présenta à Thèbes au cœur de l'automne, et fut autorisée à s'exprimer devant l'assemblée citadine, réunie au complet dans le théâtre.

Ce jour-là, l'ambassade d'Athènes, conduite par Démosthène en personne, y fut également admise, car le conseil tenait à ce que le peuple fût en mesure d'évaluer les deux propositions en les confrontant rapidement l'une à l'autre.

Philippe s'était longuement entretenu avec son état-major au sujet de ces propositions ; il les jugeait extrêmement avantageuses et pensait qu'elles seraient certainement acceptées. Il ne priait pas les Thébains de s'allier avec lui, même s'il savait qu'ils se cachaient derrière Amphissa, la ville contre laquelle la guerre sacrée avait été proclamée ; il se contenterait de leur neutralité. En échange, il leur offrait de considérables avantages économiques et territoriaux. Mais en cas de refus, il les menaçait d'effroyables destructions. Qui serait assez fou pour refuser son offre ?

Eudème d'Oréos, le chef de la délégation macédonienne, conclut son exposé en dosant habilement flatteries, menaces et chantages, puis il quitta la salle.

Un peu plus tard, il retrouva un ami et informateur thébain qui le conduisit en un lieu d'où l'on pouvait voir et entendre tout ce qui se passait à l'assemblée. Il n'ignorait pas, en effet, que Philippe exigerait de lui le compte rendu de ce qu'il avait entendu de ses propres oreilles, et non les relations d'autres témoins.

L'assemblée attendit quelques instants pour éviter que Macédoniens et Athéniens se croisent et en viennent aux mains. Puis elle fit entrer la délégation que conduisait Démosthène.

Le grand orateur avait un aspect austère de philosophe, un corps maigre et sec, des yeux expressifs sous un front sans cesse plissé. On disait qu'il avait eu dans sa jeunesse des problèmes de prononciation et une voix faible. Voulant entreprendre une carrière d'orateur, il s'était, paraît-il, exercé à déclamer des vers d'Euripide sur les rochers battus par la mer déchaînée. On savait qu'il ne discourait jamais sans avoir recours à ses notes, car il avait des difficultés à improviser ; personne ne fut donc étonné de le voir tirer une liasse de feuilles des plis de sa robe.

Il se mit à les lire d'une voix très posée, parlant longuement, rappelant les diverses phases de l'avancée irrésistible de Philippe, de ses perpétuelles violations de pactes. Emporté par sa fougue, il se lança dans une plaidoirie soignée :

« Ne voyez-vous pas, Thébains, que la guerre sacrée n'est qu'un prétexte, comme le fut la dernière guerre et celle qui la précéda ? Philippe exige votre neutralité car il entend diviser les forces de la Grèce libre et abattre, l'une après l'autre, les forteresses de la liberté.

Si vous laissez les Athéniens l'affronter seuls, ce sera ensuite votre tour, et vous serez contraints, vous aussi, de vous rendre.

« De même, si vous affrontez Philippe seuls et que vous êtes battus, Athènes ne parviendra pas à se sauver. S'il veut nous séparer, c'est bien parce qu'il sait que seules nos forces unies pourraient faire obstacle à son pouvoir immense.

« Je sais bien que nous avons été opposés, dans le passé, par des différends et des guerres multiples ; mais il s'agissait alors de conflits entre cités libres. Aujourd'hui, nous avons deux parties en présence : d'un côté, un tyran ; de l'autre, des hommes libres. Vous ne pouvez pas hésiter, Thébains !

« Afin de vous de montrer notre bonne foi, nous vous céderons le commandement des troupes terrestres et ne garderons que celui de la flotte. En outre, nous nous chargerons des deux tiers des dépenses totales. »

Un murmure courut dans les rangs de l'assemblée, et l'orateur comprit que ses mots avaient fait mouche. Il se prépara à assener le coup de grâce, tout en sachant qu'il risquait gros et qu'il serait peut-être désavoué par son propre gouvernement.

« Depuis plus d'un demi-siècle, reprit-il, les villes de Platées et de Thespies, qui font partie de la Béotie, sont alliées à Athènes, et Athènes a toujours garanti leur indépendance. Nous sommes disposés, si vous acceptez notre proposition et vous unissez à nous dans la lutte contre le tyran, à les ramener sous votre contrôle et à les persuader de se soumettre à votre autorité. »

La fougue de Démosthène, son ton inspiré, le timbre de sa voix et la force de ses arguments avaient obtenu l'effet escompté. Quand il se tut, haletant et le front ruisselant de sueur, nombre de représentants se levèrent pour l'applaudir, bientôt suivis par d'autres, et d'autres encore, jusqu'à ce que toute l'assemblée éclate en une longue ovation.

Deux critères avaient joué : l'impétuosité de l'orateur athénien et l'arrogance de l'envoyé de Philippe mêlée à des intimidations et au chantage. Le président de l'assemblée fit ratifier les décisions et chargea le secrétaire d'informer l'ambassade de Macédoine que la cité repoussait en bloc ses exigences aussi bien que ses offres, et qu'elle lui enjoignait de quitter le territoire béotien avant le lendemain, au coucher du soleil, si elle ne voulait pas être arrêtée et condamnée pour espionnage.

Philippe s'emporta comme un taureau furieux lorsqu'on lui fit part de cette réponse : il n'imaginait pas que les Thébains seraient assez fous pour le défier, alors qu'il se trouvait presque aux portes de leur territoire. Mais il fut bien obligé d'accepter l'issue de la confrontation entre les deux ambassades.

Une fois sa colère retombée, il s'assit en tirant son manteau sur ses genoux et remercia Eudème d'Oréos du bout des lèvres, lui qui s'était contenté, en fin de compte, d'exécuter ses ordres. L'ambassadeur, qui était resté debout pour écouter le roi s'épancher, lui demanda alors l'autorisation de prendre congé, et se dirigea vers la porte.

« Attends, le rappela Philippe. Comment est Démosthène ? »

Eudème s'immobilisa sur le seuil et se retourna.

« Une boule de nerfs qui n'a que le mot “ liberté ! ” à la bouche », répondit-il.

Et il sortit.

Philippe ne s'était pas encore remis de sa surprise quand l'armée des alliés s'ébranla. Des troupes légères de Thébains et d'Athéniens occupèrent tous les cols montagneux, de façon à interdire à l'ennemi toute initiative militaire en direction de la Béotie et de l'Attique. Gêné par le mauvais temps et par une situation désormais trop difficile et trop risquée, le roi décida de rentrer à Pella et de laisser un contingent en Thessalie sous les ordres de Parménion et de Cleitos le Noir.

Alexandre, à la tête d'un détachement de la garde royale, vint l'accueillir à la frontière de la Thessalie et l'escorta jusqu'au palais.

« Tu as vu ? lui dit Philippe après qu'ils se furent salués. Il n'y avait pas urgence. Nous n'avions pas besoin de nous presser. Nous n'avons pas encore pris d'initiative et le jeu est ouvert.

— Mais tout semble se liguer contre nous. Thèbes et Athènes se sont alliées et ont obtenu jusqu'à présent des succès importants. »

D'un geste de la main, le roi sembla chasser une pensée désagréable. « Ah ! s'exclama-t-il. Laisse-les se repaître de leurs victoires. Leur réveil n'en sera que plus amer. Je ne voulais pas de confrontation avec les Athéniens et j'ai demandé aux Thébains de rester à l'écart de cette affaire. Ils m'ont poussé à la guerre contre mon gré, et je vais devoir leur montrer qui est le plus fort. Il y aura encore des morts, encore des carnages : cela me répugne, mais je n'ai pas le choix.

— Que penses-tu faire ? interrogea Alexandre.

— Pour l'heure, attendre le printemps : on combat mieux par beau temps. Mais surtout, je veux pouvoir me consacrer à la réflexion. Rappelle-toi, mon garçon : je ne me bats jamais par simple envie de frapper. La guerre est pour moi un autre moyen de faire de la politique. »

Ils poursuivirent un moment leur route en silence car le roi semblait contempler le paysage et les travailleurs des champs. Puis il demanda soudain à Alexandre : « À propos, comment était ma surprise ? »

23

« Je ne comprends pas mon père, s'exclama Alexandre. Nous avions la possibilité de nous imposer par la force des armes et il a préféré accepter l'humiliation d'une confrontation avec l'ambassade athénienne. Pour en sortir bafoué. Il aurait pu attaquer avant, et négocier après.

— Je suis d'accord avec toi, répliqua Héphestion. Pour moi, c'est une erreur. Il faut d'abord frapper, et traiter ensuite. »

Eumène et Callisthène les suivaient au pas, sur leurs chevaux. Ils se rendaient à Pharsale pour remettre un message de Philippe aux alliés de la ligue thessalienne.

« Moi, je le comprends, intervint Eumène, et je l'approuve. Tu sais bien que ton père a vécu un an à Thèbes en qualité d'otage, lorsqu'il était adolescent. Il habitait chez Pélopidas, le plus grand stratège que la Grèce ait connu ces cent dernières années. Il a été profondément impressionné par le système politique des cités, par leur formidable organisation militaire, par la richesse de leur culture. C'est de cette expérience qu'est né son désir de répandre la civilisation hellénique en Macédoine, et de rassembler les Grecs dans l'unité d'une grande confédération.

— Comme à l'époque de la guerre de Troie, observa Callisthène. Voilà ce que vise ton père : unifier dans un premier temps les États grecs, puis les mener contre l'Asie, ainsi que le fit Agamemnon contre l'empire du roi Priam, il y a presque mille ans. »

Ces mots tirèrent Alexandre de sa torpeur : « Il y a mille ans ? Mille ans se sont écoulés depuis la guerre de Troie ?

— Ils le seront dans cinq ans, répondit Callisthène.

— Un signe, murmura Alexandre. Un signe, peut-être.

— Que veux-tu dire ? interrogea Eumène.

— Rien. Ne trouvez-vous pas étrange le fait que j'aurai dans cinq ans l'âge qu'avait Achille à son départ pour Troie, et que la guerre chantée par Homère aura mille ans à ce moment-là ?

— Non, rétorqua Callisthène. L'histoire nous offre parfois, à de nombreuses années de distance, des situations semblables à celles qui donnèrent lieu à des exploits grandioses. Mais rien ne se répète jamais de la même façon.

— Tu crois ? » demanda Alexandre.

Un instant, son front se plissa comme s'il poursuivait des images lointaines, évanescentes. Héphestion posa la main sur son épaule. « Je sais à quoi tu penses. Et quoi que tu décides de faire, où que tu décides d'aller, je te suivrai. Même aux enfers. Même au bout du monde. »

Alexandre se tourna vers lui et plongea son regard dans le sien.

« Je le sais », dit-il.

Ils atteignirent leur destination à la tombée du soir, et Alexandre reçut les honneurs qui revenaient à l'héritier du trône de Macédoine. Puis il participa avec ses amis au repas que les représentants de la confédération des Thessaliens leur avaient fait préparer. Au même moment, Philippe se voyait offrir la charge de *tagos*, président de la confédération thessalienne, qui faisait de lui le chef de deux États, en qualité de roi et de président.

Les Thessaliens aussi étaient de formidables buveurs. Au cours du repas, Eumène s'abstint de boire et en profita pour négocier un lot de chevaux avec un noble et grand propriétaire terrien, complètement ivre, obtenant des conditions d'achat et de paiement extrêmement avantageuses, pour lui comme pour le royaume.

Le lendemain, une fois sa mission conclue, Alexandre repartit avec ses amis. Mais il s'arrêta bientôt, changea de vêtements, congédia sa garde et prit la route du sud.

« Où vas-tu ? demanda Eumène, surpris par ce comportement imprévu.

— Je l'accompagne, dit Héphestion.

— Oui, mais où ?

— À Aulis, répondit Alexandre.

— Le port d'où les Achéens levèrent l'ancre pour la guerre de Troie, commenta Callisthène d'un air imperturbable.

— Aulis ? Mais vous êtes fous ! Aulis est en Béotie, en plein territoire ennemi !

— Je veux voir ce lieu et je le verrai, affirma le prince. Personne ne nous remarquera.

— Je le répète, vous êtes fous, insista Eumène. On vous remarquera, c'est sûr ! Si vous parlez, on notera votre accent, et si vous ne parlez pas, on se demandera pourquoi vous êtes muets. En outre, tes portraits ont été diffusés dans une dizaine de villes. Te rends-tu compte des conséquences que pourrait avoir ta capture ? Ton père serait obligé d'accepter des compromis, de renoncer à ses projets, ou, dans le meilleur des cas, de payer une rançon qui lui coûterait le prix d'une guerre perdue. Non, je ne veux rien avoir à faire avec cette folie. Je ne vous ai pas entendus ou, mieux, je ne vous ai pas vus : vous êtes partis à l'aube, sans bruit.

— D'accord, acquiesça Alexandre. Et ne t'inquiète pas. Nous devons seulement parcourir quelques centaines de stades sur le territoire béotien. Nous effectuerons l'aller et retour en quatre jours. Et si l'on devait nous arrêter, nous dirions que nous sommes des pèlerins venus consulter l'oracle de Delphes.

— En Béotie ? Mais Delphes est en Phocide !

— Nous raconterons que nous nous sommes perdus ! » cria Héphestion en éperonnant son cheval.

Callisthène examinait d'un air perplexe ses compagnons de voyage.

« Qu'as-tu l'intention de faire ? lui demanda Eumène.

— Moi ? Eh bien... d'un côté, l'affection que je porte à Alexandre me pousserait à le suivre. De l'autre, la prudence qui convient surtout à un...

— J'ai compris ! interrompit Eumène. Arrêtez-vous ! Que Zeus vous foudroie, arrêtez-vous ! » Alexandre et Héphestion s'exécutèrent. « Au moins, je n'ai pas l'accent macédonien et, si je le veux, je peux passer pour un Béotien.

— Ah, ah ! Cela ne fait aucun doute ! ricana Héphestion.

— Ris donc, maugréa Eumène en poussant son cheval au trot. Si Philippe était là, il te ferait rire à coups de trique. Allons, en route, ne traînons pas !

— Et Callisthène ? demanda Alexandre.

— Il arrive, il arrive, répondit Eumène. Où veux-tu qu'il aille, tout seul ? »

Ils passèrent les Thermopyles le lendemain, et Alexandre visita la tombe des guerriers spartes tombés cent quarante ans plus tôt en combattant les envahisseurs perses. Il lut l'inscription en dialecte laconique évoquant leur sacrifice et se recueillit en silence, à l'écoute.

« Comme le destin de l'homme est éphémère, s'exclama-t-il. Seules ces quelques lignes témoignent du fracas d'un affrontement qui fit trembler le monde et d'un acte d'héroïsme digne du chant d'Homère. À présent, tout est silence. »

Ils traversèrent la Locride et la Phocide en deux jours sans aucune difficulté. Puis ils pénétrèrent sur le sol béotien en longeant le chemin côtier, avec, devant eux, l'île d'Eubée baignée par les rayons du soleil de midi, et les eaux scintillantes du canal d'Euripe. Une flottille d'une douzaine de trirèmes croisait au large et l'on pouvait voir sur les voiles gonflées l'image de la chouette d'Athènes.

« Si ce navarque savait qui est en train de regarder ses navires sur la plage..., murmura Eumène.

— Allons-y, dit Callisthène. Concluons ce voyage le plus rapidement possible. Nous sommes presque arrivés. »

Mais il craignait en son for intérieur qu'Alexandre ne leur demande de l'accompagner dans des entreprises plus dangereuses encore.

La petite baie d'Aulis leur apparut soudain alors qu'ils atteignaient le sommet d'une colline. En face, sur la rive opposée de l'Eubée, les formes blanches de la ville de Chalcis se détachaient dans le lointain. L'eau était d'un bleu intense et le bois de chênes qui recouvrait les flancs de la colline s'étendait presque jusqu'au rivage, faisant place à des buissons de myrte et d'arbousiers, puis à une mince bande de galets et de sable rose.

Seul le bateau d'un pêcheur voguait dans l'enceinte du port où les mille navires des Achéens avaient appareillé.

Les quatre jeunes gens descendirent de cheval et contemplèrent en silence ces lieux, semblables à tant d'autres endroits de la côte hellénique et pourtant si différents. Alexandre se souvint alors des paroles de son père, quand il était enfant et que Philippe le tenait dans ses bras, sur le chemin de ronde du palais de Pella, lui parlant de la lointaine et immense Asie.

« Il n'y a pas ici de place pour mille navires, observa Héphestion en brisant la magie de ce silence.

— Non, admit Callisthène. Mais il ne pouvait pas

en être autrement pour le poète. Un poète ne raconte pas l'histoire des hommes telle qu'elle se produit, Héphestion ; son but est de faire revivre, plusieurs siècles après, les émotions et les passions de ses héros. »

Alexandre tourna vers lui son regard brillant d'émotion. « Crois-tu qu'il puisse exister un homme capable d'exploits assez extraordinaires pour inspirer un poète aussi grand qu'Homère ?

— Ce sont les poètes qui créent les héros, Alexandre, répondit Callisthène, et non le contraire. Et les poètes ne naissent que lorsque la mer, le ciel et la terre sont en paix les uns avec les autres. »

De retour en Thessalie, ils croisèrent un détachement de la garde royale, qui les cherchait partout. Eumène dut raconter qu'il s'était évanoui et que ses amis n'avaient pas voulu l'abandonner : une excuse à laquelle personne ne crut. Mais Alexandre avait obtenu la preuve que ses amis étaient prêts à le suivre, même ceux qui étaient terrifiés, comme Eumène ou Callisthène. De plus, il s'était rendu compte que l'absence de Campaspé lui pesait ; il lui tardait de la revoir nue sur son lit, à la lumière dorée des lanternes.

Cependant, ils ne purent rentrer à Pella car les événements s'étaient précipités. Le roi, qui avait mobilisé l'armée, marchait sur la Phocide pour en conquérir les cols : le temps n'avait assagi aucun des adversaires et la parole était de nouveau aux armes.

Alexandre fut convoqué le soir même sous la tente de son père. Philippe ne lui demanda pas les raisons de son retard. Il lui montra la carte qui recouvrait la table, et dit :

« Le commandant athénien Charès a été aperçu à la tête de dix mille mercenaires sur la route menant de Chithinion à Amphissa, mais il ignore tout de notre présence. Je marcherai toute la nuit et je le réveillerai personnellement demain matin. Toi, tiens cette position et ne l'abandonne sous aucun prétexte. Dès que je me serai débarrassé de Charès, je passerai par la vallée du

Chrissos et j'isolerai les Athéniens et les Thébains qui se trouvent sur les cols : ils seront forcés de les abandonner et de reculer vers la première place forte qu'ils trouveront en Béotie. » Il posa l'index sur la carte, là où il pensait que l'ennemi se retirerait. « C'est là que tu me rejoindras avec ta cavalerie. À Chéronée. »

24

Surprise à l'aube, l'armée mercenaire de Charès fut exterminée par les troupes d'assaut de Philippe, et les survivants dispersés par la cavalerie. Plutôt que de marcher sur Amphissa, le roi fit marche arrière, comme il l'avait prévu, en isolant les cols que tenaient les Athéniens et les Thébains. Ceux-ci durent se résigner à battre en retraite.

Trois jours plus tard, Alexandre fut averti que son père prenait position dans la plaine de Chéronée, à la tête de vingt-cinq mille fantassins et de cinq mille cavaliers : il fallait qu'il le rejoigne au plus vite. Laissant ses serviteurs lever le camp et s'occuper du ravitaillement, il fit sonner le signal du départ avant l'aube. Il voulait marcher à la fraîche et au pas, pour éviter que les chevaux ne se fatiguent.

Monté sur Bucéphale, il passa la Pointe en revue, à la lumière des torches. Ses camarades, qui commandaient les différentes divisions, brandirent leur lance pour le saluer ; ils étaient armés de pied en cap et prêts à partir, mais on devinait à leurs traits tendus qu'aucun d'eux n'avait réussi à dormir. C'était leur première journée de campagne.

« Rappelez-vous, soldats ! harangua-t-il. La phalange est l'enclume, la cavalerie le marteau, et la Pointe est... la tête du marteau ! » Puis il lança Bucéphale en direction de Ptolémée, qui menait la première subdivision de droite, et lui délivra le mot d'ordre : « *Phobos kai Deimos.*

— Les chevaux du dieu de la guerre, répéta Ptolémée. Aucun mot d'ordre n'a jamais été plus approprié. »

Il le communiqua ensuite au cavalier qui se tenait à sa droite, afin qu'il fût répandu dans les rangs.

Alexandre adressa un signe au sonneur de trompe qui annonça le départ, et l'escadron se mit au pas. Le prince précédait Héphestion, que les autres suivaient. Le détachement de Ptolémée fermait l'arrière-garde.

Quand ils traversèrent à gué le Chrissos, l'aube ne s'était pas encore levée. Puis, lorsque le soleil apparut, ils virent les pointes des sarisses de l'armée macédonienne scintiller dans la plaine, comme des épis dans un champ de blé.

Philippe les aperçut. Il éperonna son destrier et se dirigea vers son fils. « Salut, mon garçon ! dit-il en lui donnant une tape sur l'épaule. Tout se déroule comme je l'avais prévu. Regarde-les : ils nous attendent. Dispose tes hommes sur l'aile gauche et reviens me voir. Je suis en train de mettre au point le plan de bataille avec Parménion et Cleitos le Noir, et nous n'attendions que toi pour conclure. Tu es arrivé juste à temps. Comment te sens-tu ?

— Salut, père. Je me sens très bien et je reviens dans un instant. »

Il regagna son escadron et le conduisit sur l'aile gauche, où il lui ordonna de s'aligner. Héphestion tendit la main vers les collines et s'exclama : « Dieux du ciel, regarde ! Nous allons devoir affronter le bataillon sacré des Thébains ! Tu les vois, là-haut, avec leurs tuniques et leurs manteaux rouge sang ? Ce sont des durs à cuire, Alexandre, personne ne les a jamais battus.

— Je les vois, Héphestion. Nous vaincrons. Dispose les hommes sur trois rangs. Nous attaquerons par vagues.

— Grands dieux ! s'écria Séleucos. Savez-vous pourquoi on le nomme bataillon sacré ? Parce que chaque combattant est uni à son compagnon par un serment : demeurer près de lui jusqu'à la mort.

— C'est vrai, confirma Perdiccas. On dit aussi qu'ils sont tous amants, ce qui double leur serment d'un lien encore plus fort.

— Cela ne les protégera pas de nos coups, dit Alexandre. Ne bougez pas jusqu'à mon retour. »

Il rejoignit Philippe, Parménion et le Noir qui s'étaient installés sur une colline peu élevée, d'où ils pouvaient jouir d'une vue générale du champ de bataille. Face à eux, sur la droite, se dressait l'acropole de Chéronée, avec ses temples.

Au centre et sur la gauche, les Athéniens, et derrière eux les Thébains, étaient alignés sur une ligne de collines qui dominait la plaine. Leurs boucliers brillaient, reflétant la lumière du soleil qui se levait dans le ciel printanier, parcouru par de gros nuages blancs. À l'extrême droite, on distinguait la tache vermeille du bataillon sacré des Thébains.

Philippe avait disposé sur sa droite deux détachements d'« écuyers », les troupes d'assaut qui avaient détruit l'armée de Charès trois jours plus tôt et qui se trouvaient directement placées sous son commandement. Ils tiraient leur nom de leurs écus, frappés d'étoiles argéades de cuivre et d'argent.

Au centre, aux ordres de Parménion et du Noir, les douze bataillons de la phalange, alignés sur cinq rangs, formaient un mur de lances démesurées, une forêt impénétrable de pointes ferrées, échelonnées sur une ligne oblique. À gauche, la cavalerie des *hétaïroï*, qui se terminait par la Pointe, l'escadron d'Alexandre.

« J'attaquerai le premier, dit Philippe, ainsi j'occuperai les Athéniens. Puis je commencerai à reculer. S'ils me suivent, toi, Parménion, tu introduiras un bataillon de la phalange dans la brèche pour diviser en deux moitiés les forces ennemies, puis tu lanceras les six autres bataillons. Le Noir t'emboîtera le pas avec le reste de l'armée.

« Ce sera alors à toi, Alexandre : tu enverras la cavalerie sur la droite thébaine et tu lanceras la Pointe contre le bataillon sacré. Tu sais ce qu'il te restera à faire, si tu parviens à passer ?

— Je le sais fort bien, père : la phalange est l'enclume, et la cavalerie le marteau. »

Philippe le serra contre sa poitrine et, un instant, se revit accomplir le même geste dans la chambre de la reine, plongée dans la pénombre, alors qu'Alexandre venait de naître. Il lui dit : « Fais attention, mon fils. Dans la bataille, les coups arrivent de tous côtés.

— Je serai vigilant, papa », répondit Alexandre.

Il sauta sur Bucéphale et rejoignit son détachement en longeant les bataillons, prêts à combattre. Philippe le suivit longuement du regard, puis il se tourna vers son aide de camp et dit : « Mon bouclier.

— Mais, sire...

— Mon bouclier ! » répéta-t-il sur un ton péremptoire.

L'aide de camp l'aida à enfiler le long de son bras l'écu royal, le seul à porter une étoile argéade d'or pur.

C'est alors qu'un son de trompes s'échappa du sommet des collines. Aussitôt, le vent poussa dans la plaine une musique chorale de flûtes, rythmée par le roulement des tambours qui accompagnaient les guerriers en marche. Le mouvement du front, qui descendait, reflétait la lumière du soleil en mille éclats de feu, et le pas lourd des fantassins, couverts de fer, se répercutait dans la vallée en un écho sinistre.

Dans la plaine, la phalange était immobile et silencieuse ; à l'extrême droite, les chevaux soufflaient et agitaient la tête en faisant tinter leurs mors de bronze.

La Pointe était déjà alignée en formation en coin, et Alexandre prit position devant tout le monde, en qualité de premier cavalier, les yeux rivés sur l'aile droite des rangs ennemis, l'invincible bataillon sacré. Inquiet,

Bucéphale raclait le sol, soufflait et se fouettait les flancs de sa queue.

Un cavalier rejoignit Philippe, qui s'apprêtait à donner le signal d'attaque. « Sire, cria-t-il en sautant à terre. Démosthène combat en première ligne avec l'infanterie lourde d'Athènes.

« Je ne veux pas qu'il soit tué, ordonna le roi. Fais passer le mot dans les rangs. »

Il se retourna pour contempler ses « écuyers » : il vit des visages ruisselants de sueur sous les visières des casques, des yeux braqués sur l'éclat des armes ennemies, des membres contractés dans l'attente nerveuse de l'attaque. Le moment où chacun d'eux regardait la mort en face, le moment où le désir de vivre l'emportait sur tout le reste, était arrivé. Il fallait maintenant qu'il les libère de l'étau de l'angoisse et qu'il les lance à l'assaut.

Philippe brandit son épée, poussa le cri de guerre, et ses hommes le suivirent en hurlant comme une horde de bêtes sauvages, refoulant la peur à l'intérieur de leur poitrine, impatients de se jeter dans la mêlée, dans la fureur du combat, et oublieux de tout, même d'eux-mêmes.

Ils avancèrent en courant tandis que les officiers leur criaient de ne pas se hâter, de ne pas désorganiser les rangs, de se présenter unis face à l'ennemi.

Le choc allait bientôt se produire. Les Athéniens continuaient de descendre au pas, épaule contre épaule, bouclier contre bouclier, lances tendues vers l'avant, poussés par le son perçant et incessant des flûtes, par le roulement obsédant des tambours, criant à chaque pas :

Alalalài !

Alors le fracas de l'impact explosa comme un tonnerre de bronze dans toute la vallée, heurta le flanc des montagnes, transperça le ciel, accompagné par le cri de vingt mille guerriers entraînés par la fureur de la mêlée.

Reconnaissable à son étoile d'or, Philippe se battait en première ligne avec une fougue irrépressible, assenant des coups de bouclier et d'épée. Il était flanqué de deux gigantesques Thraces, armés de haches à double tranchant. Leurs chevelures rousses et hirsutes, leurs corps poilus, les tatouages qui couvraient leur visage, leurs bras et leur poitrine, leur donnaient un aspect véritablement effrayant.

Le front athénien s'avança en plusieurs vagues sous la fureur de l'assaut, tandis qu'un son aussi aigu et pénétrant que le cri d'un faucon les encourageait à aller de l'avant. Plus forte que la musique désespérée des flûtes et des tambours, la voix de Démosthène criait : « Athéniens, courage ! Pour votre liberté, pour vos femmes et pour vos enfants ! Repoussez le tyran ! »

L'affrontement se fit de plus en plus violent ; de nombreux soldats tombaient dans les deux camps, mais Philippe avait ordonné que personne ne s'arrête pour dépouiller les cadavres avant que la bataille ne soit gagnée. De part et d'autre, les armées cherchaient la brèche qui leur permettrait de percer et de blesser, d'éclaircir les rangs par le fer.

Des giclées de sang éclaboussaient à présent les boucliers des fantassins du premier rang et ruisselaient abondamment sur le sol déjà glissant et encombré de corps agonisants. Dès qu'un homme tombait, l'un de ses compagnons surgissait de la deuxième ligne pour le remplacer.

Soudain, sur un signe de Philippe, la trompe lança un appel et les deux bataillons d'« écuyers » commencèrent à se retirer, laissant sur le terrain leurs morts et leurs blessés. Ils cédaient lentement, dissimulés derrière leurs boucliers, répondant coup pour coup, de la lance et de l'épée.

Voyant que leurs ennemis reculaient, les Athéniens redoublèrent d'efforts, s'excitant les uns les autres par des cris, tandis que les fantassins de deuxième et troisième ligne poussaient leurs camarades à l'aide de leurs écus.

Exécutant l'ordre que Philippe avait donné avant d'attaquer, les « écuyers » reculèrent en direction d'un éperon rocheux qui se dressait à cent pas sur leur gauche, puis ils se retournèrent et prirent la fuite.

Entraînés par la fureur du combat, ivres de cris, de sang et du fracas des armes, enthousiasmés par la victoire qu'ils croyaient déjà à leur portée, les Athéniens se précipitèrent à la poursuite de leurs ennemis afin de les anéantir. Au lieu de les inciter à ne pas quitter leurs rangs, leur commandant, Stratocle, leur criait de traquer leurs adversaires jusqu'en Macédoine.

D'autres trompes résonnèrent sur la gauche et un énorme tambour, suspendu entre deux chars, fit retentir un grondement de tonnerre dans la vaste plaine. Au signal de Parménion, les douze bataillons de la phalange s'ébranlèrent d'un pas cadencé, déployés sur une ligne oblique.

Alors les Thébains se lancèrent eux aussi à l'attaque, en rangs compacts, brandissant leurs lourdes lances de frêne. Mais bien vite, le premier bataillon macédonien fit une incursion entre le front athénien, à présent disloqué par la poursuite des « écuyers », et le flanc gauche de la formation thébaine.

Philippe abandonna à son ordonnance son écu, bosselé et couvert de sang, bondit à cheval et rejoignit Parménion. Le général observait d'un air inquiet le bataillon sacré qui avançait au pas, apparemment indifférent à ce qui se passait, hérissé de pointes ferrées, inexorable.

Au centre, le premier bataillon macédonien, qui avait pris un peu d'altitude, abordait déjà la première dénivellation, quand un détachement d'infanterie thébaine se précipita pour combler la brèche ; les *pézétaïroï* abattirent leurs piques et les balayèrent dans le choc frontal sans même en venir au corps à corps. Puis ils continuèrent en suivant de leur pas le grondement assourdissant de l'immense tambour qui les guidait dans la plaine.

D'autres guerriers venaient derrière en ligne oblique. Les trois premiers rangs abaissaient leurs sarisses pendant que les fantassins de l'arrière-garde levaient les leurs en les faisant ondoyer au pas cadencé comme des épis dans le vent. Le tintement menaçant des armes qui se heurtaient dans la lourde marche des guerriers sonnait comme un présage angoissant, comme un son de mort, aux oreilles de l'ennemi qui descendait de l'autre côté.

« Maintenant ! » ordonna le roi à son général. Et Parménion lança un signal à Alexandre de son écu brillant — trois éclairs — pour entraîner la charge de la cavalerie et ébranler la Pointe.

Le prince empoigna sa lance en s'écriant : « Trois vagues ! » Et puis, encore plus fort : « *Phobos kai Deimos* ! » Il talonna Bucéphale, qui partit au galop à travers le champ de bataille rempli de cris et de morts, aussi noir que la fureur de l'enfer, emportant son cavalier dans son armure aveuglante, avec son haut cimier agité par le vent.

Derrière lui, la Pointe était unie et les chevaux galopaient, excités par les hennissements et les halètements de Bucéphale, stimulés par les guerriers et par le son déchirant des trompes.

Le bataillon sacré resserra les rangs et les hommes plantèrent dans le sol les hampes de leurs lances, opposant ainsi leurs pointes à cette charge furieuse. Mais l'escadron d'Alexandre, désormais à leur portée, décocha une nuée de javelots, puis s'effaça, laissant la place à une deuxième vague, puis à une troisième, avant de reprendre l'initiative. Nombre de soldats thébains furent obligés d'abandonner leurs boucliers, hérissés de javelots ennemis, et de se battre sans protection. Alors Alexandre ordonna à la Pointe d'adopter une position en coin, il se plaça à sa tête, la conduisit directement contre les rangs ennemis, frappant ses adversaires de sa lance, puis de son épée, une fois son bouclier abandonné. Levant le sien pour le protéger, Héphestion surgit à ses côtés, avec ses hommes.

À chaque soldat tombé, les guerriers du bataillon se rassemblaient, comme un corps dont la blessure cicatrise aussitôt. Ils ressoudaient leur mur de boucliers et répondaient coup pour coup avec une énergie insatiable et un courage opiniâtre.

Alexandre recula. « Héphestion ! cria-t-il. Conduis tes hommes de ce côté, ouvre une brèche et attaque par derrière le centre thébain ! Laisse-moi le bataillon sacré ! »

Héphestion s'exécuta, avança avec Perdiccas, Séleucos, Philotas, Lysimaque, Cratère et Léonnatos, faisant pénétrer ses cavaliers entre le bataillon sacré et le reste des troupes thébaines. Puis ils effectuèrent une large conversion, comme le jour de la parade célébrant le retour d'Alexandre, et prirent les ennemis à revers en les poussant contre la forêt de pointes de la phalange.

Touchés par les charges incessantes de la Pointe, les guerriers du bataillon sacré se battirent avec un courage désespéré, mais tombèrent les uns après les autres jusqu'au dernier homme, fidèles au serment qui les liait entre eux : ne jamais reculer, ne jamais tourner le dos.

La bataille fut remportée avant même que le soleil eût parcouru la moitié de sa course dans le ciel. Alexandre se présenta à Parménion, l'épée au poing et l'armure encore éclaboussée de sang. Le poitrail et les flancs de Bucéphale étaient tout aussi rouges.

« Le bataillon sacré a cessé d'exister.

— Victoire sur toute la ligne ! s'exclama Parménion.

— Où est le roi ? » demanda Alexandre.

Parménion se tourna vers la plaine, encore voilée par la poussière épaisse de l'affrontement, et lui montra un homme seul qui dansait en boitant, comme hors de lui, au milieu d'une multitude de cadavres.

« Le voici », répondit-il.

25

Deux mille Athéniens tombèrent sur le champ de bataille et de nombreux autres furent capturés. Parmi eux, l'orateur Démade, qui se présenta devant le roi encore revêtu de son armure, une blessure sanglante au bras. Démosthène s'était sauvé à travers les cols qui conduisaient au sud, vers Lébadéia et Platées.

Mais les pertes les plus importantes avaient été subies par les Thébains et leurs alliés achéens, alignés au centre des formations. Après avoir détruit le bataillon sacré, la cavalerie d'Alexandre les avait pris à revers et poussés contre les pointes ferrées de la phalange, provoquant ainsi un massacre.

La colère de Philippe se déchaîna surtout à l'encontre des Thébains qui s'étaient, à ses yeux, rendus coupables de trahison. Il vendit les prisonniers comme esclaves et refusa de restituer les cadavres. Ce fut Alexandre qui ébranla ses résolutions :

« Père, tu m'as dit toi-même qu'il faut être clément chaque fois que cela est possible, lui fit-il remarquer après que la fureur de la victoire se fut apaisée. Même Achille rendit le cadavre d'Hector au vieux roi Priam, qui l'implorait en larmes. Ces hommes se sont battus comme des lions et ont donné leur vie pour leurs cités. Ils méritent le respect. En outre, quel avantage tirerais-tu d'un tel acharnement ? »

Philippe ne répondit pas, mais il était facile de comprendre que les paroles d'Alexandre s'étaient frayé un chemin dans son esprit.

« Il y a dehors un officier athénien qui demande à te parler, ajouta-t-il.

— Pas maintenant ! rugit Philippe.

— Il dit qu'il se laissera mourir si tu ne le reçois pas.

— Très bien ! Cela en fera un de moins.

— Comme tu veux. Alors c'est moi qui m'en occuperai. »

En sortant, il ordonna à deux « écuyers » de conduire l'homme sous sa tente et d'appeler un chirurgien. Les soldats s'exécutèrent et l'Athénien fut installé sur un lit de camp, déshabillé et lavé.

Peu après, l'un des hommes réapparut. « Alexandre, les chirurgiens sont tous occupés à soigner nos soldats, ils essaient de sauver les blessés les plus graves. Mais si tu l'ordonnes, ils viendront.

— Peu importe, répliqua le prince. Je m'en occupe moi-même. Apportez-moi des instruments, une aiguille et du fil, faites chauffer de l'eau et procurez-moi des bandages propres. »

Les hommes, et surtout le patient, lui lancèrent un regard étonné.

« Il faudra que tu te contentes de moi, dit-il à l'officier blessé. Je ne peux pas troquer la mort d'un soldat macédonien contre le salut d'un ennemi. »

C'est alors que Callisthène pénétra sous la tente. Il vit Alexandre se ceindre d'un tablier et se laver les mains.

« Qu'est-ce que...

— Cela aussi doit rester entre nous, ce qui ne t'empêche pas de m'aider. Tu as suivi, comme moi, les leçons d'anatomie d'Aristote. Désinfecte la blessure avec du vin et du vinaigre, puis enfile l'aiguille pour moi : j'ai de la sueur dans les yeux. »

Callisthène se mit au travail avec une certaine habileté, et le prince put examiner la blessure. « Passe-moi les ciseaux, elle est tout abîmée.

— Les voici.

— Comment t'appelles-tu ? demanda Alexandre au prisonnier.

— Démade. »

Callisthène écarquilla les yeux. « C'est le célèbre orateur », murmura-t-il à l'oreille de son ami, qui ne parut guère ému par cette révélation.

Démade grimaça lorsque son chirurgien improvisé coupa dans la chair vive. Alexandre se fit ensuite donner une aiguille et du fil. Il passa l'aiguille sur la flamme de la lanterne et commença à coudre, tandis que Callisthène maintenait serrées les lèvres de la blessure.

« Parle-moi de Démosthène, interrogea le prince.

— C'est... un patriote, répondit Démade entre ses dents, mais nous avons des opinions différentes.

— C'est-à-dire ? Mets ton doigt ici », ajouta-t-il à l'adresse de son assistant.

Callisthène posa le doigt sur le fil qu'il fallait nouer.

— C'est-à-dire que..., expliqua le blessé en retenant son souffle, c'est-à-dire que j'étais opposé à son idée d'entrer en guerre aux côtés des Thébains, je l'ai dénoncée publiquement. »

Il libéra un profond soupir dès qu'Alexandre eut terminé. « C'est vrai, murmura Callisthène. J'ai gardé certains de ses vieux discours.

— J'ai fini, dit le prince. Nous pouvons le panser. » Puis, à l'adresse de Callisthène : « Demain, montre-le à un médecin. Si la plaie enflait ou suppurait, il faudrait la drainer, et je préfère qu'un véritable chirurgien s'en charge.

— Comment puis-je te remercier ? demanda Démade en se redressant sur le lit de camp.

— Remercie mon maître, Aristote, qui m'a également appris cet art. Mais il semble que vous autres Athéniens n'ayez pas fait grand-chose pour le retenir...

— C'est un problème qui relève de l'Académie, la cité n'a rien à voir là-dedans.

— Écoute, l'assemblée de l'armée peut-elle délibérer sur place et t'attribuer une charge politique ?

— En théorie, oui. Il y a probablement plus de citoyens en mesure de voter ici qu'à Athènes, en ce moment.

— Alors, va leur parler, et arrange-toi pour qu'ils te chargent de négocier avec le roi les conditions de la paix.

— Tu es sérieux ? questionna Démade d'un air stupéfait, tout en se rhabillant.

— Tu peux prendre un vêtement propre dans mon coffre. Pour le reste, je parlerai à mon père. Callisthène te trouvera un logement.

— Merci, je... », eut-il tout juste le temps de balbutier.

Alexandre était déjà sorti.

Quand il se glissa sous la tente de son père, Philippe était en train de dîner en compagnie de Parménion, du Noir et d'autres commandants de bataillons.

« Tu manges quelque chose avec nous ? lui demanda le roi. Nous avons des perdrix grises.

— Oui, il y en a des milliers, expliqua Parménion. Elles quittent le lac Copaïs et viennent picorer le long du fleuve pendant la journée. »

Alexandre s'empara d'un tabouret et s'assit.

Le roi s'était calmé, il paraissait de bonne humeur.

« Alors, comment t'a semblé mon garçon, Parménion ? dit-il en posant sa main sur l'épaule de son fils.

— Magnifique, Philippe : il a mené la charge mieux qu'un vétéran des *hétaïroï*.

— Ton fils Philotas a également combattu avec beaucoup de courage, général, observa Alexandre.

— Qu'as-tu fait du prisonnier athénien ? interrogea le roi.

— Tu sais de qui il s'agit ? De Démade. »

Philippe bondit sur ses pieds. « Tu en es sûr ?

— Demande à Callisthène.

— Par les dieux, envoie aussitôt un chirurgien auprès de lui ! Cet homme s'est toujours exprimé en faveur de notre politique.

— Je l'ai déjà recousu ; sinon il serait mort d'hémorragie à l'heure qu'il est. Je lui ai accordé une certaine liberté de mouvement dans le campement. Je crois qu'il t'exposera demain des propositions relatives au traité de paix. Si j'ai bien compris, tu ne veux pas d'une guerre contre Athènes.

— Non. Et puis, pour vaincre une ville maritime, il faut être soi-même maître de la mer, et nous ne le sommes pas. J'en ai fait l'expérience à mes dépens à Périnthe et à Byzance. S'il a des propositions à me faire, je l'écouterai, et je lui communiquerai les miennes. Mange cette viande, elle va refroidir. »

À Athènes, les survivants de Chéronée répandirent le désespoir. Quand ils relatèrent la défaite et rapportèrent le nombre de morts et de prisonniers qui avaient décimé leurs rangs, la ville résonna de plaintes. Certains cédèrent à l'angoisse, ne sachant si leurs êtres chers étaient morts ou vivants.

Par la suite, la terreur l'emporta. On rappela sous les drapeaux tous les hommes jusqu'à soixante-dix ans, et l'on promit la liberté aux esclaves qui se battraient dans les rangs de l'armée.

Démosthène, encore faible et blessé, exhorta son peuple à résister et proposa de mettre à l'abri des murailles la population rurale de l'Attique, mais tout cela se révéla inutile.

Quelques jours plus tard se présenta un courrier de Philippe, qui demanda l'autorisation d'exposer à l'assemblée, réunie en séance plénière, une proposition pour le traité de paix. Les représentants du peuple découvrirent avec étonnement que ce document avait déjà été ratifié par les citoyens en armes prisonniers à Chéronée, et qu'il portait la signature de Démade.

Le courrier pénétra dans le grand hémicycle, où les Athéniens étaient assis en plein air à la lumière du soleil printanier. Ayant obtenu la permission de parler, il dit :

« Votre concitoyen Démade, qui est encore l'hôte de Philippe, a négocié pour vous les clauses d'un traité, obtenant des conditions que vous trouverez sans doute avantageuses.

« Le roi ne vous est pas hostile. Au contraire, il admire votre ville et ses merveilles. C'est à contrecœur qu'il a dû se mettre en guerre pour obéir à la requête du dieu de Delphes. »

L'assemblée ne réagit pas selon les prévisions de l'orateur : elle demeura silencieuse, car tous ses membres étaient impatients d'entendre les véritables conditions du traité. Il poursuivit donc :

« Philippe renonce à toute compensation ; il vous reconnaît la possession de vos îles dans la mer Égée, et vous rend Oropos, Thespies et Platées, que vos chefs avaient cédées aux Thébains en trahissant une amitié séculaire. »

Assis aux premiers rangs auprès des représentants du gouvernement, Démosthène murmura à l'oreille de son voisin : « Mais vous ne comprenez pas qu'il se réserve ainsi toutes nos villes sur les Détroits ? Elles n'ont pas été mentionnées.

— Cela aurait pu être pire, répondirent les Athéniens. Laisse-nous écouter les autres propositions !

— Le roi ne vous réclame ni dommages ni rançons, continua l'émissaire. Il vous restitue vos prisonniers et les dépouilles de vos morts afin que vous puissiez les ensevelir dignement. Il a chargé son fils, Alexandre, de mener à bien cet acte d'humanité. »

L'émotion des assistants, face à cette nouvelle, montra à Démosthène qu'il avait perdu la partie. Philippe les avait touchés dans leurs sentiments les plus profonds, il leur envoyait son propre fils pour accomplir cet acte de clémence religieuse. Il n'y avait rien de plus déchirant, pour des parents, que de savoir que leur enfant gisait sans sépulture sur le champ de bataille, à la merci des vautours et des chiens, privé d'honneurs funèbres.

« Et maintenant, écoutons ce qu'il exige en échange de sa générosité, chuchota encore Démosthène.

— En échange, Philippe ne demande qu'une chose aux Athéniens : devenir ses amis et ses alliés. Il rencontrera tous les représentants des Grecs à Corinthe, à l'automne, afin de mettre fin aux hostilités, d'établir une paix durable et de leur annoncer une entreprise grandiose encore jamais tentée, à laquelle nous devrons tous prendre part. Pour cela, Athènes devra dissoudre sa ligue maritime et entrer dans la grande ligue panhellénique, la seule possible, que Philippe construit : il mettra un terme aux vieilles luttes intestines de la péninsule et libérera du joug des Perses les villes grecques d'Asie.

« À présent, prenez une sage décision, Athéniens, et donnez-moi une réponse afin que je puisse la rapporter à celui qui m'a envoyé. »

La proposition fut approuvée à une large majorité, malgré le discours enflammé de Démosthène qui demanda la parole pour appeler la ville à une ultime résistance. L'assemblée voulut toutefois lui confirmer son estime en le chargeant de prononcer l'oraison funèbre pour ceux qui étaient tombés sur le champ de bataille. Le document que Démade avait paraphé fut contresigné par tous les représentants du gouvernement et renvoyé à Philippe.

Dès qu'il apprit cette nouvelle, le roi dépêcha Alexandre à la tête du convoi de chars qui devait emporter les cendres et les os des morts, déjà incinérés sur le champ de bataille. Les prisonniers avaient reconnu la plupart d'entre eux. Conformément à ces informations, Eumène avait fait inscrire le nom des défunts et celui de leur famille sur les petites urnes de bois.

Les soldats inconnus étaient regroupés sur les chars de queue, mais les médecins avaient noté les caractéristiques des cadavres, leurs signes particuliers quand ils en possédaient, la couleur de leurs cheveux et de leurs yeux.

Pour démontrer sa bonne volonté, Philippe avait aussi ajouté une partie des armes afin de faciliter l'identification des guerriers anonymes.

« Je t'envie, mon fils, confia-t-il à Alexandre qui s'apprêtait à partir. Tu vas voir la plus belle ville du monde. »

Ses camarades vinrent le saluer.

« Je te confie Bucéphale, dit le prince à Héphestion. Je ne veux pas le fatiguer ou le mettre en danger, car le voyage sera long.

— Je le traiterai comme une belle femme, répliqua son ami. Tu peux partir tranquille. Je regrette seulement que...

— Quoi ?

— Que tu ne m'aies pas confié aussi Campaspé à... surveiller.

— Tais-toi, espèce de pitre ! » s'exclama Alexandre en riant.

Il monta sur un robuste moreau qu'un palefrenier venait de lui amener, et lança le signal du départ.

Le long convoi s'ébranla dans un grand grincement de roues, suivi par les prisonniers athéniens qui portaient un baluchon contenant quelques effets personnels et des aliments qu'ils étaient parvenus à acheter. On donna un cheval à Démade, en considération du rôle qu'il avait joué dans la signature du traité de paix.

Les morts thébains gisaient encore sans sépulture, déchiquetés le jour par les corbeaux et les vautours, la nuit par les chiens errants et les rapaces nocturnes, sous les yeux de leurs mères qui, accourues de la ville, s'étaient pressées le long du champ de bataille en poussant des gémissements poignants. D'autres, entre les murs de Chéronée, pratiquaient d'obscurs rituels de malédiction pour attirer sur Philippe la mort la plus atroce.

Mais les invocations et les malédictions n'eurent aucun effet : le roi refusait obstinément à ses ennemis l'autorisation de récupérer leurs morts et de les enterrer, car il les considérait comme des traîtres.

Jusqu'au moment où le roi finit par céder aux insistances de son entourage, qui redoutait les conséquences d'un tel comportement.

Alors les Thébains quittèrent leur ville en vêtements de deuil, précédés par les lamentations des pleureuses. Ils creusèrent une grande fosse, dans laquelle ils déposèrent les misérables restes de leurs jeunes gens tombés sur le champ de bataille. Ils dressèrent au-dessus de la tombe un tumulus, auprès duquel ils érigèrent ensuite la statue gigantesque d'un lion de pierre afin de symboliser le courage de ces guerriers.

Finalement, on signa aussi la paix avec eux. Mais ils durent accepter la présence d'une garnison macédonienne sur l'acropole et dissoudre la ligue béotienne pour pouvoir entrer dans l'alliance panhellénique de Philippe.

Alexandre fut accueilli à Athènes comme un invité de marque et traité avec tous les honneurs. En signe de gratitude pour la mission charitable qu'il avait accomplie et pour la façon dont il s'était comporté envers les prisonniers, le conseil de la cité décréta qu'on érigerait sa statue sur la place. Le prince dut donc poser pour Protogène, bien qu'il eût jadis affirmé que seul Lysippe le représenterait.

Démosthène, toujours très apprécié de ses concitoyens en dépit de la défaite, avait été envoyé à Calaurie, une petite île en face de la ville de Trézène, afin d'éviter des rencontres qui eussent été embarrassantes pour les deux parties en cause.

Le comprenant, Alexandre s'abstint sagement de s'enquérir de l'orateur. Dès qu'il eut mis un terme à ses engagements officiels, il voulut visiter l'Acropole, dont Aristote lui avait narré les merveilles tout en lui montrant des reproductions de ses monuments.

Il y monta un matin, après une nuit orageuse, et fut ébloui par la splendeur des couleurs, par l'incroyable beauté des statues et des fresques. Le Parthénon trônait au milieu d'une vaste esplanade, couronné par un immense tympan où l'on pouvait admirer le groupe sculptural de Phidias qui représentait la naissance d'Athéna, sortant du front de Zeus. Les statues étaient colossales et leur attitude suivait la pente du toit : au centre se trouvaient les personnages principaux, en pied ; puis, au fur et à mesure qu'on s'éloignait vers l'extérieur, les statues étaient représentées à genoux ou couchées.

Elles étaient toutes peintes de couleurs vives et décorées de pièces métalliques en bronze ou en or.

À côté du sanctuaire, à gauche de l'escalier d'entrée, se dressait une statue en bronze de la déesse armée brandissant une lance à la pointe d'or, exécutée par Phidias : c'était la première chose que les marins athéniens voyaient scintiller lorsqu'ils revenaient au port après un voyage en mer.

Mais il lui tardait de découvrir la gigantesque statue du culte, à l'intérieur du temple, elle aussi conçue par le génie de Phidias.

D'un pas léger et respectueux, Alexandre pénétra dans ce lieu sacré, demeure de la divinité, et vit le colosse d'or et d'ivoire qu'il avait tant entendu célébrer depuis son enfance.

L'atmosphère qui régnait dans la *cella* était imprégnée des parfums que les prêtres ne cessaient de brûler en l'honneur de la déesse ; le lieu était plongé dans la pénombre, si bien que l'or et l'ivoire dont la statue était composée produisaient des reflets magiques au fond de la double rangée de colonnes qui soutenait le toit.

Les armes et le péplum qui tombait jusqu'aux pieds de la déesse, son casque, sa lance et son bouclier étaient d'or pur ; son visage, ses bras et ses pieds étaient, en revanche, en ivoire, matériau qui imitait la couleur de la peau. Des yeux de nacre et de turquoise reproduisaient le regard vert de la divinité.

Le casque était doté de trois cimiers en crins de cheval teintés de rouge, celui du centre soutenu par un sphinx, les deux autres par deux pégases. La déesse tenait dans sa main droite une image de la victoire ailée de la taille d'un homme, lui expliqua-t-on, ce qui signifiait que la statue mesurait au moins trente-cinq pieds.

Alexandre contempla cette splendeur, fasciné ; il restait songeur devant la gloire et la puissance de la cité qui l'avait créée, devant la grandeur des hommes qui avaient bâti des théâtres et des sanctuaires, fondu des bronzes et sculpté des marbres, peint des fresques d'une beauté ravissante. Il songeait à l'audace des marins qui avaient eu pendant de si longues années le contrôle incontesté de la mer, aux philosophes qui avaient clamé leur vérité le long de ces splendides portiques, aux poètes qui avaient représenté leurs tragédies devant des milliers de spectateurs émus.

Il se sentit envahir par l'admiration et l'émotion, rougissant de honte à la pensée de la silhouette boiteuse de Philippe, dansant de manière obscène sur les morts dc Chéronée.

26

Alexandre visita le théâtre de Dionysos sur les flancs de l'Acropole, ainsi que les bâtiments et monuments de l'esplanade, où étaient rassemblés les souvenirs de la cité. Mais c'est le « Portique peint » qui le fascina le plus, avec son immense cycle de fresques, œuvre de Polygnote, consacré aux guerres perses.

On y voyait la bataille de Marathon, ses épisodes héroïques, l'arrivée du coureur Philippidès qui venait d'Athènes pour annoncer la victoire et s'écroulait, terrassé par la fatigue.

Il y avait aussi les batailles de la seconde guerre perse : les Athéniens abandonnaient leur ville et assistaient en pleurant, depuis l'île de Salamine, à l'incendie de l'Acropole et à la destruction de ses temples ; ou encore le gigantesque affrontement naval de Salamine, au cours duquel les Athéniens avaient balayé la flotte perse : le Grand Roi fuyait, terrorisé, suivi par des nuages noirs et des vents de tempête.

Alexandre aurait aimé demeurer dans ce lieu merveilleux, dans cet écrin où le génie humain avait fourni les plus grandes preuves de sa valeur, mais le devoir et les messages de son père le réclamaient à Pella.

Sa mère Olympias aussi lui avait écrit plusieurs fois, le félicitant pour son comportement lors de la bataille de Chéronée et lui disant qu'il lui manquait. Alexandre entrevoyait dans cette insistance, en partie inexpliquée, une profonde inquiétude, un malaise inavoué dont il devinait la cause dans quelque nouvel événement douloureux qui la hantait.

Au début de l'été, il prit donc la route du nord en compagnie de son escorte. Il pénétra en Béotie par Tanagra, passa près de Thèbes par une chaude journée, traversant la plaine sous les rayons cuisants du soleil, et chevaucha le long des rives du lac Copaïs, voilées par une brume épaisse.

D'un lent battement d'ailes, un héron fendait de temps à autre le brouillard qui recouvrait les rives marécageuses, pareil à un fantôme ; des cris d'oiseaux invisibles perçaient la chaleur humide, comme des invocations étouffées. Des draps noirs pendaient aux portes des maisons et des villages, car la mort avait frappé de nombreuses familles dans leurs liens les plus chers.

Il atteignit Chéronée le lendemain, à la tombée du soir. Sous le ciel sombre de la nouvelle lune, la ville semblait laissée en pâture aux fantômes, et il ne parvint pas à évoquer d'image plaisante de la récente victoire. La plainte du chacal et le ululement des chouettes ne lui suggérèrent que des pensées angoissantes au cours de cette nuit, envahie de cauchemars, qu'il passa sous une tente dressée à l'ombre d'un énorme chêne solitaire.

Son père ne vint pas l'accueillir : il se trouvait en Lyncestide, où il rencontrait les chefs des tribus illyriennes. Le jeune homme regagna le palais après le coucher du soleil, et ne fut donc fêté que par quelques proches. Fou de joie, Péritas courait dans tous les sens, se roulait sur le sol en jappant et en frétillant, puis bondissait pour lui lécher le visage et les mains.

Alexandre en fut quitte avec quelques caresses et regagna ses appartements, où l'attendait Campaspé.

La jeune femme se précipita à sa rencontre et se blottit contre lui, puis elle le débarrassa de ses vêtements poussiéreux et lui fit prendre un bain, tout en le massant longuement de ses mains douces. Dès qu'Alexandre sortit de la baignoire, elle commença à se déshabiller. C'est alors que Leptine pénétra dans la pièce. Rougissante, elle garda les yeux rivés au sol.

« Olympias souhaiterait que tu la retrouves chez elle au plus vite, lui annonça-t-elle. Elle espère que tu dîneras en sa compagnie.

— Je n'y manquerai pas », répondit Alexandre. Et tandis que Leptine s'éloignait, il chuchota à l'oreille de Campaspé : « Attends-moi. »

Dès qu'elle l'aperçut, sa mère le serra avec fièvre sur sa poitrine.

« Qu'y a-t-il, maman ? » lui demanda le jeune homme en s'écartant.

Olympias avait des yeux immenses, aussi profonds que les lacs de ses montagnes natales, et son regard reflétait le violent contraste des passions qui agitaient son âme.

Elle baissa la tête en se mordant la lèvre.

« Qu'y a-t-il, maman ? » répéta Alexandre.

Olympias se tourna vers la fenêtre pour masquer sa déception et sa honte.

« Ton père a une maîtresse.

— Mon père a sept femmes. C'est un homme fougueux, une seule épouse ne lui suffit pas. De plus, c'est notre roi.

— Cette fois, c'est différent. Ton père est amoureux d'une femme qui a l'âge de ta sœur.

— Ce n'est pas la première fois. Cela lui passera.

— Je te dis que c'est différent, cette fois. Il est amoureux, il a perdu la tête. C'est comme... » Elle eut un bref soupir. « ... comme à notre première rencontre.

— C'est différent ?

— Très différent, affirma Olympias, parce que cette fille est enceinte, et il veut l'épouser.

— Qui est-ce ? interrogea Alexandre dont le visage s'était assombri.

— Eurydice, la fille du général Attale. Tu comprends, maintenant, pourquoi je suis inquiète ? Eurydice est macédonienne, elle appartient à la plus grande noblesse, ce n'est pas une étrangère comme moi.

— Cela ne veut rien dire. Tu es d'origine royale, tu descends de Pyrrhos, fils d'Achille, et d'Andromaque, épouse d'Hector.

— Des fables, mon fils ! Supposons que cette fille accouche d'un garçon... »

Alexandre, brusquement troublé, observa un moment de silence. « Explique-toi mieux. Dis-moi le fond de tes pensées : personne ne nous écoute.

— Supposons donc que Philippe me répudie et qu'il fasse d'Eurydice la reine de Macédoine, ce qui est en son pouvoir : l'enfant de cette fille deviendrait alors l'héritier légitime du trône, et toi son bâtard, le fils de l'étrangère répudiée.

— Pourquoi devrait-il faire une chose pareille ? Mon père m'a toujours aimé, il a toujours voulu ce qu'il y avait de mieux pour moi. Il m'a élevé pour que je lui succède.

— Tu ne comprends pas. Une belle fille peut totalement bouleverser l'esprit d'un homme mûr, et un nouveau-né accaparera toutes ses attentions parce qu'il lui donnera l'impression d'être jeune, et ralentira le temps qui s'écoule inexorablement. »

Alexandre ne savait que répondre, mais il était facile de comprendre que ces mots l'avaient profondément troublé.

Il s'assit sur une chaise et appuya le front sur sa main gauche, comme pour rassembler ses pensées. « Comment devrais-je réagir, selon toi ?

— Je l'ignore moi-même, admit la reine. Je suis indignée, bouleversée, furieuse de l'humiliation qui m'est infligée. Si seulement j'étais un homme...

— Moi, je le suis ! s'écria Alexandre.

— Mais tu es son fils.

— Que veux-tu dire ?

— Rien. L'humiliation qu'il me faut supporter me fait perdre la raison.

— Alors, que devrais-je faire selon toi ?

— Rien. Rien pour le moment. Mais j'ai voulu t'en parler pour te mettre en garde, car tout peut arriver, désormais.

— Elle est vraiment si belle ? » demanda Alexandre.

Olympias baissa la tête. Il lui était visiblement difficile de répondre à cette question. « Plus que tu ne peux l'imaginer. C'est son père, Attale, qui l'a fourrée dans le lit de Philippe. Il a échafaudé un plan, c'est évident, et il sait qu'il peut compter sur l'appui de nombreux nobles macédoniens. Ils me détestent. »

Alexandre se leva pour prendre congé.

« Tu ne restes pas dîner ? J'ai fait préparer un repas. Des mets que tu apprécies.

— Je n'ai pas faim, maman. Et je suis fatigué. Pardonne-moi. Je reviendrai te voir bientôt. Essaie de rester sereine. Je ne crois pas que nous puissions y faire grand-chose pour le moment. »

Il sortit, bouleversé par cet entretien. L'idée que son père l'écarte brusquement de ses pensées et de ses projets ne l'avait jamais effleuré : n'avait-il pas mérité sa reconnaissance en contribuant de façon déterminante à la grande victoire de Chéronée, et en accomplissant une mission diplomatique fort délicate à Athènes ?

Afin de chasser ces pensées, il se rendit aux écuries. Reconnaissant sa voix, Bucéphale se mit aussitôt à piaffer et hennir. Sa robe était luisante, sa crinière et sa queue aussi bien peignées que la chevelure d'une jeune fille. Alexandre s'approcha et l'embrassa, caressa longuement son encolure et son front.

« Tu es enfin rentré ! dit une voix dans son dos. Je savais que je te dénicherais ici. Alors ? Comment te semble ton Bucéphale ? Tu vois, je me suis bien occupé de lui. Comme d'une belle femme, je te l'avais promis.

— Héphestion, c'est toi ! »

Le jeune homme avança et lui administra une bonne bourrade sur l'épaule.

« Hé, brigand, tu m'as manqué ! »

Alexandre lui rendit son coup. « Toi aussi, voleur de chevaux ! »

Ils se donnèrent une accolade dure et forte, plus forte que l'amitié, que le temps et la mort.

Alexandre regagna ses quartiers tard dans la nuit et trouva Leptine assise devant sa porte, endormie à côté de sa lanterne éteinte.

Il se pencha pour la contempler en silence avant de la prendre délicatement dans ses bras, puis de la déposer sur son lit et d'effleurer ses lèvres d'un baiser. Cette nuit-là, Campaspé l'attendit en vain.

Philippe revint quelques jours plus tard. Il convoqua aussitôt son fils dans ses appartements et le serra avec fougue contre sa poitrine. « Par tous les dieux, tu as l'air radieux ! Comment était-ce, à Athènes ? » Mais il perçut l'embarras d'Alexandre.

« Qu'y a-t-il, mon garçon ? Les Athéniens t'auraient-ils ramolli ? Ou serais-tu amoureux ? Oh, par Héraclès, ne me dis pas que tu es amoureux ! Et voilà ! Je lui offre la “ compagne ” la plus experte qui soit, et il s'amourache de... de qui ? D'une belle Athénienne ? Ne dis rien, je devine ! Le charme des Athéniennes est sans égal. Ah, elle est bien bonne, celle-là, il faut que je la raconte à Parménion !

— Je ne suis pas amoureux, père. En revanche, j'ai entendu dire que tu l'étais. »

Le sang de Philippe ne fit qu'un tour dans ses veines. Il se mit à arpenter la pièce. « Ta mère. Ta mère ! s'exclama-t-il. Elle est pleine de rancune, dévorée par la jalousie et par la haine. Et elle veut te monter contre moi. C'est bien cela, n'est-ce pas ?

— Tu as une autre femme, affirma Alexandre d'un air glacial.

— Et alors ? Ce n'est certes pas la première, et ce ne sera pas la dernière. Elle est splendide, aussi belle que le soleil, ou qu'Aphrodite. Plus encore ! Elle s'est glissée dans mes bras, nue, soyeuse, épilée, parfumée, les seins pareils à des poires mûres, et elle m'a ouvert ses cuisses. Que devais-je faire ? Ta mère me déteste, elle me cracherait dessus à chacune de nos rencontres ! Et cette fillette-là est aussi douce que le miel. »

Il se laissa tomber sur une chaise et, d'un geste rapide qui traduisait sa fureur, releva son manteau sur ses genoux.

« Tu n'as pas à me rendre compte de tes maîtresses, père.

— Cesse de m'appeler “ père ” : nous sommes seuls !

— Ma mère se sent humiliée, repoussée, elle est inquiète.

— J'ai compris ! s'écria Philippe. J'ai compris ! Elle essaie de te dresser contre moi. Et sans la moindre raison. Viens, viens avec moi ! Viens voir la surprise que je t'avais préparée avant que tu ne me gâches la journée avec ces stupidités. Viens ! »

Il l'entraîna dans l'escalier et, arrivé au bas des marches, s'engagea dans un couloir proche des ateliers. Il ouvrit une porte et le poussa violemment à l'intérieur.

« Regarde ! »

La pièce était éclairée par une grande fenêtre latérale. Posé sur une table, un médaillon d'argile représentait le prince de profil, les cheveux ceints d'une couronne de lauriers, comme le dieu Apollon.

« Cela te plaît ? demanda une voix qui s'échappait d'un coin sombre.

— Lysippe ! s'exclama Alexandre en se retournant, avant de se précipiter dans les bras du maître.

— Alors, cela te plaît ? répéta Philippe, derrière lui.

— Mais qu'est-ce que c'est ?

— C'est le modèle d'un statère d'or du royaume de Macédoine, qui sera frappé demain pour rappeler ta victoire à Chéronée et ta dignité d'héritier du trône. Il circulera dans le monde à dix mille exemplaires », répondit le roi.

Alexandre baissa la tête, empli de confusion.

27

Le geste de Philippe et la présence de Lysippe à la cour dissipèrent un moment les nuages qui avaient obscurci les rapports du père et de son fils. Mais bien vite, Alexandre mesura l'importance du lien qui unissait son père à la jeune Eurydice.

Toutefois, les devoirs pressants de la politique détournèrent aussi bien le roi que le prince des affaires privées.

La réponse d'Arsès, le roi des Perses, était arrivée, et elle était plus méprisante que la lettre de Philippe. Eumène la lui lut sans attendre.

> Arsès, roi des Perses, Roi des Rois, lumière des Aryens et seigneur des quatre coins de la terre, à Philippe, le Macédonien.
>
> Ce que fit mon père, Artaxerxès, troisième de ce nom, fut bien fait. C'est plutôt toi qui devrais nous payer un tribut comme tes prédécesseurs, puisque tu es un de nos vassaux.

Le roi convoqua aussitôt Alexandre, à qui il tendit la missive. « Tout se déroule comme je l'avais prévu : mon plan prend forme dans les moindres détails. Le Perse refuse de payer pour les dommages que son père nous a causés, ce qui est plus que suffisant pour lui déclarer la guerre. Enfin, mon rêve devient réalité ! J'unifierai tous les Grecs de la mère patrie et des colonies d'Orient, je sauverai la culture hellénique et la répandrai dans le monde entier. Démosthène n'a pas saisi la teneur de mon projet, il m'a combattu comme si j'étais un tyran. Mais regarde autour de toi ! Les Grecs sont libres et il n'y a de garnison macédonienne que sur l'acropole des traîtres thébains. J'ai protégé les Arcadiens et les Messéniens, j'ai été à plusieurs reprises le champion du sanctuaire de Delphes.

— Tu veux vraiment aller en Asie ? » demanda Alexandre, surtout frappé par cet aspect de la question.

Philippe plongea son regard dans le sien.

« Oui. Et je vais l'annoncer à nos alliés, à Corinthe. Je leur demanderai de nous fournir des contingents d'hommes et des navires de guerre pour favoriser une entreprise qu'aucun Grec n'est jamais parvenu à mener à bien.

— Et penses-tu qu'ils te suivront ?

— Je n'en doute pas, répondit Philippe. Je leur expliquerai que le but de cette expédition est de libérer les villes grecques d'Asie de la domination des barbares. Ils ne pourront pas reculer.

— Est-ce le véritable but de cette expédition ?

— Nous possédons l'armée la plus forte du monde, l'Asie est immense, et il n'y a pas de limites à la gloire qu'un homme peut se gagner, mon fils », affirma le roi.

Quelques jours plus tard, un autre invité se présenta à la cour : Apelle, que bon nombre de gens considéraient comme le plus grand peintre du monde entier. Philippe lui avait demandé de le représenter aux côtés de la reine, avec toutes les retouches et les embellissements nécessaires, pour un portrait officiel destiné au sanctuaire de Delphes. Mais Olympias refusa de poser auprès de son époux, et Apelle dut l'épier de loin pour effectuer les croquis préparatoires.

Le résultat final enthousiasma toutefois Philippe, qui lui commanda un portrait d'Alexandre. Celui-ci s'y opposa.

« Je préfère que tu fasses le portrait d'une amie, lui dit-il. Nue.

— Nue ? interrogea Apelle.

— Oui, sa beauté me manque quand je suis au loin. Il faut que tu effectues un tableau qui ne soit pas trop grand, car je désire l'emporter en voyage. Mais je veux qu'il soit très ressemblant.

— Tu auras l'impression de la voir en chair et en os, mon seigneur », assura Apelle.

Ainsi, Campaspé, qui était selon l'avis de certains la plus belle femme de Grèce, posa nue, dans toute sa splendeur, devant le plus grand des peintres.

Impatient d'admirer le résultat d'une rencontre aussi extraordinaire, Alexandre s'enquérait chaque jour des progrès du travail. Mais il s'aperçut bien vite qu'il n'y en avait pas, ou presque : Apelle ne cessait de multiplier les croquis pour ensuite les effacer.

« Ce tableau est comme la toile de Pénélope, observa le jeune homme. Qu'est-ce qui ne va pas ? »

Apelle était à l'évidence embarrassé. Son regard allait de son magnifique modèle à Alexandre, puis revenait vers la jeune femme.

« Qu'y a-t-il ? répéta le prince.

— Le fait est... Le fait est que je ne peux pas supporter l'idée de me séparer d'une telle beauté. »

À son tour, Alexandre observa le maître et Campaspé. Il devina qu'ils ne s'étaient pas seulement occupés d'art au cours de ces longues séances. « J'ai compris », dit-il. Il songea alors à Leptine, dont les yeux étaient continûment rougis par les larmes, et pensa qu'il ne manquerait pas de belles femmes à l'avenir, s'il le désirait. Il se dit aussi que sa maîtresse devenait chaque jour plus impertinente et plus exigeante. Il s'approcha alors du peintre et lui murmura à l'oreille : « J'ai une proposition à te faire. Tu me laisses le tableau et je te laisse la fille. Naturellement, si elle n'a rien à redire.

— Oh, mon seigneur, balbutia le grand artiste envahi par l'émotion. Comment te remercier. J'ai... j'ai... »

Le jeune prince lui donna une tape sur l'épaule. « L'important, c'est que vous soyez heureux et que le tableau soit réussi. » Puis il ouvrit la porte et sortit.

Philippe et Alexandre se rendirent à Corinthe vers la fin de l'été et furent hébergés aux frais de la cité. Le choix de ce lieu ne relevait pas du hasard : c'était à Corinthe que les Grecs avaient juré de résister à l'envahisseur perse, cent cinquante ans plus tôt, et c'est là que devait être ratifiée la nouvelle alliance qui unirait tous les Grecs du continent et des îles dans une grande expédition en Asie. Une entreprise qui ferait pâlir le souvenir de la guerre de Troie, dont Homère avait chanté la gloire.

Dans un discours plein de passion qu'il tint devant les délégués, Philippe rappela une nouvelle fois les phases de la querelle opposant l'Europe et l'Asie, sans négliger les épisodes de la mythologie. Il évoqua les morts de Marathon et des Thermopyles, l'incendie qui avait détruit l'Acropole d'Athènes et ses temples. Quoique vieux de plusieurs générations, ces événements étaient toujours vivants dans la culture populaire, notamment parce que la Perse n'avait jamais cessé de s'immiscer dans les affaires intérieures des États grecs.

Mais si les Grecs se laissèrent persuader, ce fut moins par le souvenir des invasions perses que par la décision de Philippe, la conviction qu'il n'existait pas d'autre option que de se soumettre à sa volonté, et que sa façon de concevoir la politique incluait aussi la guerre.

L'assemblée finit donc par attribuer au roi des Macédoniens la charge de conduire la ligue panhellénique en vue d'une grande expédition contre la Perse. Nombre de délégués pensaient toutefois qu'il s'agissait d'une ruse destinée à asseoir sa propre gloire. Ils se trompaient.

Alexandre eut ainsi l'occasion de visiter Corinthe, qu'il n'avait jamais vue. Il se rendit à l'acropole, quasiment inexpugnable, en compagnie de Callisthène, et admira les magnifiques temples d'Apollon et de Poséidon, le dieu de la mer, protecteur de la ville.

Il fut surtout frappé par la « traction navale », un dispositif spectaculaire qui permettait aux bateaux de passer du golfe d'Égine au golfe de Corinthe en traversant l'isthme du Péloponnèse, ce qui leur évitait de contourner la presqu'île, hérissée de rochers coupants.

Il s'agissait d'une voie de halage en bois, sans cesse recouvert de graisse de bœuf, qui montait du golfe d'Égine, atteignait le sommet de l'isthme et redescendait de l'autre côté, dans le golfe de Corinthe. Le bateau qui devait l'emprunter était tracté par un attelage de bœufs jusqu'au point le plus haut, où il s'arrêtait en attendant que se présente un autre bateau, qui s'accrochait derrière lui.

Il était alors poussé vers le bas, de façon à entraîner ainsi le deuxième, qui, par son poids, ralentissait la descente du premier. Un troisième bateau s'adjoignait au deuxième lorsque celui-ci arrivait au sommet. Le premier pouvait alors prendre le large.

« Personne n'a jamais songé à creuser un canal pour relier les deux golfes ? demanda Alexandre à ses hôtes corinthiens.

— Si les dieux avaient voulu que la mer soit là où se trouve la terre, ils auraient fait du Péloponnèse une île, ne crois-tu pas ? répondit leur guide. Rappelle-toi ce qui arriva au Grand Roi des Perses à l'époque de l'invasion de la Grèce. Il jeta un pont sur la mer pour permettre à son armée de traverser les détroits, et il coupa la péninsule du mont Athos par un canal afin d'y faire naviguer sa flotte. Mais il fut châtié pour sa prétention : il essuya une sévère défaite, sur terre comme sur mer.

— C'est vrai, admit Alexandre. Mon père m'a jadis montré cet énorme fossé et m'a parlé de l'entreprise du

Grand Roi. Voilà comment l'idée d'un canal m'est venue. »

On lui apprit aussi que Diogène, le célèbre philosophe cynique, sur le compte duquel on rapportait des histoires incroyables, vivait non loin de là.

« Je le sais, répliqua Alexandre. Aristote m'a exposé les thèses des cyniques. Diogène pense que c'est seulement en se privant de ce qui est superflu qu'on peut se libérer de toutes sortes de désirs, et donc de toutes sortes de malheurs.

— Une étrange théorie, intervint Callisthène. Se priver de tout pour atteindre, non pas le bonheur, mais seulement l'impassibilité, constitue à mon avis un exercice plutôt stupide, en plus d'un gaspillage. Un peu comme si l'on brûlait du bois pour en vendre la cendre, n'est-ce pas ?

— C'est possible, dit Alexandre. Pourtant, j'aimerais bien le rencontrer. Est-il vrai qu'il vit à l'intérieur d'une jarre d'huile ?

— Oui. Au cours du dernier conflit, alors que les troupes de ton père nous assiégeaient, les citoyens s'employaient à renforcer les murailles en courant dans tous les sens. Soudain, Diogène se mit à pousser sa jarre sur une pente, la fit rouler jusqu'en bas, puis la remonta. " Pourquoi agis-tu de la sorte ? " lui demanda-t-on. Et il répondit : " Pour rien. Mais les autres sont si occupés que je ne voulais pas avoir l'air de me croiser les bras. " Cet épisode vous en dit assez long sur l'homme. Songe que le seul objet qu'il possédait était une écuelle pour puiser de l'eau à la fontaine ; mais un jour, il vit un enfant qui buvait dans ses mains et il jeta aussi son écuelle. As-tu vraiment envie de le connaître ?

— Oui, s'il te plaît, répondit Alexandre.

— Si tu y tiens vraiment, soupira Callisthène avec un air de suffisance. Le spectacle ne sera pas des plus agréables. Tu n'es pas sans savoir pourquoi Diogène et ses disciples sont qualifiés de " cyniques ", n'est-ce pas ? À les entendre, tout ce qui est naturel n'a rien d'obscène. Voilà pourquoi ils font tout en public, comme les chiens.

— C'est vrai, confirma leur guide. Venez, il habite, si je peux m'exprimer ainsi, non loin d'ici. On le trouve au bord de la route, où il peut recevoir facilement les oboles des passants. »

Ils cheminèrent un moment le long de la route qui menait de la « traction navale » au sanctuaire de Poséidon. Alexandre fut le premier à le remarquer, de loin.

C'était un vieil d'homme d'environ soixante-dix ans, complètement nu ; il était adossé à un grande jarre de terre cuite, à l'intérieur de laquelle on pouvait apercevoir une paillasse et une couverture en lambeaux. La niche de Péritas, songea Alexandre, était certainement beaucoup plus confortable. Un petit chien bâtard était assis à ses côtés. Il mangeait probablement dans la même écuelle que lui et partageait sa couche.

Les bras sur les genoux et la tête renversée contre son misérable taudis, Diogène réchauffait ses membres plissés au dernier soleil de l'été. Il était presque entièrement chauve, mais les cheveux qui poussaient sur sa nuque lui tombaient jusqu'au milieu du dos. Il avait un visage émacié, sillonné de nombreuses rides et bordé par une petite barbe chétive, des pommettes saillantes et des cernes profonds, un front large et d'une certaine façon lumineux.

Il était totalement immobile, les yeux fermés.

Alexandre s'arrêta devant lui et le contempla un long moment en silence. Aucun signe ne montrait que l'homme avait remarqué sa présence.

Le jeune prince se demandait quelles pensées se pressaient sous ce large front, dans ce crâne puissant, posé sur ce corps frêle et chétif. Quelle raison l'avait amené, après une vie de recherches sur l'esprit de l'homme, à vivre dans la nudité et la pauvreté le long de la rue, objet des rires et de la compassion des passants ?

Il était ému par cette pauvreté orgueilleuse, par cette simplicité totale, par ce corps qui souhaitait que la mort le trouve dépouillé de tout, comme à la naissance.

Il aurait voulu qu'Aristote soit là, près de lui ; il aurait voulu voir ces deux esprits s'affronter au soleil, pareils à des champions munis d'une lance et d'une épée, et il aurait voulu lui dire combien il l'admirait. Mais il prononça une phrase malheureuse.

« Salut à toi, Diogène. Tu as devant toi Alexandre de Macédoine. Demande-moi ce que tu désires et je serai heureux de te l'offrir. »

Le vieil homme ouvrit sa bouche édentée : « N'importe quoi ? interrogea-t-il d'une petite voix stridente, les paupières toujours baissées.

— N'importe quoi, répéta Alexandre.

— Alors, écarte-toi un peu de mon soleil. »

Alexandre se déplaça et s'assit sur le côté, à ses pieds, comme un postulant. Il lança à Callisthène : « Laissez-nous seuls. J'ignore s'il me dira autre chose, mais s'il le fait, ses mots ne pourront pas être écrits, mon ami. » Callisthène vit qu'il avait les yeux luisants. « Tu as peut-être raison, poursuivit le prince. Tout cela n'est peut-être qu'un gaspillage, un peu comme si l'on brûlait du bois pour en vendre la cendre, mais je donnerais n'importe quoi pour savoir ce qui se passe derrière ces paupières closes. Et crois-moi, si je n'étais pas celui que je suis, si je n'étais pas Alexandre, je voudrais être Diogène. »

28

Personne ne sut ce qu'ils se dirent, mais cette rencontre se grava à jamais dans l'esprit d'Alexandre, et peut-être aussi dans celui de Diogène.

Deux jours plus tard, Philippe et sa suite reprirent la route du nord en direction de la Macédoine, et le prince partit avec eux.

De retour à Pella, le roi se consacra aux préparatifs de sa grande expédition en Orient. Chaque jour, ou presque, il réunissait un conseil de guerre, auquel participaient les généraux, Attale, Cleitos le Noir, Antipatros et Parménion, afin d'organiser le recrutement des soldats, l'équipement et le ravitaillement. Les bons rapports que la Macédoine entretenait avec Athènes lui garantissaient la sécurité sur mer et le transport de l'armée en Asie par l'entremise de sa propre flotte et de celle des alliés.

Alexandre se plongea dans cette activité fébrile ; il ne semblait pas songer outre mesure à la grossesse d'Eurydice ni aux angoisses de sa mère, qui ne cessait de lui envoyer des messages lorsqu'il était absent, ou le priait de lui rendre visite quand il était au palais.

Olympias entretenait également une correspondance fournie avec son frère, Alexandre d'Épire, dont elle voulait s'assurer le soutien : plus que jamais, elle se sentait seule, reléguée dans ses appartements.

Ses pensées et les conversations qu'elle avait avec ceux qui lui demeuraient fidèles revenaient toujours sur sa triste condition. Elle n'entrevoyait pour elle qu'un avenir de réclusion et d'isolement complet. Elle savait que dès l'instant où Eurydice recevrait ses nouvelles prérogatives de reine, les apparitions en public ne lui seraient même plus autorisées. Elle n'aurait plus l'occasion de rencontrer les invités et les délégations étrangères lors des cérémonies officielles, de tenir compagnie, dans ses appartements, aux femmes et amies des visiteurs.

Elle craignait surtout de perdre ce qui lui restait de son pouvoir personnel, en qualité de mère de l'héritier du trône.

Entouré par ses amis, qui lui prouvaient chaque jour leur dévouement et leur fidélité, Alexandre était plus serein. En outre, il avait l'estime, profonde et sincère, des généraux Parménion et Antipatros, bras droit et bras gauche du roi, son père, lesquels l'avaient vu à l'œuvre aussi bien dans l'administration du pouvoir que sur le champ de bataille. Ils savaient que le royaume serait en sûreté dans les mains du jeune homme. En réalité, la situation dynastique n'était pas des plus tranquilles : les cousins d'Alexandre, Amyntas et son frère Archélaos, pouvaient se gagner l'appui d'une certaine noblesse, même si son frère naturel, Arrhidée, à moitié débile, ne semblait causer aucun problème pour le moment.

La date du mariage de Philippe fut annoncée officiellement au début de l'hiver. Quand bien même elle était attendue, la nouvelle eut l'effet d'un éclair.

Le caractère particulièrement solennel que le roi voulait imprimer à la cérémonie, et le faste avec lequel on la préparait, impressionnèrent tout le monde.

Eumène, désormais responsable de l'entière administration du secrétariat royal, informait Alexandre du moindre détail : le rang des invités, les dépenses pour les vêtements, les ornements, les mets, les vins, l'organisation, les bijoux destinés à la mariée et à ses dames d'honneur.

Alexandre tentait d'épargner à sa mère la plupart de ses nouvelles pour éviter de la blesser, mais Olympias avait des yeux et des oreilles partout, elle apprenait ce qui se passait avant son propre fils.

Quelque temps avant le grand jour, la reine reçut l'invitation du roi à participer à ses noces ; Alexandre aussi. Tous deux savaient qu'une invitation de Philippe équivalait à un ordre ; ils s'apprêtèrent donc, à contrecœur, à participer à la cérémonie et au somptueux banquet qui lui succéderait.

Eumène avait accompli des miracles pour disposer les lits et les tables des invités de façon à éviter des contacts qui entraîneraient inévitablement des affrontements ou des bagarres. Les chefs de tribus et les princes macédoniens étaient presque tous placés d'un côté ou de l'autre : quand le vin coulerait à flots, ils risquaient de s'échauffer à cause d'une phrase ou d'un geste mal interprété.

La mariée était ravissante et revêtue de tous les attributs de la royauté, mais les signes de sa grossesse apparaissaient clairement. Elle portait un diadème en or, ses cheveux étaient tirés sur sa nuque en un chignon maintenu par de grosses épingles en or terminées par une tête de corail ; elle était habillée d'un péplum tissé d'argent dont les broderies, d'une extraordinaire beauté, imitaient le style des peintres céramistes et reproduisaient une scène de jeunes filles dansant devant la statue d'Aphrodite ; son voile nuptial recouvrait partiellement son front.

En raison de son titre d'héritier du trône, Alexandre dut assister de près à la cérémonie et s'allongea non loin de son père au cours du banquet qui s'ensuivit.

En revanche, Olympias et ses dames de compagnie avaient été placées du côté opposé, à l'autre extrémité de la salle. La princesse Cléopâtre qui, disait-on, ne s'entendait pas avec Eurydice, avait préféré rester auprès de sa mère.

Les lits avaient été disposés sur les quatre côtés d'un rectangle. Au fond à droite, un unique passage avait été pratiqué à l'intention des cuisiniers qui apportaient les plats, et des serviteurs qui ne cessaient de verser le vin et de nettoyer le sol où les convives jetaient les restes.

Un groupe de flûtistes avait commencé à jouer et des danseuses évoluaient entre les tables, ainsi que dans l'espace ouvert au milieu du grand rectangle. L'atmosphère s'animait et Alexandre, qui n'avait pas bu une seule goutte de vin, surveillait discrètement sa mère. Elle était splendide et altière, le visage pâle, le regard glacial ; on aurait dit qu'elle dominait cette sorte de bacchanale, le vacarme des ivrognes et la musique stridente des flûtistes, comme la statue d'une implacable divinité de la vengeance.

Elle ne but ni ne mangea au cours du repas, tandis que Philippe s'abandonnait à toutes sortes d'intempérances, aussi bien avec sa jeune épouse, qui se cachait derrière des petits rires complaisants, qu'avec les danseuses qui passaient à côté de lui. Les autres convives l'imitaient, en particulier les Macédoniens.

Puis vint le moment des toasts ; selon le cérémonial, le beau-père devait prononcer, le premier, des vœux de bonheur. Attale était aussi ivre que les autres : il se dressa en vacillant et leva sa coupe remplie de vin, aspergeant son coussin brodé et ses voisins. Puis, d'une voix pâteuse, il parla : « Je bois au couple royal, à la virilité de l'époux et à la beauté de la mariée. Puissent les dieux donner un héritier légitime au royaume de Macédoine ! »

Aucune phrase n'eût pu être plus malheureuse : elle alimentait les rumeurs qui circulaient parmi la noblesse macédonienne au sujet de l'infidélité de la reine et blessaient cruellement l'héritier désigné.

Olympias blêmit. Tous ceux qui avaient entendu clairement le vœu d'Attale se turent aussitôt et se tournèrent vers Alexandre qui avait bondi, le visage cramoisi, en proie à l'un de ses terribles accès de colère.

« Espèce d'idiot ! hurla-t-il. Fils de chien ! Et que suis-je, alors ? Un bâtard ? Ravale tes paroles ou je t'égorge comme un cochon ! » Et il dégaina son épée pour mettre ses menaces à exécution.

Furieux qu'Alexandre injurie son beau-père et lui gâche ses noces, Philippe brandit à son tour son épée et se jeta sur lui. La salle se remplit de cris, les danseuses prirent la fuite et les cuisiniers se cachèrent sous les tables pour se protéger de l'ouragan qui allait s'abattre.

Mais alors qu'il tentait de sauter d'un lit à l'autre pour rejoindre son fils qui l'attendait, impassible, Philippe glissa et s'écroula bruyamment sur le sol, entraînant dans sa chute nappes, couverts et assiettes, restes de nourriture, et atterrissant dans une mare de vin rouge. Il essaya de se relever, mais il dérapa une nouvelle fois et tomba la tête la première.

Alexandre s'approcha de lui, l'épée au poing, tandis qu'un silence de mort s'abattait sur la salle. Les danseuses tremblaient dans un coin de la pièce. Attale était aussi pâle qu'un linge, un filet de salive coulait à la commissure de ses lèvres entrouvertes. La jeune mariée pleurnichait : « Arrêtez-les, au nom des dieux, qu'on fasse quelque chose !

— Le voilà, regardez-le ! s'exclama Alexandre avec un rire moqueur. L'homme qui veut passer de l'Europe à l'Asie n'est même pas capable de passer d'un lit à l'autre sans se casser la figure ! »

Philippe rampait dans la flaque de vin et les restes du repas en grondant : « Je vais te tuer ! Je vais te tuer ! »

Mais Alexandre ne broncha pas. « Ce serait déjà bien si tu parvenais à te lever », affirma-t-il. Puis il lança aux serviteurs : « Relevez-le et nettoyez-le. »

Il rejoignit ensuite Olympias. « Partons, mère. Tu avais raison, nous n'avons plus notre place ici. »

29

Alexandre sortit rapidement du palais en tenant sa mère par la main, poursuivi par les hurlements furieux de Philippe. Dès qu'ils furent arrivés dans la cour, il lui demanda :

« Te sens-tu capable de monter à cheval, ou préfères-tu que je te fasse préparer un char ?

— Non. Je monterai à cheval.

— Change-toi et attends-moi à l'entrée de tes appartements : je te rejoindrai dans quelques instants. N'oublie pas d'emporter un manteau et des vêtements chauds. Nous allons dans la montagne.

— Enfin ! » s'exclama la reine.

Alexandre se précipita aux écuries, prit Bucéphale ainsi qu'un bai de Sarmatie, munis de leurs harnachements, couvertures et sacoches, puis il quitta les écuries et atteignit l'angle nord du palais.

« Alexandre, attends ! cria une voix dans son dos.

— Héphestion ! Ne me suis pas : tu vas attirer la colère de mon père.

— Peu m'importe, je ne t'abandonne pas. Où vas-tu ?

— En Épire, chez mon oncle.

— Par quelle route ?

— Celle de Béroée.

— Pars. Je vous rejoindrai plus tard.

— D'accord. Salue les autres pour moi et dis à Eumène de s'occuper de Péritas.

— Sois tranquille, le rassura Héphestion en s'éloignant.

— Un os par jour, au moins ! cria Alexandre. Pour ses dents ! »

D'un signe de la main, son ami lui montra qu'il avait compris, et il disparut à nouveau dans les écuries.

Olympias était déjà prête. Elle avait relevé ses cheveux en un chignon, enfilé un corset de cuir et un pantalon illyrien, et jeté sur ses épaules deux besaces contenant des couvertures et des provisions, ainsi qu'un sac d'argent. Une de ses servantes la suivait en pleurnichant : « Mais, Reine... Reine...

— Retourne dans la chambre et enferme-toi », lui ordonna Olympias.

Alexandre lui tendit les rênes du cheval. « Maman, où est Cléopâtre ? demanda-t-il. Je ne peux pas partir sans lui avoir dit au revoir.

— Elle a envoyé une servante me prévenir qu'elle t'attendait dans le vestibule du quartier des femmes ; mais chaque instant que nous perdons peut nous être fatal, tu le sais.

— Je me dépêcherai, maman. »

Il cacha son visage sous le capuchon de son manteau et courut rejoindre sa sœur, pâle et tremblante, encore vêtue de sa robe de cérémonie.

Dès qu'elle l'aperçut, Cléopâtre se blottit contre lui en pleurant : « Ne pars pas, ne pars pas ! Je demanderai moi-même à papa de te pardonner, je me jetterai à ses pieds, il ne pourra pas refuser !

— Où est-il à présent ?

— On l'a conduit dans ses appartements.

— Soûl ? »

Cléopâtre acquiesça.

« Je dois m'enfuir avant qu'il ne reprenne connaissance. Désormais, il n'y a plus de place pour moi ici, ni pour notre mère. Si je peux, je t'écrirai. Je t'aime, petite sœur. »

De plus en plus désespérée, Cléopâtre fondit en pleurs, et Alexandre dut se libérer presque violemment de son étreinte.

« Quand te reverrai-je ? cria sa sœur dans son sillage.

— Quand les dieux le voudront, répondit Alexandre. Mais tu seras toujours dans mon cœur ! »

Il regagna en courant le point de rencontre qu'il avait fixé à sa mère. Il la trouva prête.

« Partons ! », s'écria-t-il. » Puis il lui lança un coup d'œil et sourit. « Maman, tu es magnifique. Tu ressembles à une Amazone. »

Olympias secoua la tête. « Une mère est toujours belle aux yeux de son fils. Mais merci quand même, mon garçon. » Elle bondit sur son cheval et l'éperonna. Alexandre talonna lui aussi Bucéphale jusqu'à ce qu'il se mette au galop.

Ils se tinrent à l'écart des routes les plus battues, s'engagèrent dans un sentier de campagne qu'Alexandre avait emprunté à plusieurs reprises lorsqu'il se trouvait à Miéza, et parcoururent en toute quiétude une bonne distance avant la tombée du jour.

Ils s'arrêtèrent deux fois pour permettre à leurs chevaux de reprendre haleine et pour les abreuver, puis finirent par atteindre la grande forêt qui recouvrait l'Éordée et la vallée de l'Haliacmon. Ils s'abritèrent dans une grotte où coulait une source. Là, Alexandre laissa les chevaux brouter librement. Il alluma un feu à l'aide de bâtonnets.

« C'est Aristote qui m'a appris cette façon de faire, expliqua-t-il. La friction génère la chaleur.

— As-tu été heureux à Miéza ?

— J'y ai passé de très belles années, mais ce genre de vie ne me convient pas. »

Il posa quelques feuilles mortes près des bâtonnets et commença à souffler dessus, jusqu'à ce qu'un peu de fumée s'en dégage. Une faible flamme s'éleva bientôt, qui augmenta tandis qu'il l'alimentait au moyen de feuilles sèches et de ramilles.

Quand la flamme crépita, le jeune homme ajouta des morceaux de bois plus épais, puis il étendit son manteau sur le sol.

« Mets-toi à l'aise, maman. Ce soir, c'est moi qui prépare le dîner. »

Olympias s'assit devant les flammes dansantes qu'elle observa d'un air fasciné, dans la solitude de la forêt. Alexandre ouvrit les sacoches, en tira du pain et le fit griller sur le feu. Puis il coupa un morceau de fromage et le lui tendit.

Ils mangèrent en silence.

« Le meilleur dîner depuis de nombreuses années, observa Olympias, et dans un lieu plus beau que n'importe quel palais. J'ai l'impression d'être redevenue enfant, dans mes montagnes. »

Alexandre remplit un gobelet de buis à la source et le lui donna. « Et pourtant, cela ne te convient pas non plus. Tu aurais vite la nostalgie de la politique, de tes relations et de tes intrigues, ne crois-tu pas ?

— Peut-être. Mais pour l'instant, laisse-moi rêver. La dernière fois que j'ai dormi avec toi, tu venais juste d'apprendre à marcher. Et ton père m'aimait. »

Ils discutèrent à voix basse en écoutant le bruissement du vent dans les branches de chêne et le crépitement des flammes de leur bivouac solitaire. Épuisés par cette longue journée riche en émotions, ils finirent par s'endormir.

Une profonde mélancolie s'était abattue sur eux : ils étaient désormais des exilés et des fuyards, sans toit ni amis. Tous deux mesuraient l'amère absence d'un homme dur, violent et despotique, capable toutefois, et mieux que quiconque, de se faire aimer.

Réveillé au milieu de la nuit par un bruit imperceptible, Alexandre ouvrit les yeux et s'aperçut que sa mère n'était plus à ses côtés. En se retournant, il entrevit une ombre sur le sentier qui serpentait au milieu des troncs séculaires, à la lueur de la lune. C'était Olympias. Debout devant un gros arbre au tronc creux, elle semblait parler à quelqu'un. Il avança prudemment en rampant sur la mousse et l'entendit murmurer quelques mots dans une langue inconnue. Elle se taisait un instant, comme si elle écoutait une réponse, puis poursuivait à voix basse.

Alexandre l'observa un moment, caché sous le feuillage d'un chêne. Il la vit emprunter un sentier marbré par les ombres étirées des branchages tendus sous la lueur diaphane de la lune. Il la suivit discrètement, d'un pas feutré. Sa mère s'immobilisa devant les ruines d'un vieux sanctuaire dont la statue de culte, en bois sculpté, altérée par le temps et par les intempéries, était difficilement reconnaissable. Mais il put distinguer l'image archaïque de Dionysos, le dieu de la fureur orgiaque et de l'ivresse, éclairée par la lumière tremblante de quelques lanternes, témoignant que ce lieu était encore visité.

Olympias s'approcha de la statue aussi légèrement que si elle esquissait un pas de danse, et posa la main sur son socle. Soudain, une flûte de roseau surgit entre ses doigts. La reine en tira bientôt une note intense et ondoyante, une mélodie magique et mystérieuse qu'elle confia au vent, et qui s'éleva au-dessus des voix nocturnes de la forêt.

Quelques instants s'écoulèrent. Une musique parut lui répondre en s'échappant de la forêt, un air indéfinissable qui se confondait tantôt avec le bruissement des feuilles, tantôt avec le chant lointain du rossignol, se faisant de plus en plus nette et de plus en plus distincte. D'abord, une cascade de notes aussi graves que le gargouillis d'une source au fond d'une grotte, puis d'autres, plus aiguës et plus limpides.

C'étaient encore les notes d'une flûte, ou de nombreuses flûtes de roseau qui émettaient un son primitif, long et suspendu, pareil au son modulé du vent.

Olympias déposa son instrument sur le sol, se dépouilla de son manteau et commença à danser au rythme de cette mélodie. Bientôt, des hommes et des femmes aux visages couverts de masques de bêtes, à l'aspect de satyres et de ménades, sortirent du bois. Certains soufflaient dans des pipeaux de roseau, d'autres dansaient autour de l'idole et de la reine, comme s'ils reconnaissaient en elle une seconde divinité.

Au fur et à mesure que leurs mouvements s'intensifiaient, d'autres êtres surgirent avec des tambours et des timbales, imprimant à la danse un rythme de plus en plus frénétique. Rendus méconnaissables par leurs masques et en raison de l'obscurité, ils se déshabillaient doucement et s'enlaçaient debout, puis au sol, autour de la statue, dans les spasmes et les contorsions de leurs étreintes sauvages.

Au milieu de ce chaos de formes et de sons, Olympias s'était brusquement immobilisée, comme la statue de Dionysos, semblable à une divinité nocturne. Des hommes nus et masqués rampèrent alors vers elle.

À la fois excité et troublé par cette scène, Alexandre avait mis la main à son épée. Il fut soudain frappé de stupeur et s'adossa au tronc de l'arbre sous lequel il se cachait. Sortant de terre, un énorme serpent avançait vers la statue du dieu puis s'enroulait lentement autour des jambes de sa mère.

Olympias ne bougeait pas, ses membres étaient raides et ses yeux fixaient le vide : on aurait dit qu'elle n'entendait ni ne voyait. Un deuxième serpent jaillit du sous-sol, deux autres le suivirent et rejoignirent le premier autour des jambes de la reine.

Le plus grand, le premier, s'éleva au-dessus des autres et enveloppa dans ses anneaux le corps entier d'Olympias jusqu'à dresser sa tête au-dessus de la sienne.

La musique frénétique avait soudain cessé, les silhouettes masquées avaient reculé à l'orée de la clairière, soumises et presque effrayées par cet événement surnaturel. Puis le serpent ouvrit la gueule, tira sa langue fine et fourchue avant d'émettre un son identique à celui qu'Olympias avait produit sur sa flûte : une note intense, fluide, aussi sombre et frémissante que la voix du vent parmi les chênes.

Les lanternes s'éteignirent peu à peu, et Alexandre ne vit plus, sous la clarté de la lune, que les écailles des reptiles qui scintillaient dans la pénombre avant de s'évanouir. Il soupira profondément et essuya son front ruisselant de sueur froide. Quand il posa de nouveau son regard sur le petit sanctuaire en ruine, la clairière était totalement vide et silencieuse, comme si rien ne s'y était produit.

C'est alors qu'il sentit qu'on lui touchait l'épaule. D'un bond, il se retourna, l'épée au poing.

« C'est moi, mon fils, dit Olympias en l'observant d'un air surpris. Je me suis réveillée et j'ai vu que tu n'étais plus là. Que fais-tu en ces lieux ? »

Le jeune homme tendit la main vers elle : il ne semblait pas croire ce qu'il voyait.

« Mais qu'as-tu ? » demanda de nouveau la reine.

Alexandre secoua la tête comme s'il voulait s'arracher à un rêve ou à un cauchemar, et croisa les yeux de sa mère, plus noirs et plus profonds que la nuit.

« Rien, répondit-il. Retournons au bivouac. »

Quand ils se levèrent, le lendemain, le soleil faisait briller l'eau de la source. Ils reprirent sans un mot la route vers l'ouest. Ni l'un ni l'autre n'osait prendre la parole.

Brusquement, Alexandre se tourna vers sa mère. « D'étranges bruits circulent sur ton compte, observa-t-il.

— Lesquels ? lui demanda Olympias, les yeux rivés sur la route.

— On dit... On dit que tu participes aux rituels secrets et aux orgies nocturnes de Dionysos. On dit aussi que tu possèdes des pouvoirs magiques.

— Et tu le crois ?
— Je ne sais pas. »
Olympias s'abstint de répliquer et ils chevauchèrent longuement au pas, en silence.
« Je t'ai vue, cette nuit, reprit Alexandre.
— Qu'as-tu vu ?
— Je t'ai vu déchaîner une orgie par le son de ta flûte et faire jaillir les serpents de la terre. »
Olympias se retourna et le transperça de son regard froid, pareil à la lumière que reflétaient les yeux du serpent apparu au cours de la nuit.
« Tu as donné chair à mes rêves et tu as suivi mon esprit dans les bois : un simulacre aussi vain que les ombres des morts. Car tu m'appartiens et tu participes d'une force divine.
— Ce n'était pas un rêve, affirma Alexandre. Je suis certain de ce que j'ai vu.
— Il existe des lieux et des moments où le rêve et la réalité se confondent ; il existe des êtres qui peuvent franchir les confins de la réalité et traverser des régions habitées par le mystère. Un jour, tu m'abandonneras et il me faudra alors quitter mon corps et voler dans la nuit jusqu'à toi pour te voir, entendre ta voix et ton souffle, être à tes côtés quand tu auras besoin de moi, à n'importe quel instant. »
Ils se turent jusqu'à ce que le soleil ait achevé sa course dans le ciel et qu'ils aient atteint la route de Béroée. C'est là qu'Héphestion les rejoignit. Alexandre mit pied à terre et se précipita vers lui.
« Comment as-tu réussi à nous retrouver ? lui demanda-t-il.
— Ton Bucéphale laisse des empreintes de taureau sauvage. Cela n'a pas été difficile.
— Que me racontes-tu de neuf ?
— Pas grand-chose. Je t'ai rapidement emboîté le pas. Mais je crois que le roi était tellement soûl qu'il ne tenait plus sur ses jambes. Je pense qu'on l'a lavé et couché.

— Crois-tu qu'il nous fera suivre ?
— Pourquoi ?
— Il voulait me tuer.
— Il avait bu, c'est tout. J'ai l'impression de l'entendre déjà. Dès qu'il se réveillera, il dira : " Où est Alexandre ? "
— Je ne sais pas. Nous avons échangé des mots qu'il est difficile d'oublier. Et même si mon père s'y employait, il y aurait toujours quelqu'un pour les lui rappeler.
— C'est possible.
— As-tu dit à Eumène de s'occuper du chien ?
— C'est la première chose que j'ai faite.
— Pauvre Péritas. Sans moi il sera malheureux : il pensera que je l'ai abandonné.
— Il ne sera pas le seul à être malheureux, Alexandre. Moi non plus, je n'aurais pas supporté ton absence. C'est pourquoi j'ai voulu te suivre. »

Ils éperonnèrent leurs chevaux pour rejoindre Olympias qui chevauchait toute seule.

« Mes saluts à ma reine ! dit Héphestion.
— Salut, mon garçon », répondit Olympias. Et ils poursuivirent leur route ensemble.

« Où est Alexandre ? »

Philippe venait tout juste de quitter son bain. Les femmes lui massaient les épaules et le dos avec un drap de lin.

L'aide de camp s'approcha : « Il n'est pas là, sire.
— Je le vois bien. Fais-le appeler.
— Je veux dire qu'il est parti.
— Parti ? Et où ?
— Nous l'ignorons, sire.
— Ah ! » cria Philippe en jetant le drap et, entièrement nu, il commença à arpenter sa chambre. « Je veux qu'il vienne immédiatement me présenter ses excuses ! Il m'a couvert de ridicule devant mes invités et mon

épouse. Trouvez-le et ramenez-le moi sur-le-champ ! Je le giflerai jusqu'au sang, je le bourrerai de coups de pied, je le... » L'aide de camp était muet et raide comme un piquet. « Tu m'écoutes, par Zeus ?

— Je t'écoute, sire, mais Alexandre est parti aussitôt après avoir quitté la salle du banquet et tu étais trop... trop indisposé pour prendre des mesures le concernant, et...

— Es-tu en train de me dire que j'étais trop soûl pour donner des ordres ? hurla Philippe à son nez en fondant sur lui.

— Le fait est, sire, que tu n'en as pas donné, et...

— Appelez la reine ! Immédiatement !

— Laquelle, sire ? demanda l'aide de camp, de plus en plus embarrassé.

— Laquelle ! Malheur à toi ! Que veux-tu que je fasse de cette gamine ! Appelle la reine, immédiatement !

— La reine Olympias est partie avec Alexandre, sire. »

Le rugissement du roi résonna jusqu'au corps de garde, au fond de la cour. Un peu plus tard, on vit l'aide de camp dévaler l'escalier et distribuer des ordres à tous les hommes qu'il croisait. Ceux-ci bondissaient sur leurs chevaux et galopaient dans toutes les directions.

Ce jour-là, les délégations étrangères quittèrent, elles aussi, la cour. Philippe dut les recevoir pour les saluer et les remercier des somptueux cadeaux de mariage qu'elles lui avaient apportés. Cette tâche occupa toute sa journée.

Quand le soir vint, il se sentit las et dégoûté, aussi bien par cette semaine de fêtes et de banquets que par la solitude qui envahissait son cœur pour la première fois.

Il envoya Eurydice se coucher, monta sur le toit et fit les cent pas sur la grande terrasse éclairée par la lune. Soudain, il entendit un aboiement insistant résonner dans l'aile occidentale du palais, puis un hurlement interminable se transformer en un gémissement plaintif.

Péritas aussi s'était aperçu de l'absence d'Alexandre et il hurlait à la lune tout son désespoir.

30

En une semaine, les trois fuyards atteignirent les frontières de l'Épire et se firent annoncer au roi Alexandre.

Le jeune roi était déjà au courant de ce qui s'était passé car ses informateurs utilisaient un système rapide pour communiquer avec lui, et ils n'étaient pas obligés de suivre de longs détours pour se cacher.

Il alla les accueillir en personne, embrassa longuement et affectueusement sa sœur aînée et son neveu, ainsi qu'Héphestion, qu'il avait eu tout loisir de connaître lorsqu'il se trouvait à la cour de Philippe, à Pella.

Cette nuit-là, ils dormirent dans une résidence de chasse. Ils repartirent le lendemain avec une escorte d'honneur pour gagner en deux jours le palais royal de Boutrotos. Cette ville, qui donnait sur la mer, était le cœur mythique du petit royaume d'Épire. Selon la légende, Pyrrhos, le fils d'Achille, y avait accosté en amenant comme esclaves Andromaque, la veuve d'Hector, et Hélénos, le devin troyen. Pyrrhos avait pris Andromaque comme concubine avant de l'offrir à Hélénos. De ces deux unions étaient nés des enfants qui, en se mariant entre eux, avaient engendré la dynastie royale qui régnait encore sur ces territoires.

Du côté de sa mère, Alexandre de Macédoine descendait donc du plus grand héros grec et de la lignée de Priam, qui gouvernait l'Asie. C'est ce que chantaient les poètes qui égayaient le soir, au cours des banquets, le roi et ses invités, lesquels vécurent tranquillement pendant quelques jours. Mais le roi d'Épire n'entretenait aucune illusion : il savait fort bien qu'ils allaient vite recevoir des visites.

La première lui fut annoncée un matin, à l'aube, alors qu'il n'était pas encore levé. C'était un cavalier de la garde personnelle de Philippe, couvert de boue de la tête aux pieds : il avait récemment plu en montagne.

« Le roi est furibond, dit-il sans même accepter un bain chaud. Il s'attendait qu'Alexandre se présente, le lendemain du banquet, pour s'excuser de son comportement, des mots méprisants avec lesquels il s'est moqué de lui devant ses invités et son épouse.

— Mon neveu affirme que le roi l'a agressé, l'épée au poing, et qu'Attale l'a traité de bâtard. Philippe doit comprendre qu'étant du même sang que lui, son fils possède aussi le même orgueil, la même dignité, ainsi qu'un caractère fort semblable au sien.

— Le roi ne veut pas entendre raison ; il exige qu'Alexandre regagne aussitôt Pella pour implorer son pardon.

— Le connaissant, je pense qu'il ne le fera pas.

— Alors, il devra en supporter les conséquences. »

Doté d'un sommeil léger, Alexandre avait entendu le bruit des sabots sur le pavage en cailloux du corps de garde. Il s'était levé, avait jeté un manteau sur ses épaules, et il écoutait à présent, sans se montrer, ce que le messager de son père disait.

« Quelles conséquences ? demanda le roi.

— Ses amis seront tous exilés en qualité de traîtres ou de conspirateurs, à l'exception d'Eumène, qui est le secrétaire de Philippe, et de Philotas, le fils du général Parménion.

— Je rapporterai tes mots à mon neveu et te ferai connaître sa réponse.

— J'attendrai ton retour et je repartirai aussitôt.

— Ne veux-tu pas te restaurer et te laver ? Ici, les invités sont accueillis avec tous les égards.

— Je ne peux pas. Le mauvais temps a déjà retardé ma marche », expliqua l'envoyé macédonien.

Le roi quitta la salle d'audience et se heurta à son neveu, dans le couloir.

« Tu as entendu ? »

Alexandre acquiesça.

« Que penses-tu faire ?

— Il est hors de question que je rampe aux pieds de mon père. Attale m'a offensé en public, et c'est lui qui aurait dû intervenir pour défendre ma dignité. Au lieu de cela, il s'est précipité sur moi, l'épée au poing.

— Mais tes amis vont payer un prix très élevé.

— Je le sais, et cela me remplit de douleur, mais je n'ai pas le choix.

— Ce sont tes derniers mots ?

— Oui. »

Le roi l'étreignit. « C'est ce que j'aurais fait si j'avais été à ta place. Je vais rapporter ta réponse à l'envoyé.

— Non, attends. Je m'en charge. »

Il s'enveloppa dans son manteau et pénétra, pieds nus, dans la salle des audiences. Le messager eut d'abord un mouvement de surprise, puis il baissa aussitôt la tête en signe de déférence.

« Que les dieux te gardent, Alexandre.

— Qu'ils te gardent aussi, mon bon ami. Voici la réponse que tu délivreras à mon père. Dis-lui qu'Alexandre ne lui demandera pardon qu'après avoir reçu les excuses d'Attale et l'assurance que la reine Olympias ne subira aucune humiliation, que son rang de reine des Macédoniens sera reconfirmé comme il se doit.

— C'est tout ?

— C'est tout. »

L'envoyé s'inclina puis se dirigea vers la porte.

« Tu lui diras aussi... Tu lui diras aussi que...
— Que ?
— Qu'il se maintienne en bonne santé.
— Je n'y manquerai pas. »

Un peu plus tard, on entendit un hennissement et un bruit de galop, qui s'évanouit dans le lointain.

« Il a refusé de manger et de se reposer. » La voix du roi résonna dans le dos d'Alexandre. « Philippe doit être très impatient de connaître ta réponse. Viens, j'ai ordonné qu'on prépare notre petit déjeuner. »

Ils passèrent dans une pièce où l'on avait installé deux tables et deux sièges à accoudoirs. Il y avait du pain frais, des tranches de maquereau et d'espadon grillées.

« Je te mets dans une situation difficile, admit Alexandre. C'est mon père qui t'a installé sur le trône.

— C'est vrai. Mais j'ai grandi, je ne suis plus un enfant. C'est moi qui le protège dans cette région, et je t'assure que ce n'est pas une tâche facile. Il arrive fréquemment aux Illyriens de se montrer turbulents ; les pirates infestent nos côtes et l'on signale, à l'intérieur, des mouvements de peuples nordiques, qui descendent le cours de l'Istros. Ton père aussi a besoin de moi. En outre, je dois sauvegarder la dignité de ma sœur Olympias. »

Alexandre mangea un peu de poisson et but une gorgée de vin, un vin léger et pétillant qui provenait des îles Ioniennes. Il alla à la fenêtre qui donnait sur la mer en grignotant un morceau de pain.

« Où est Ithaque ? » demanda-t-il.

Le roi tendit la main vers le sud. « L'île d'Ulysse se trouve là-bas, à environ un jour de navigation en direction du sud. Là, en face, c'est Corcyre, l'île des Phéaciens, où le héros fut hébergé dans le palais royal d'Alcinoos.

— L'as-tu déjà vue ?

— Ithaque ? Non. Mais il n'y a rien à y voir. Elle n'est peuplée que de chèvres et de cochons.

— C'est possible, mais j'aimerais quand même m'y rendre. Je voudrais y arriver à la tombée de la nuit, quand les flots changent de couleur et que toutes les voies, terrestres et maritimes, s'assombrissent ; éprouver ce qu'éprouva Ulysse en la revoyant après une si longue absence. Moi, je pourrais... Je suis sûr que je pourrais revivre ces sentiments.

— Si tu le souhaites, je t'y ferai conduire. Ce n'est pas loin, comme je te l'ai dit. »

Alexandre ne parut pas relever cette proposition. Il tourna le regard vers l'ouest où le soleil, qui se levait derrière les monts d'Épire, commençait à rosir les sommets de Corcyre.

« Derrière ces montagnes et au-delà de cette mer s'étend l'Italie, n'est-ce pas ? »

Le visage du roi sembla s'éclairer : « Oui, Alexandre, c'est là que se trouvent l'Italie et la Grande Grèce. Des villes fondées par les Grecs, incroyablement riches et puissantes, telles que Tarente, Locres, Crotone, Thourioi, Rhégion, et tant d'autres encore. Il y a d'immenses forêts et des troupeaux, des milliers et des milliers de têtes de bétail. Des champs de blé que le regard ne parvient pas à embrasser. Et des montagnes couvertes de neige en toutes saisons, qui se mettent brusquement à cracher du feu et des flammes en secouant la terre de tremblements.

« De l'autre côté de l'Italie il y a la Sicile, la terre la plus florissante et la plus belle qui soit. C'est là que sont situées la puissante Syracuse, Agrigente, Géla et Sélinonte. Plus loin, la Sardaigne, puis l'Espagne, le pays le plus riche du monde grâce à ses mines d'argent inépuisables, à son étain et à son fer.

— Cette nuit, j'ai fait un rêve, dit Alexandre.

— Quel rêve ? demanda le roi.

— Nous étions tous deux ensemble, à cheval, sur le sommet du mont Imaros, le plus haut de ton royaume. Je montais Bucéphale, et toi Cheraunos, ton cheval de bataille ; nous étions inondés de lumière car au même instant, un soleil se couchait sur la mer à l'occident, et un autre se levait à l'orient. Deux soleils, te rends-tu compte ? Un spectacle émouvant.

« À un moment donné, nous nous disions au revoir car tu voulais gagner le lieu où le soleil se couchait, et moi, celui où il se levait. N'est-ce pas merveilleux ? Un Alexandre partant vers le soleil levant, et un autre vers le soleil couchant ! Avant de nous quitter, avant d'éperonner nos chevaux respectifs vers la lumière du globe flamboyant, nous prononcions une promesse solennelle : nous ne nous reverrions pas avant d'avoir mené à bien notre voyage, et notre lieu de retrouvailles serait...

— Alors ? » demanda le roi en le fixant.

Alexandre ne répondit pas, mais son regard se voila d'une ombre inquiète, fuyante.

« Alors, où ? insistait le roi. Où devions-nous nous retrouver ?

— Je ne m'en souviens pas. »

31

Bien vite, Alexandre comprit que sa présence à Boutrotos ne tarderait pas à devenir insoutenable, aussi bien pour lui que pour son oncle. Alexandre d'Épire continuait de recevoir de pressantes requêtes de Philippe afin qu'il oblige son fils à regagner Pella pour faire amende honorable et lui demander pardon devant la cour réunie.

Le jeune homme prit alors la décision de partir.

« Mais où ? interrogea le roi.

— Dans le Nord, il ne pourra pas m'y retrouver.

— C'est impossible. Là règnent des tribus sauvages et semi-nomades qui ne cessent de s'entre-déchirer. Et comme si cela ne suffisait pas, la mauvaise saison va bientôt commencer. Il neige sur ces montagnes. As-tu jamais affronté le grand froid ? C'est un ennemi très redoutable.

— Je n'ai pas peur.

— Je le sais.

— Je vais donc partir. Ne t'inquiète pas pour moi.

— Je ne te laisserai t'en aller que si tu m'indiques ton itinéraire. Il faut que je sache où te chercher pour le cas où j'aurais besoin de toi.

— J'ai consulté tes cartes. Je me rendrai à Lychnidos, à l'ouest du lac, et je m'enfoncerai dans l'intérieur, le long de la vallée du Drilon.

— Quand as-tu l'intention de partir ?

— Demain. Héphestion m'accompagne.

— Non. Vous partirez dans deux jours, pas avant. Je vais ordonner qu'on prépare le ravitaillement nécessaire à votre voyage. Et je vous donnerai un cheval qui portera vos provisions. Quand vous les aurez utilisées, vous pourrez le vendre et poursuivre ainsi votre route.

— Je te remercie, dit Alexandre.

— Je te remettrai aussi des lettres destinées aux chefs de la Chelidonia et de la Dardanie. Ils pourront t'être utiles. J'ai des amis dans ces régions.

— J'espère que je pourrai te rendre un jour ce que tu as fait pour moi.

— Je t'en prie, ne parle pas ainsi. Et sois confiant. »

Ce jour-là, le roi écrivit une lettre en toute hâte et la confia à son courrier le plus rapide, afin qu'il la délivre à Callisthène, à Pella.

Le jour du départ, Alexandre alla saluer sa mère, qui l'embrassa en pleurant à chaudes larmes et en maudissant Philippe du plus profond de son cœur.

« Ne le maudis pas, mère, pria Alexandre d'une voix empreinte de tristesse.

— Pourquoi ? » s'écria Olympias, en proie à la douleur et à la haine. « Pourquoi ? Il m'a humiliée, blessée, il nous a contraints à l'exil. Et maintenant, il t'oblige à fuir, à me quitter pour t'aventurer dans des terres inconnues au cœur de l'hiver. J'aimerais qu'il meure dans les souffrances les plus atroces, qu'il connaisse les peines qu'il m'a infligées ! »

Alexandre la regarda tandis qu'un frisson courait dans ses veines. Il eut peur de cette haine si forte, qui donnait à sa mère l'allure d'une héroïne de ces tragédies qu'il avait tant de fois vues sur scène : Clytemnestre, qui tuait son époux Agamemnon à coups de hache, ou Médée, qui assassinait ses propres enfants pour frapper son mari Jason au plus fort de ses affections.

C'est alors qu'il se souvint d'une des rumeurs terribles qui circulaient à Pella au sujet de la reine : on disait qu'elle s'était nourrie de chair humaine au cours d'une cérémonie initiatique du culte d'Orphée. Il voyait dans ses yeux immenses, pleins de ténèbres, tant de violence et de désespoir, qu'il l'aurait crue capable de tout.

« Ne le maudis pas, maman, répéta-t-il. Il est peut-être juste que je souffre de la solitude et de l'exil, du froid et de la faim. C'est un enseignement qui manque encore à ceux que mon père a souhaité m'imposer. Peut-être veut-il que j'en fasse aussi l'expérience. Peut-être est-ce la dernière leçon, une leçon que personne d'autre n'aurait pu m'infliger. »

Il se libéra à grand-peine de l'étreinte de sa mère, sauta sur Bucéphale et le talonna violemment.

L'étalon se cabra dans un hennissement, dressa ses antérieurs, puis se lança au galop en soufflant des jets de vapeur brûlante. Héphestion leva le bras en guise de salut et éperonna lui aussi sa monture en entraînant le cheval de bât.

Olympias les suivit de son regard embué jusqu'à ce qu'ils disparaissent au fond du sentier qui menait au Nord.

La missive du roi d'Épire fut remise à Callisthène, à Pella, quelques jours plus tard. Le neveu d'Aristote l'ouvrit d'un mouvement impatient et la parcourut rapidement.

Alexandre, roi des Molosses, à Callisthène, salut !

J'espère que tu te portes bien. L'existence de mon neveu Alexandre s'écoule paisiblement en Épire, loin des tracas de la vie militaire et des soucis quotidiens du gouvernement. Il passe ses journées à lire les poètes tragiques, en particulier Euripide, et naturellement Homère, dans l'édition de la cassette que ton oncle et maître Aristote lui a offerte. Il s'amuse parfois à jouer de la cithare.

Il prend aussi part à des battues de chasse...

Au fil de sa lecture, Callisthène sentait croître son étonnement devant la banalité et la totale insignifiance de cette lettre. Le roi ne disait rien d'important ni de personnel. C'était une missive complètement inutile. Mais pourquoi ?

Déçu, il posa le papyrus sur son écritoire et se mit à arpenter sa chambre en essayant de deviner le sens de ce message, quand, jetant un coup d'œil à la feuille, il s'aperçut que ses bords étaient ponctués d'entailles, des sortes de petites déchirures, qui, à bien les observer, avaient été savamment effectuées à l'aide de ciseaux.

Il se tapa le front : « Pourquoi n'y ai-je pas pensé plus tôt ! Mais oui, c'est le code des polygones qui s'entrecoupent. »

Il s'agissait d'un code de communication qu'Aristote lui avait jadis appris et qu'il avait lui-même transmis au roi d'Épire en pensant qu'il lui serait utile le jour où il devrait conduire une campagne militaire.

Il s'empara d'une règle et d'une équerre et commença à relier toutes les entailles selon un ordre précis, puis tous les points d'intersection. Il traça ainsi des lignes perpendiculaires de chaque côté du polygone intérieur et obtint d'autres intersections.

Chaque intersection soulignait un mot. Callisthène les recopia donc, l'un après l'autre, selon une suite de nombre qu'Aristote lui avait enseignée. Une façon simple et géniale d'envoyer des messages secrets.

Quand il eut terminé, il brûla la lettre et se précipita chez Eumène. Il le trouva enseveli sous une montagne de papiers, occupé à calculer les impôts et les dépenses prévus pour l'équipement de quatre bataillons de la phalange supplémentaires.

« J'ai besoin d'une information, dit-il avant de lui murmurer quelque chose à l'oreille.

— Ils sont partis depuis trois jours, répondit Eumène en levant le nez.

— Oui, mais où sont-ils allés ?

— Je l'ignore.

— Tu le sais très bien.

— Qui veut cette information ?

— Moi.

— Alors je l'ignore. »

Callisthène s'approcha et lui chuchota de nouveau quelques mots à l'oreille. Puis il ajouta : « Peux-tu lui transmettre un message ?

— Combien de temps m'accordes-tu ?

— Au maximum deux jours.

— Impossible.

— Alors, je le ferai moi-même. »

Eumène secoua la tête. « Donne-moi ça, que comptes-tu faire toi-même ? »

Alexandre et Héphestion gravirent la chaîne des monts Argiriniens, dont les cimes étaient déjà saupoudrées de neige, puis ils descendirent vers la vallée de l'Aoos, qui brillait comme un ruban d'or au fond de cette verte étendue. Les flancs des montagnes, recouverts de forêts, commençaient à changer de couleur à l'approche de l'automne, et le ciel était parcouru par de longues envolées d'oiseaux et par le cri des grues qui abandonnaient leurs nids pour migrer au loin, vers les terres des Pygmées.

Ils cheminèrent pendant deux jours dans la vallée de l'Aoos, en direction du nord, puis rencontrèrent celle de l'Apsos, où il s'engagèrent. Ils laissaient derrière eux les terres d'Alexandre d'Épire et s'enfonçaient dans l'Illyrie.

Les habitants de ce pays vivaient dans de petits villages fortifiés, dotés de murs en pierres sèches, et tiraient leurs ressources de l'élevage des chevaux, parfois du brigandage. Mais Alexandre et Héphestion avaient prudemment enfilé des pantalons identiques à ceux que portaient les barbares, ainsi que des manteaux de laine brute. Ces vêtements ne leur donnaient pas belle allure, mais ils les protégeaient de l'eau et leur permettaient de passer inaperçus parmi la population locale.

Dès qu'ils prirent la route des chaînes de l'intérieur, il se mit à neiger et la température baissa. De grands nuages de vapeur sortaient des naseaux de leurs chevaux, qui peinaient sur les sentiers gelés, si bien qu'Alexandre et Héphestion devaient fréquemment poursuivre leur chemin à pied en aidant leurs montures de leur mieux.

Parfois, ils s'arrêtaient au sommet d'un col pour jeter un coup d'œil derrière eux et regarder d'un air déconcerté la blanche étendue de neige où l'on ne voyait que leurs empreintes.

La nuit, ils devaient chercher un abri où allumer un feu pour sécher leurs vêtements trempés, étendre leurs manteaux et se reposer un peu. Et souvent, avant de s'endormir, ils contemplaient longuement à travers la réverbération des flammes les gros flocons qui tombaient en dansant, ou écoutaient l'appel des loups qui résonnait dans les vallées solitaires.

Ce n'étaient que des jeunes gens, qui évoquaient encore leur récente adolescence : au cours de ces instants, ils étaient envahis par le chagrin et la mélancolie. Il leur arrivait de tirer le même manteau sur leurs épaules, et de s'étreindre dans l'obscurité ; ils se souvenaient de leurs corps d'enfants et des nuits où, effrayés par un cauchemar ou par les cris d'un condamné hurlant son désespoir, ils se glissaient dans le même lit.

L'obscurité glaciale et l'inquiétude pour leur avenir les poussaient à rechercher la chaleur l'un de l'autre, à s'étourdir de leur nudité à la fois fragile et puissante, de leur solitude fière et désolée.

La pâle lumière de l'aube les ramenait à la réalité,

et les tiraillements de la faim les encourageaient à redoubler leurs efforts pour se procurer de quoi manger.

S'ils apercevaient les traces d'un animal sur la neige, ils s'arrêtaient pour tendre des pièges et capturer leur maigre proie : un lapin ou une perdrix de montagne, qu'ils dévoraient encore chauds, après en avoir bu le sang. Mais ils devaient parfois repartir les mains vides, affamés et transis du froid piquant de ces terres inhospitalières. Leurs chevaux souffraient aussi de privations, puisqu'ils se nourrissaient des herbes sèches qu'ils trouvaient en grattant la neige de leurs sabots.

Enfin, après des jours et des jours d'une marche pénible, exténués par le froid et la faim, ils virent briller comme un miroir, dans le reflet du ciel d'hiver, la surface gelée du lac Lychnitis. Ils en longèrent la rive nord au pas, espérant atteindre avant la tombée de la nuit le village qui portait le même nom : ils pourraient peut-être passer une nuit au chaud, près d'un feu.

« Tu vois cette fumée à l'horizon ? demanda Alexandre à son ami. Je ne me trompais pas : c'est là-haut que doit se trouver le village. Nous aurons du foin pour nos chevaux, de la nourriture, ainsi qu'une paillasse pour nous allonger.

— C'est trop beau, j'ai l'impression de rêver, répliqua Héphestion. Penses-tu vraiment que nous aurons toutes ces merveilles ?

— Oui. Et peut-être aurons-nous aussi des femmes. Un jour, j'ai entendu mon père dire que les barbares de l'intérieur les offrent aux étrangers en signe d'hospitalité. »

Il s'était remis à neiger à gros flocons, et les chevaux avançaient à grand-peine ; l'air gelé les transperçait jusqu'aux os. Soudain, Héphestion tira sur les rênes de sa monture. « Par tous les dieux, regarde ! »

Alexandre rejeta son capuchon en arrière et braqua ses yeux devant lui, dans l'épais tourbillon de la neige. Plusieurs hommes fermaient le passage, immobiles sur leurs chevaux, les épaules et les capuches recouvertes de neige, armés de javelots.

« Penses-tu qu'ils nous attendent ? demanda le prince en empoignant son épée.

— Oui. De toute façon, nous allons le savoir bien vite », répondit Héphestion.

Il dégaina, lui aussi, son épée et éperonna son cheval.

« J'ai bien peur que nous soyons obligés de nous frayer un chemin, ajouta Alexandre.

— Moi aussi, dit Héphestion, tout bas.

— Je ne veux pas renoncer à une assiette de potage bien chaud, à un lit et à un feu. Et peut-être aussi à une belle fille. Et toi ?

— Moi non plus.

— À mon signe ?

— D'accord. »

Mais alors qu'ils s'apprêtaient à charger, un cri résonna dans le silence de la vallée.

« La troupe d'Alexandre salue son commandant !

— Ptolémée !

— Présent !

— Perdiccas !

— Présent !

— Léonnatos !

— Présent !

— Cratère !

— Présent !

— Lysimaque !

— Présent !

— Séleucos !

— Présent !

Le dernier écho s'éteignit sur le lac gelé, et Alexandre contempla de ses yeux embués de larmes les six cavaliers immobiles sous la neige, puis il se tourna vers Héphestion en secouant la tête d'un air incrédule :

« Oh ! grand Zeus ! dit-il. Ce sont nos amis ! »

32

Trois mois après son mariage, Eurydice accoucha d'une petite fille que l'on nomma Europe. Puis elle se retrouva enceinte. Mais Philippe n'eut pas le loisir de s'abandonner aux joies de la paternité retrouvée : les événements politiques qui évoluaient, ainsi que ses affaires privées, l'en empêchèrent. Sa santé aussi lui créait des soucis : son œil gauche, blessé au cours d'une bataille et mal soigné, était perdu.

Au cours de l'hiver, il reçut la visite de son informateur, Eumolpos de Soles. Celui-ci avait dû affronter un voyage en mer par mauvais temps, car les nouvelles qu'il avait apprises ne pouvaient attendre. Habitué au climat de sa ville — doux tout au long de l'année —, il était transi de froid. Aussi le roi l'invita-t-il à s'asseoir près du feu et il lui fit servir une coupe de vin fort et sucré qui le revigora et lui délia la langue.

« Alors, quelles informations m'apportes-tu, mon ami ?

— La déesse Fortune est de ton côté, roi. Écoute ce qui est arrivé à la cour de Perse : selon nos prévisions, le nouveau roi Arsès a bien vite compris qui était le véritable maître au palais, et ne pouvant le tolérer, il a essayé de faire empoisonner Bagoas.

— L'eunuque ?

— Exactement. Mais Bagoas s'y attendait. Il a

déjoué le complot et s'est hâté de faire empoisonner le roi. Après quoi, il a ordonné qu'on tue les enfants de ce dernier.

— Ce vieux couilles-sèches est donc plus venimeux qu'un scorpion.

— En effet. Mais il a ainsi mis fin à toute la descendance directe. Entre ceux qu'Artaxerxès III a tués et ceux que Bagoas a éliminés, il ne reste plus personne.

— Alors ? demanda Philippe.

— Alors, l'eunuque a repêché un rejeton d'une branche collatérale et l'a placé sur le trône en lui donnant le nom de Darius III.

— Et qui est ce Darius III ?

— Son grand-père se nommait Ostanès, c'était le frère d'Artaxerxès II. Il a quarante-cinq ans, aime aussi bien les femmes que les jeunes garçons.

— Ce point est d'une importance relative, commenta Philippe. Tu n'as pas de nouvelles plus intéressantes ?

— Avant d'être nommé roi, il était satrape d'Arménie.

— Une province difficile. Ce doit être un dur à cuire.

— Disons quelqu'un de vigoureux. Il paraît qu'il a tué de ses propres mains un rebelle de la tribu des Cadusiens lors d'un duel au corps au corps. »

Philippe passa la main dans sa barbe. « On dirait que couilles-sèches a trouvé à qui parler.

— En effet, acquiesça Eumolpos qui commençait à se réchauffer. Darius a, semble-t-il, l'intention de reprendre le contrôle des Détroits et de réaffirmer sa domination sur toutes les villes grecques d'Asie. On dit même qu'il compte exiger un acte de soumission formelle de la couronne de Macédoine. Mais à ta place, je ne m'en inquiéterais pas. Darius n'est pas un adversaire digne de toi : dès qu'il t'entendra rugir, il courra se cacher sous son lit.

— C'est ce qu'on verra, observa Philippe.

— As-tu besoin d'autre chose, sire ?

— Tu as accompli un excellent travail, mais le plus dur reste à faire. Va voir Eumène, et dis-lui de te récompenser. Prends également de l'argent pour payer tes informateurs, si nécessaire. Ce qui se passe à la cour de Darius ne doit en aucune façon nous échapper. »

Eumolpos remercia le roi et partit, impatient de retrouver la chaleur de sa belle ville du bord de mer.

Quelques jours plus tard, le roi réunit le conseil de guerre dans la salle de l'armurerie royale : Parménion, Antipatros, Cleitos le Noir et son beau-frère Attale.

« Pas un mot de ce que je vais vous dire ne doit franchir les murs de cette salle, commença-t-il. Le roi des Perses, Arsès, a été assassiné et remplacé par un prince issu d'une branche collatérale, un dénommé Darius III. À ce qu'il paraît, il ne manque pas de dignité, mais il sera occupé pendant certain temps à consolider son pouvoir.

« Le moment d'agir est donc venu. Attale et Parménion partiront au plus vite à la tête d'une armée de quinze mille hommes et passeront en Asie, où ils occuperont la rive orientale de notre mer en proclamant ma décision de libérer les villes grecques sous domination perse. Pendant ce temps, je m'occuperai de l'enrôlement de nouveaux soldats, dans l'attente de vous rejoindre et de donner le signal du début de l'invasion. »

Le reste de la réunion fut consacré à l'examen des détails et à la résolution des problèmes logistiques, politiques et militaires de cette première phase. Mais tout le monde fut frappé par le ton négligé avec lequel le roi s'exprimait, brusquement privé de son enthousiasme et de sa fougue habituels. Si bien qu'au terme de la réunion, Parménion lui demanda en s'approchant de lui :

« Quelque chose ne va pas, sire ? Tu ne te sens pas bien ? »

Philippe posa la main sur son épaule et l'accompagna vers la porte. « Non, mon vieil ami, non. Tout va bien. »

Il mentait. Plus les jours passaient, plus l'absence d'Alexandre, à laquelle il n'avait pas accordé beaucoup d'importance dans un premier temps, le tourmentait. Tant que le jeune homme était demeuré en Épire avec sa mère et son oncle, Philippe n'avait songé qu'à l'inciter à revenir et à faire acte de soumission publique, mais le refus que son fils lui avait opposé et sa fuite vers le Nord avaient provoqué en lui colère, appréhension et découragement.

Si un membre de son entourage tentait d'intercéder en faveur du prince, il s'emportait au souvenir de l'outrage subi ; si personne ne lui en parlait, il s'inquiétait de cette absence de nouvelles. Il avait lancé ses espions partout, avait envoyé des messagers aux rois et aux chefs de tribu du Nord, ses clients, afin d'être sans cesse informé des mouvements d'Alexandre et d'Héphestion. Il apprit ainsi qu'ils avaient accueilli six jeunes guerriers venus de Thessalie, d'Acarnanie et d'Atamanie, et il ne lui fut pas difficile de deviner de qui il s'agissait.

La troupe d'Alexandre s'était presque entièrement reconstituée. Il ne se passait pas un jour sans que Philippe ne recommandc à Parménion de surveiller son fils pour éviter qu'il rejoigne cette bande de malheureux errant dans les neiges de l'Illyrie. Eumène non plus n'échappait pas à ses soupçons. Le roi semblait même s'attendre que le jeune homme abandonne son bureau et ses papiers d'un jour à l'autre pour se lancer dans l'aventure.

Parfois il se rendait seul dans l'ancien palais royal d'Aigai. Des heures durant, il observait les flocons qui tombaient sur le paysage silencieux, sur les bois de sapins bleus, sur la petite vallée où sa dynastie s'était fondée, et il pensait à Alexandre et à ses amis qui parcouraient les froides contrées du septentrion.

Il avait l'impression de les voir avancer péniblement dans la tempête, alors que leurs chevaux s'enfonçaient dans la neige jusqu'au ventre et que le vent faisait claquer leurs vêtements déchirés et incrustés de glace. Il posait les yeux sur le grand foyer de pierre, sur les belles bûches de chêne qui y brûlaient en répandant un air tiède entre les vieux murs de la salle du trône, et il imaginait les garçons amassant du bois trempé sous leurs abris de fortune et oubliant leur fatigue pour préparer un misérable bivouac ; ou encore debout dans la nuit, appuyés à leurs lances, tandis que les hurlements des loups se rapprochaient.

Puis les nouvelles devinrent plus inquiétantes, et ce, d'une façon surprenante. Non seulement Alexandre et ses camarades étaient parvenus à hiverner au prix de dures privations, mais ils s'étaient offerts comme alliés à des chefs de tribus qui vivaient à l'abri des frontières macédoniennes, et avaient participé à leurs luttes internes en réussissant à lier sur le champ de bataille des pactes d'amitié, voire de soumission. Ce qui, tôt ou tard, risquait de constituer une menace.

Il y avait quelque chose, chez ce garçon, qui fascinait irrésistiblement tous ceux qui le rencontraient : hommes, femmes et même animaux. Comment expliquer autrement le fait qu'il avait réussi à monter, dès sa première tentative, le démon noir qu'il avait ensuite nommé Bucéphale, et à le rendre aussi doux qu'un agneau ?

Et par quel mystère Péritas, un animal capable de briser la patte d'un porc d'un seul coup de mâchoire, languissait-il sans se nourrir, ou presque, couché pendant des heures sur la route où son maître avait disparu ?

Quant à Leptine, la jeune fille qu'il avait arrachée à l'enfer du mont Pangée, elle préparait chaque jour le lit et le bain d'Alexandre, comme s'il devait arriver d'un moment à l'autre. Et elle ne parlait à personne.

Philippe commença aussi à se soucier de la solidité de ses liens avec le royaume d'Épire, sévèrement menacée par la présence d'Olympias auprès de son frère, le jeune roi. La reine était dévorée d'une telle haine qu'elle semblait prête à tout pour lui nuire et bouleverser ses projets aussi bien politiques que familiaux. Le roi Alexandre lui était acquis, mais son cœur battait probablement pour son neveu, errant en exil au milieu des terres barbares. Il fallait donc le lier plus solidement au trône de Pella, écarter la reine et ses influences maléfiques. Il n'y avait qu'une solution, et pas de temps à perdre.

Un jour, Philippe fit appeler sa fille Cléopâtre, le seul membre de sa première famille encore à Pella.

La princesse était dans la splendeur de ses dix-huit ans. Elle avait de grands yeux verts, de longs cheveux aux reflets cuivrés et un corps digne d'une déesse de l'Olympe. Il n'y avait pas de noble macédonien qui ne rêvât de l'obtenir en mariage.

« Il est temps, à présent, que tu te maries, ma fille », lui dit-il.

Cléopâtre baissa la tête. « J'imagine que tu as déjà choisi mon époux.

— En effet, confirma Philippe. Ce sera le roi Alexandre d'Épire, le frère de ta mère. »

La jeune fille observa un moment de silence, mais il était facile de comprendre que la décision de son père ne lui déplaisait pas. Son oncle était un beau jeune homme, fort courageux et très aimé de ses sujets, doté, qui plus est, d'un caractère semblable à celui d'Alexandre.

« Tu ne dis rien ? demanda le roi. T'attendais-tu à quelqu'un d'autre ?

— Non, père. Sachant que ce choix te revenait, je n'avais pensé à personne, afin de ne pas te contrarier. Mais je voudrais te poser une question.

— Parle, ma fille.

— Mon frère Alexandre sera-t-il invité à mes noces ? »

Philippe lui tourna brusquement le dos, comme

frappé par un coup de fouet. « Ton frère n'existe plus, pour moi », dit-il d'une voix glaciale.

Cléopâtre fondit en pleurs. « Mais pourquoi, papa ? Pourquoi ?

— Tu le sais très bien. Tu étais là. Tu as vu comment il m'a humilié devant les représentants de toutes les villes de Grèce, devant mes généraux et mes notables.

— Papa, il...

— N'essaie pas de le défendre ! cria le roi. J'ai appelé Aristote à la cour pour qu'il l'instruise, j'ai invité Lysippe pour qu'il sculpte une statue de lui, j'ai frappé des pièces de monnaie à son image. Comprends-tu ce que cela signifie ? Non, ma fille, ses insultes et son ingratitude ont dépassé les bornes... »

Cléopâtre sanglotait, le visage caché dans ses mains. Philippe aurait aimé s'approcher, mais il refusait de se laisser émouvoir, il ne le pouvait pas.

« Papa..., insista la jeune fille.

— Je t'ai dit de ne pas le défendre !

— C'est pourtant ce que je vais faire. J'étais présente, ce jour-là, et j'ai vu ma mère te regarder, pâle comme une morte, tandis que tu posais tes mains sur les seins de ta jeune épouse et que tu lui caressais le ventre. Alexandre aussi l'a vu, et il aime sa mère. Ne le devrait-il pas ? Devrait-il l'effacer de sa vie, ainsi que tu l'as fait ? »

Philippe s'emporta. « C'est Olympias ! C'est elle qui t'a monté contre moi ! N'est-ce pas ? hurla-t-il, rouge de colère. Vous vous dressez tous contre moi ! »

Cléopâtre se jeta à ses pieds et serra les genoux de son père entre ses bras. « Ce n'est pas vrai, ce n'est pas vrai, papa, nous voulons seulement que tu recouvres la raison. Certes, Alexandre a commis une erreur... » À ces mots, Philippe sembla se calmer. « Mais ne peux-tu pas le comprendre ? Ne peux-tu pas essayer de le comprendre ? Si l'on t'avait traité en public de bâtard, n'aurais-tu pas défendu ton honneur et celui de ta mère ?

N'est-ce pas ce que tu as toujours appris à ton fils ? Maintenant qu'il te ressemble, maintenant qu'il se comporte selon tes vœux, voilà que tu le rejettes. Tu voulais un Achille ! continua Cléopâtre en se levant, le visage sillonné de larmes. Tu voulais un Achille et tu l'as eu. La colère d'Alexandre est la colère d'Achille, papa !

— Eh bien, si sa colère est celle d'Achille, la mienne est celle de Zeus !

— Mais il t'aime, il t'aime et il souffre, je le sais », sanglota Cléopâtre en se laissant tomber sur le sol.

Philippe la contempla un moment en silence, les lèvres pincées. Puis il se retourna.

« Prépare-toi, dit-il devant la porte. Le mariage aura lieu dans six mois. » Et il sortit.

Eumène le vit regagner son bureau, le visage sombre, mais il fit semblant de rien et poursuivit son chemin dans le couloir, les bras chargés de rouleaux.

Puis, quand la porte se fut refermée, il revint sur ses pas et colla son oreille contre le bois. Le roi pleurait.

33

Eumène s'éloigna en silence et regagna la pièce qu'il occupait à l'intérieur des archives royales. Il s'assit, croisa les bras sur son écritoire et y appuya la tête. Il réfléchit longuement, puis il prit sa décision.

Il saisit un sac, endossa son manteau, se passa une main dans les cheveux et s'engagea de nouveau dans le couloir qui menait au bureau du roi.

Il poussa un profond soupir avant de frapper.

« Qui est là ?

— Eumène.

— Entre. »

Eumène pénétra dans la pièce et referma la porte derrière lui. La tête penchée, Philippe semblait parcourir un document placé devant lui.

« Sire, voici une demande en mariage. »

Le roi leva brusquement la tête. Il avait le visage marqué, et le seul œil qui lui restait était rougi par la fatigue, la colère et les pleurs.

« De quoi s'agit-il ? demanda-t-il.

— Pixodaros, le satrape perse, qui est aussi roi de Carie, offre la main de sa fille à un prince de ta maison royale.

— Qu'il aille se faire pendre ! Je ne traite pas avec les Perses.

— Sire, je crois que tu le devrais. Pixodaros n'est

pas exactement perse, il gouverne une province côtière de l'Asie Mineure pour le compte du Grand Roi et contrôle la forteresse d'Halicarnasse. Si tu te prépares à franchir les Détroits, ce pourrait être un choix stratégiquement important. Surtout en ce moment, puisque le trône de Perse ne repose pas dans des mains sûres.

— Tu n'as peut-être pas tort. Mon armée partira dans quelques jours.

— Raison de plus.

— Qui choisirais-tu ?

— Eh bien, je pensais à...

— Arrhidée. Voilà qui nous lui donnerons. Mon fils Arrhidée est à moitié débile, nous éviterons ainsi qu'il pose des problèmes. Et s'il ne devait pas s'en tirer au lit, c'est moi qui m'occuperais de sa jeune épouse. Comment est-elle ? »

Eumène tira du sac un petit portrait sur bois, certainement l'œuvre d'un peintre grec, et le lui montra.

« Elle a l'air très jolie, mais il ne faut pas s'y fier : quand on les voit de près, on a parfois des surprises...

— Alors, que dois-je faire ?

— Écris que je suis touché et honoré par sa requête et que j'ai choisi pour la jeune fille le prince Arrhidée, un jeune homme vaillant au combat, aux sentiments nobles, et autres broutilles dans lesquelles tu excelles. Puis rapporte-moi la lettre pour que je la signe.

— C'est une bonne décision, sire. Je m'en occupe tout de suite. » Il se dirigea vers la porte, puis s'immobilisa, comme s'il venait de se rappeler quelque chose d'important. « Puis-je te poser une question, sire ? »

Philippe lui lança un regard soupçonneux. « De quoi s'agit-il ?

— Qui commandera l'armée que tu envoies en Asie ?

— Attale et Parménion.

— Excellent. Parménion est un grand soldat et Attale... »

Philippe le dévisagea d'un air méfiant.

« Je voulais dire que l'éloignement d'Attale pourrait favoriser...

— Un mot de plus et je te fais couper la langue. »

Imperturbable, Eumène poursuivit. « Il est temps que tu rappelles ton fils, sire. Pour de nombreuses et bonnes raisons.

— Tais-toi ! cria Philippe.

— La première est d'ordre politique : comment pourras-tu persuader les Grecs de vivre en paix à l'intérieur d'une alliance commune si tu ne parviens pas à maintenir la paix dans ta famille ?

— Tais-toi ! » rugit le roi en abattant son poing sur la table.

Eumène sentit son cœur s'arrêter ; il était désormais certain que son heure était venue, mais il songea que dans une situation aussi désespérée, autant valait mourir en homme ; il continua donc : « La seconde est d'ordre strictement personnel : nous avons tous une maudite nostalgie de ce garçon, et toi le premier, sire.

— Encore un mot et je te fais enfermer par les gardes.

— Et Alexandre souffre terriblement de toute cette situation.

— Gardes ! hurla Philippe. Gardes !

— Je puis te l'assurer. Et la princesse Cléopâtre passe ses journées à pleurer. »

Les gardes entrèrent dans un grand fracas d'armes.

« J'ai ici une lettre d'Alexandre, qui dit... » Les gardes s'apprêtaient à l'empoigner.

Alexandre à Eumène, salut !

D'un signe, Philippe leur fit signe de reculer.

Je suis content de ce que tu me dis de mon père, du fait qu'il soit en bonne santé et qu'il prépare une grande expédition contre les barbares en Asie.

Le roi renvoya les gardes.

D'autre part, cette nouvelle m'attriste profondément.

Eumène s'interrompit pour observer son interlocuteur. Philippe était bouleversé, en proie à une violente émotion, et son unique œil de cyclope scintillait autant que la braise sous son front plissé.

« Continue », dit-il.

Depuis toujours, je rêve de le suivre dans cette grandiose entreprise et de chevaucher à ses côtés, pour lui montrer combien je me suis efforcé, tout au long de ma vie, d'égaler sa valeur et sa grandeur de roi.

Hélas, les circonstances m'ont poussé à un geste irrémédiable, et la colère m'a amené à franchir les limites qu'un fils ne devrait jamais dépasser.

Ces choses-là se produisent sans doute par la volonté d'un dieu, car c'est lorsque les hommes perdent le contrôle de leurs actions que s'accomplit ce qui est écrit.

Mes amis se portent bien, mais sont attristés, tout comme moi, par l'éloignement et par l'absence des êtres qui leur sont chers. Dont tu fais partie, mon cher Eumène. Assiste le roi de ton mieux. Cela m'est hélas interdit. Sois tranquille.

Eumène reposa la lettre et tourna son regard vers Philippe, qui avait caché son visage derrière ses mains.

« Je me suis permis... », reprit-il au bout d'un moment.

Le roi leva brusquement la tête. « Quoi ?

— De préparer une lettre...

— Grand Zeus, je vais tuer ce Grec, je vais l'étrangler de mes propres mains ! »

À ce moment précis, Eumène avait l'impression d'être un capitaine qui, après avoir longtemps lutté contre les flots au milieu de la tempête dans un vaisseau aux voiles déchirées et à la coque abîmée, arrive à proximité du port et doit demander un dernier effort à son équipage épuisé. Il prit une grande inspiration, tira de son sac une autre feuille et commença à la lire sous le regard incrédule du roi.

Philippe, roi des Macédoniens, à Alexandre, salut !

Ce qui s'est produit le jour de mes noces a été pour moi un motif de grande amertume et j'avais décidé, malgré l'amour qui me lie à toi, de t'exclure à jamais de ma présence. Mais le temps est un bon médecin et il sait adoucir les souffrances les plus aiguës.

J'ai longuement réfléchi à propos de cet épisode. Considérant que les hommes les plus âgés et dotés d'une plus grande expérience de la vie doivent donner l'exemple aux jeunes, souvent aveuglés par leurs passions, j'ai décidé de mettre fin à l'exil auquel je t'avais condamné.

Ce même exil est également révoqué pour tes amis qui, en choisissant de te suivre, m'ont gravement offensé.

La clémence du père l'emporte donc sur la rigueur du juge et du roi. En échange, je te demande seulement de manifester tes regrets pour l'outrage que j'ai dû subir et de me montrer que grâce à ton affection filiale de pareilles situations ne se répéteront pas à l'avenir.

Prends soin de toi.

Eumène demeura immobile et muet au milieu de la pièce, incapable de deviner ce qui l'attendait. Philippe se taisait, mais à l'évidence, il souhaitait dissimuler les émotions qui l'animaient ; au reste, il détourna la tête de façon à ne montrer que son œil aveugle et sec.

Eumène trouva toutefois le courage de l'interroger : « Qu'en dis-tu, sire ?

— Je n'aurais pas su mieux écrire.

— Alors, si tu acceptais de la signer... »

Philippe tendit la main, s'empara d'une plume, la plongea dans l'encre, mais s'interrompit bientôt sous le regard inquiet de son secrétaire.

« Quelque chose ne va pas, sire ?

— Non, non », répondit le roi en signant la lettre.

Il retourna aussitôt la feuille et griffonna quelque chose dans un coin. Eumène s'empara de la missive, la saupoudra de cendres, qu'il chassa d'un souffle, puis, après s'être incliné, se dirigea vers la porte d'un pas rapide et léger, craignant que le roi soit pris de regrets.

« Un instant », le rappela Philippe.

Il regrettait donc son geste.

Eumène s'immobilisa. « Que désires-tu, sire ?

— Où vas-tu expédier cette lettre ?

— Eh bien, je me suis permis de garder des contacts, d'engager discrètement des informateurs... »

Philippe secoua la tête. « Un espion, voilà qui je paie pour s'occuper de mon administration ! Tôt ou tard, je finirai par étrangler ce Grec. Par Zeus, je jure que je l'égorgerai de mes propres mains ! »

Eumène esquissa une nouvelle révérence et quitta la pièce. Tandis qu'il regagnait en toute hâte son bureau, son regard tomba sur les mots que Philippe avait ajoutés de sa propre main :

> Si tu recommences, je te tue.
> Tu m'as manqué.
> Papa.

34

Attale et Parménion passèrent en Asie sans rencontrer de résistance, et les villes grecques de la côte orientale les accueillirent comme des libérateurs, consacrant des statues au roi de Macédoine et préparant de grandes célébrations.

Cette fois-ci, Philippe reçut avec enthousiasme des nouvelles de ses courriers : les circonstances de son expédition en Asie ne pouvaient être plus propices. Du fait de la crise dynastique, l'Empire perse connaissait de grandes difficultés. Quant à lui, il disposait d'une puissante armée nationale dont la valeur, la loyauté, la cohésion et la détermination étaient inégalables ; d'un groupe de généraux possédant de hautes compétences dans le domaine de la stratégie, et instruits à son école ; d'un héritier du trône qui avait été formé selon les idéaux des héros d'Homère et la rationalité de la pensée philosophique, un prince orgueilleux et indomptable.

L'heure du départ pour la dernière et pour la plus grande aventure de son existence était arrivée. La décision de Philippe était prise et tous les préparatifs achevés : il accueillerait Alexandre, resserrerait les liens qui l'unissaient au royaume d'Épire en célébrant avec un faste inoubliable les noces de sa fille Cléopâtre, puis il rejoindrait son armée au-delà des Détroits pour effectuer le grand saut.

Et pourtant, maintenant que tout semblait résolu, que tout paraissait s'arranger pour le mieux, maintenant qu'Alexandre avait écrit qu'il reviendrait sans tarder à Pella et qu'il assisterait en grande pompe au mariage de sa sœur, Philippe était envahi par une étrange inquiétude, qui troublait son sommeil.

Un jour, au début du printemps, il envoya un serviteur dire à Eumène de le retrouver dans les écuries pour faire une promenade à cheval : il devait lui parler. C'était un procédé insolite, mais le secrétaire s'y conforma, revêtant un pantalon thrace, une tunique scythe, des bottes et un chapeau à larges bords. Il ordonna qu'on lui prépare une jument suffisamment âgée et tranquille, puis il se présenta au rendez-vous. Philippe le regarda de biais.

« Où crois-tu aller ? À la conquête de la Scythie ?

— J'ai suivi l'avis du responsable de ma garde-robe, sire.

— C'est ce que je vois. Allez, dépêchons-nous. »

Le roi éperonna son cheval et s'éloigna au galop sur un sentier qui menait hors de la ville.

Dans les champs, des paysans étaient déjà occupés à sarcler le blé et le millet, à émonder les sarments de vigne.

« Regarde ! s'exclama Philippe en faisant ralentir sa monture. Regarde ! En l'espace d'une génération, j'ai transformé un peuple de montagnards et de bergers semi-barbares en une nation d'agriculteurs habitant des villes et des villages aux administrations efficaces et policées. Je les ai rendus fiers d'appartenir à leur pays. Je les ai forgés comme le métal, j'ai fait d'eux des guerriers invincibles. Et Alexandre m'a bafoué parce que je me suis un peu trop amusé, il a affirmé que je n'étais pas même capable de passer d'un lit à l'autre...

— N'y pense plus, sire. Vous avez tous deux souffert. Alexandre a prononcé des mots qui n'auraient pas dû franchir ses lèvres, c'est vrai, mais il a été sévèrement châtié. Tu es un grand roi, le plus grand, il le sait, et il est fier de toi, je te le jure. »

Philippe se tut et continua un long moment au pas, sans rien ajouter. Puis il mit pied à terre devant un ruisseau dont l'eau froide et limpide provenait de la fonte des neiges, et il s'assit sur un rocher en attendant Eumène.

« Je pars, annonça-t-il à son secrétaire.

— Tu pars ? Et où ?

— Alexandre n'arrivera pas avant une vingtaine de jours, et je veux me rendre à Delphes.

— N'en fais rien, sire : ils t'entraîneront dans une autre guerre sacrée.

— Tant que je vivrai, il n'y aura plus de guerre en Grèce, ni sacrée, ni profane. Je ne vais pas voir le conseil du sanctuaire. Je vais au sanctuaire.

— Au sanctuaire ? répéta Eumène d'un air étonné. Mais le sanctuaire t'appartient, sire. L'oracle dit ce que tu souhaites.

— Tu crois ? »

Il commençait à faire chaud. Eumène ôta sa tunique, plongea son mouchoir dans l'eau et se rafraîchit le front.

« Je ne te comprends pas. Tu me poses cette question alors que tu as vu, toi-même, le conseil manœuvrer l'oracle à sa guise et lui faire proclamer ce qui favorisait une ligne politique ou des alliances militaires précises.

— C'est vrai. Pourtant, le dieu réussit parfois à dire la vérité, malgré la fausseté et l'effronterie des hommes qui devraient le servir. J'en suis certain. »

Il appuya les bras sur ses genoux et baissa la tête pour écouter le murmure du ruisseau.

Eumène était sans voix. Que voulait dire le roi, lui qui avait connu tous les excès, qui avait été témoin de la corruption et de la duplicité, qui avait vu la méchanceté des hommes se déchaîner dans toutes sortes d'atrocités ? Que cherchait cet homme, couvert de cicatrices visibles et invisibles, dans la vallée de Delphes ?

« Sais-tu ce qui est inscrit sur la façade du sanctuaire ? demanda bientôt le roi.

— Oui, sire. Il y est inscrit : " Connais-toi toi-même. "

— Et sais-tu qui a écrit ces mots ?

— Le dieu ? »

Philippe acquiesça.

« Je comprends, mentit Eumène.

— Je partirai demain. J'ai laissé mes consignes et le sceau royal à Antipatros. Ordonne qu'on mette en ordre les appartements d'Alexandre, fais laver son chien et l'écurie de Bucéphale, fais briller son armure et veille à ce que Leptine prépare, comme d'habitude, son lit et son bain. Il faut qu'il retrouve tout ce qu'il a laissé dans le même état. Mais nous n'organiserons ni fêtes ni banquets. Il n'y a rien à célébrer : nous sommes tous deux lourds de chagrin. »

Eumène hocha la tête. « Pars en paix, roi. Tout ce que tu as demandé sera exécuté, et de la meilleure façon.

— Je le sais », murmura Philippe.

Il le gratifia d'une bourrade sur l'épaule, bondit sur son cheval et disparut au galop.

Le roi partit le lendemain à l'aube avec une petite escorte et prit la route du sud. Il traversa la plaine de Macédoine, pénétra en Thessalie, puis arriva à Delphes par la Phocide après sept jours de voyage, trouvant, comme à l'accoutumée, la ville pleine de pèlerins.

Ils venaient de tous les coins du monde, même de la Sicile et du golfe adriatique où se dressait, sur une île au milieu des flots, la ville de Spina. Tout au long de la voie sacrée qui menait au sanctuaire s'alignaient les petits temples que les diverses cités grecques dédiaient à Apollon, ornés de sculptures et souvent précédés, ou flanqués, de spectaculaires groupes de bronze ou de marbre peint.

Il y avait là des dizaines de comptoirs regorgeant de marchandises : animaux à sacrifier, statues de toutes tailles à consacrer dans le sanctuaire, reproductions en bronze ou en terre cuite de la statue de culte placée à l'intérieur du temple, et d'autres chefs-d'œuvre qui en décoraient les abords.

À côté du sanctuaire trônaient le gigantesque trépied du dieu ainsi qu'un énorme chaudron de bronze, soutenu par trois serpents entortillés, également en bronze, fondus avec les armes que les Athéniens avaient confisquées aux Perses au cours de la bataille de Platées.

Philippe rabattit son capuchon sur sa tête et se plaça dans la file des postulants. Mais rien n'échappait aux prêtres d'Apollon ; les serviteurs se passèrent bien vite le mot et les ministres du culte, tapis dans l'ombre, dans le cœur secret du temple, furent informés.

« Le roi des Macédoniens, chef suprême du conseil du sanctuaire, est ici, annonça un jeune adepte, hors d'haleine.

— Tu es sûr de ce que tu dis ? demanda le prêtre qui était responsable, ce jour-là, des fonctions du culte et de l'oracle.

— Il est difficile de confondre Philippe de Macédoine avec un pèlerin quelconque.

— Que veut-il ?

— Il a pris place dans la file des postulants qui souhaitent interroger le dieu. »

Le prêtre soupira. « Incroyable. Pourquoi n'avons-nous pas été avertis ? Nous ne pouvons pas être pris de court par la requête d'un homme aussi puissant... Vite ! ordonna-t-il. Exposez les insignes du conseil du sanctuaire et conduisez-le jusqu'à moi immédiatement ! Le vainqueur de la guerre sacrée, chef suprême du conseil, a la priorité absolue. »

Le jeune homme disparut derrière une petite porte. Le prêtre enfila ses ornements, enroula les bandelettes sacrées autour de sa tête en les laissant retomber sur ses épaules, puis entra dans le temple.

Le dieu Apollon se tenait devant lui, assis sur son trône, avec son visage et ses mains d'ivoire, sa couronne argentée de feuilles de laurier, ses yeux de nacre. Du fait de son regard fixe, l'immense idole avait une expression hagarde et absente, et ses lèvres s'étiraient en un sourire énigmatique, voire moqueur. À ses pieds se trouvait un brasero dans lequel brûlait de l'encens, dont la fumée s'élevait en un nuage bleuté jusqu'à une ouverture pratiquée entre les chevrons du plafond, à travers laquelle on entrevoyait un pan de ciel.

Un faisceau de lumière pénétrait par l'entrée, tempérant l'obscurité de la pièce, léchait les contours dorés des colonnes doriques et faisait briller une myriade de corpuscules suspendus dans l'air dense et lourd.

Soudain, une silhouette massive se profila dans l'embrasure de la porte, projetant son ombre jusqu'aux pieds du prêtre. Elle marcha vers la statue du dieu en boitant, et ses chaussures cloutées résonnèrent dans le profond silence du sanctuaire.

Le prêtre alla à sa rencontre et reconnut bientôt le roi des Macédoniens. « Que désires-tu ? » lui demanda-t-il avec déférence.

Philippe leva la tête et examina le regard impassible de la statue qui le menaçait. « Je désire interroger le dieu.

— Et quelle est ta question ? »

Philippe sembla lui planter son unique œil jusqu'au fond de l'âme, en admettant qu'il en eût une.

« Je la poserai directement à la Pythie. Conduis-moi auprès d'elle. »

Le prêtre baissa la tête d'un air troublé, surpris par cette requête à laquelle il ne pouvait pas s'opposer.

« Tu es sûr de vouloir t'exposer directement à la voix d'Apollon ? Nombreux sont ceux qui ne l'ont pas supporté. Elle est parfois plus perçante que le son d'une trompe de guerre, plus déchirante que le tonnerre...

— Je supporterai cette épreuve, affirma Philippe sur un ton péremptoire. Accompagne-moi.

— Comme tu veux », répondit le prêtre.

Il s'approcha d'une timbale de bronze accrochée à une colonne et la frappa de son sceptre. Le son argentin qui en résulta se répercuta sur les murs en un jeu d'échos compliqué, finissant par atteindre la cellule la plus secrète du temple : l'*adyton*.

« Suis-moi », dit-il lorsque le son se fut évanoui.

Ils passèrent derrière le piédestal de la statue et s'immobilisèrent devant une plaque en bronze qui recouvrait le mur postérieur de la cellule. Le prêtre abattit de nouveau son sceptre, provoquant un sombre écho aussitôt avalé par un espace souterrain invisible. Puis la grande plaque tourna sur elle-même sans le moindre bruit, découvrant un escalier étroit qui s'enfonçait dans le sous-sol.

« Personne n'est jamais entré ici au cours de cette génération », déclara le prêtre, le regard toujours fixé devant lui. Philippe descendit à grand-peine les marches raides et inégales qui menaient à un hypogée faiblement éclairé par quelques lanternes.

C'est alors qu'il vit se détacher sur le mur du fond, entièrement plongé dans l'obscurité, une silhouette échevelée, vêtue d'une robe rouge qui lui tombait jusqu'aux pieds. Son visage était d'une pâleur de cire, et ses yeux, lourdement bistrés, avaient une étrange mobilité d'animal traqué. Elle était soutenue par deux assistants qui l'entraînèrent presque à bout de bras vers une sorte de trépied, et l'installèrent à l'intérieur d'un chaudron.

Ils ouvrirent ensuite, avec de grandes difficultés, une trappe de pierre dans le sol, d'où l'on put découvrir la bouche de l'abîme qui commença à exhaler une fumée à l'odeur pestilentielle.

« C'est le *chasma ghes* », dit le prêtre d'une voix tremblante. Il était facile de deviner qu'il ne jouait pas la comédie et qu'il était épouvanté. « C'est la source de la nuit, la dernière bouche du chaos primitif. Personne ne sait où il finit et personne n'en est jamais revenu. » Il ramassa un caillou sur le sol rocheux de la caverne et le jeta à travers l'ouverture. Il n'y eut aucun bruit.

« Le dieu va pénétrer le corps de la Pythie, l'envahir de sa présence. Regarde. »

La voyante respirait en haletant péniblement la fumée qui s'échappait du gouffre ; elle se contorsionnait, en proie à des spasmes violents, à l'intérieur du chaudron, laissant pendre ses jambes et ses bras inertes, montrant le blanc de ses yeux. Puis elle sursauta douloureusement et émit une sorte de râle, de plus en plus aigu, qui finit par imiter le sifflement des serpents. L'un des assistants lui posa une main sur la poitrine et lança au prêtre un signe d'entente.

« Tu peux interroger le dieu, roi Philippe. Maintenant, Apollon est présent », dit le prêtre d'une voix docile.

Philippe s'avança jusqu'à toucher la main de la Pythie.

« Ô dieu, un rituel solennel se prépare dans ma maison et je m'apprête à venger l'outrage que les barbares ont jadis fait aux temples des dieux de notre terre. Mais mon cœur est opprimé et mes nuits sont assombries par des cauchemars. Quelle est la réponse à mon inquiétude ? »

La Pythie produisit un long gémissement, puis elle se leva lentement en posant les mains sur le bord du chaudron. Elle commença alors à parler, d'une étrange voix métallique et frémissante :

> Voici le taureau couronné :
> la fin est proche ;
> le sacrificateur est prêt.

Après quoi elle s'effondra, aussi inerte qu'un corps sans vie.

Philippe l'examina un moment en silence, puis il regagna l'escalier et disparut dans le pâle rayon qui tombait du plafond.

35

L'homme arriva au galop en pleine nuit, sauta à terre devant le corps de garde et confia sa monture écumante de sueur à l'un de ses « écuyers ».

Eumène, qui ne dormait que d'un œil, bondit hors de son lit, enfila un manteau, prit une lanterne et dévala l'escalier pour aller à sa rencontre.

« Approche », lui ordonna-t-il dès qu'il le vit entrer sous le portique. Puis il le précéda en direction de l'armurerie. « Où est le roi à l'heure qu'il est ? demanda-t-il tandis que l'homme le suivait, encore essoufflé.

— À un jour de marche, pas plus. J'ai perdu du temps pour la raison que tu connais.

— Bon, bon, interrompit Eumène en ouvrant à l'aide d'une clef la petite porte ferrée. Entre. Ici, nous serons tranquilles. »

La pièce était grande et nue ; on y entreposait les armes à réparer. Sur un côté, deux ou trois tabourets étaient disposés autour d'une enclume. Eumène en apporta un à son compagnon et s'assit à son tour.

« Qu'es-tu parvenu à savoir ?

— Cela a été difficile et coûteux. J'ai dû corrompre l'un des assistants qui ont accès à l'*adyton*.

— Et alors ?

— Le roi Philippe est arrivé à l'improviste, presque en cachette, et il a pris place parmi les autres postulants jusqu'à ce qu'on le reconnaisse et qu'on le fasse entrer dans le sanctuaire. Quand ils ont compris qu'il voulait interroger l'oracle, les prêtres ont essayé de connaître sa question pour préparer une réponse convenable.

— C'est une pratique normale.

— En effet. Mais le roi s'y est refusé. Il a voulu consulter directement la Pythie et a exigé d'être conduit dans l'*adyton.* »

Eumène se couvrit le visage de ses mains. « Oh ! grand Zeus !

— Le prêtre qui officiait ce jour-là n'a pas même eu le temps d'en informer le conseil. Il a bien été obligé d'accéder à sa requête. Philippe a ordonné qu'on le conduise dans l'*adyton*, où il a posé sa question à la Pythie en transe.

— Tu en es sûr ?

— Absolument sûr.

— Et quelle a été la réponse ?

— " Voici le taureau couronné : la fin est proche ; le sacrificateur est prêt. "

— C'est tout ? » demanda Eumène, le visage sombre.

L'homme hocha la tête.

Eumène tira de sa poche une bourse remplie d'argent et la remit à son interlocuteur. « C'est ce que je t'avais promis, mais je suis sûr que tu as gardé la monnaie de ce qui t'a servi à payer cet assistant.

— Je...

— Laisse ! Je sais comment cela se passe. Mais souviens-toi d'une chose : si un mot — que dis-je, un souffle — t'échappe à propos de cette affaire, si tu es tenté d'en parler à quelqu'un, je te retrouverai, où que tu sois, et je te ferai regretter d'être né. »

L'homme s'empara de la bourse en jurant ses grands dieux qu'il n'en toucherait mot à personne, puis il partit.

Seul dans la grande pièce vide et froide, à la lueur de

sa lanterne, Eumène s'ingénia à élaborer une interprétation qui fût de bon augure pour son roi. Après quoi il sortit et retourna dans sa chambre à coucher ; mais il ne parvint pas à se rendormir.

Philippe arriva au palais le lendemain, en fin d'après-midi. Eumène fit en sorte d'être reçu le plus vite possible prétextant qu'il avait des documents à faire signer.

« Puis-je te demander l'issue de ta mission, sire ? » questionna-t-il en lui passant une feuille après l'autre.

Philippe leva la tête et se tourna vers lui. « Je suis prêt à jouer dix talents d'argent contre une merde de chien que tu le sais déjà.

— Moi, sire ? Oh non, je ne suis pas aussi habile. Non. Ce sont des sujets délicats, avec lesquels on ne peut pas plaisanter. »

Philippe tendit la main gauche pour recevoir une autre feuille et y imprima son sceau.

« " Voici le taureau couronné : la fin est proche ; le sacrificateur est prêt. "

— C'est là le verdict, sire ? Mais c'est extraordinaire, c'est magnifique ! Au moment même où tu t'apprêtes à passer en Asie ! Le nouvel empereur des Perses vient d'être couronné, et quel est le symbole de Persépolis, sa capitale ? Le taureau, le taureau ailé. Il n'y a pas de doute, c'est lui le taureau. Ainsi, sa fin est proche parce que le sacrificateur est prêt. Et c'est toi, le sacrificateur, qui l'abattra. L'oracle a prédit ta victoire imminente sur l'empire des Perses.

« Ou plutôt, veux-tu que je te dise le fond de ma pensée, sire ? C'est trop beau pour être vrai : je crains que ces flagorneurs de prêtres ne t'aient confectionné une réponse sur mesure. Mais cela reste un bon augure, n'est-ce pas ?

— Ils n'ont rien confectionné. Je suis arrivé à l'improviste, j'ai pris un ministre du culte par le col, je l'ai obligé à ouvrir l'*adyton* et j'ai vu la Pythie, en transe, les yeux révulsés et la bouche baveuse, en train d'inhaler les fumées du *chasma*. »

Eumène hocha plusieurs fois la tête. « Il n'y a pas à dire, c'est une action foudroyante, digne de toi. Ce qui signifie — et c'est encore mieux — que le verdict est authentique.

— Oui.

— Alexandre sera là dans deux jours.

— Bien.

— Iras-tu l'accueillir sur l'ancienne frontière ?

— Non. Je l'attendrai ici.

— Pouvons-nous y aller, Callisthène et moi ?

— Oui, bien sûr.

— J'aimerais également emmener Philotas ainsi qu'une douzaine d'hommes de la garde. Juste une petite garde d'honneur... »

Philippe accepta.

« Bien, sire. Alors, s'il n'y a rien d'autre, je m'en vais, conclut-il en ramassant ses papiers et en se dirigeant vers la porte.

— Sais-tu comment mes soldats m'appelaient lorsque j'étais jeune et que je terrassais deux femmes au cours de la même nuit ? »

Eumène se retourna et croisa le regard blessé du roi.

« Ils me surnommaient " le Taureau ". »

Incapable de répliquer, le secrétaire gagna la porte et sortit en s'inclinant en toute hâte.

Le petit comité d'accueil atteignit la route de Béroée où passait la vieille frontière du royaume d'Amyntas Ier ; Eumène fit signe à ses compagnons de s'arrêter près du gué de l'Haliacmon, qu'Alexandre ne manquerait pas de franchir.

Les cavaliers mirent pied à terre et libérèrent leurs montures, les laissant brouter l'herbe du pré ; l'un d'eux prit une gourde pour se désaltérer, d'autres tirèrent de leurs sacoches du pain, du fromage, des olives et des figues sèches, et s'assirent sur le sol pour manger, car c'était l'heure du repas. Un membre de la garde fut envoyé au sommet d'une hauteur pour qu'il signale à temps l'arrivée d'Alexandre.

Plusieurs heures s'écoulèrent et le soleil commença à décliner vers les cimes du Pinde.

« C'est une mauvaise route, crois-moi, ne cessait de répéter Callisthène. Infestée de brigands. Je ne serais pas surpris de...

— Bah, les brigands ! s'exclama Philotas. Nos amis n'en feraient qu'une bouchée. Ils ont passé l'hiver dans les montagnes d'Illyrie, ne sais-tu pas ce que cela signifie ? »

Mais Eumène regardait la colline et l'homme qui agitait un drapeau rouge.

« Ils arrivent », annonça-t-il tout bas.

Un peu plus tard, la sentinelle décocha une flèche qui se planta dans la terre, non loin d'eux.

« Ils sont tous là, dit le secrétaire. Il ne manque personne. » Il s'exprimait comme s'il ne croyait pas à ses propres mots. Entre-temps, l'homme avait dévalé la colline.

« Gardes ! À cheval ! » ordonna Philotas. Les douze cavaliers bondirent sur leurs chevaux et s'alignèrent sur la route, lance au poing.

Eumène et Callisthène se mirent en route, à pied, au moment même où la troupe d'Alexandre se profilait sur un ensellement de la colline.

Ils chevauchaient tous les huit, côte à côte, enveloppés d'un halo de lumière pourpre, dans le nuage doré que le soleil répandait en se couchant derrière eux. La distance et le martèlement des sabots de leurs chevaux créaient un étrange effet : on aurait dit qu'ils étaient suspendus dans les airs, qu'ils venaient d'une autre époque, d'un lieu magique et reculé, des confins du monde.

Ils gagnèrent la rive du fleuve et traversèrent le gué

à toute allure, comme s'ils ne pouvaient supporter les derniers instants qui les séparaient encore de leur patrie. Dans leur piétinement tourbillonnant, les jambes de leurs chevaux provoquèrent une nuée de vapeur irisée contre les derniers feux du couchant, à l'ouest.

Eumène se frotta les yeux avec la manche de sa tunique et se moucha bruyamment. Sa voix tremblait. « Ô, dieux du ciel, ce sont eux... Ce sont eux ! »

Alors une silhouette à la longue chevelure dorée, resplendissant dans son armure de cuivre fauve, bondit hors de l'eau dans un bouillonnement d'écume, se détacha du groupe et se lança dans une course effrénée, faisant trembler la terre des sabots de son étalon.

Philotas s'écria : « Gardes, en position ! » Et les douze guerriers se serrèrent l'un contre l'autre, la tête droite, la poitrine en avant, le dos tendu et levant bien haut la pointe de leur lance.

Eumène ne put contenir son émotion.

« Alexandre..., balbutia-t-il entre ses larmes. Alexandre est revenu. »

36

Eumène et Callisthène accompagnèrent Alexandre jusqu'au bureau de Philippe. Eumène frappa à la porte. Quand il entendit la voix du roi inviter son fils à entrer, il posa la main sur l'épaule de son ami et lui dit non sans embarras : « Si ton père devait mentionner la lettre que tu m'as écrite, ne te montre pas surpris. Je me suis permis de faire le premier pas en ton nom. Sinon, à l'heure qu'il est, tu serais encore dans les montagnes au milieu des neiges. »

Devinant enfin ce qui s'était passé, Alexandre lança à son ami un regard stupéfait, mais il était bien obligé d'entrer, et c'est ce qu'il fit.

Malgré une absence de moins d'un an, il trouva son père vieilli : les rides qui sillonnaient son front semblaient plus profondes, et ses tempes prématurément blanchies.

Il prit la parole le premier : « Je suis content de constater que tu es en bonne santé, père.

— Moi aussi, répliqua le roi. Tu m'as l'air plus robuste, et je suis heureux que tu sois de retour. Tes amis se portent-ils bien ?

— Oui, ils vont tous bien.

— Assieds-toi. »

Alexandre s'exécuta. Le roi saisit une carafe et deux coupes.

« Un peu de vin ?
— Oui, merci. »
Pendant que Philippe s'approchait, Alexandre, instinctivement, se leva et put ainsi observer son père de plus près. Il vit son œil éteint et lut la lassitude qui sculptait son front.
« Je bois à ta santé, père, et à l'entreprise que tu vas mener à bien en Asie. J'ai appris la grande prophétie du dieu de Delphes. »
Philippe hocha la tête et but une gorgée de vin.
« Comment va ta mère ?
— Elle allait bien, la dernière fois que je l'ai vue.
— Viendra-t-elle au mariage de Cléopâtre ?
— Je l'espère.
— Moi aussi. »
Ils s'épiaient l'un l'autre, debout, en silence, tous deux désireux de céder à la vague des sentiments qui les envahissaient. Mais leur grande souffrance, leur terrible ressentiment, ainsi que ce moment de fureur passé, mais toujours vif, les avaient endurcis, et ils savaient qu'ils avaient failli s'affronter et se causer l'un à l'autre de graves blessures.
« Va dire bonjour à Cléopâtre, dit soudain Philippe à son fils, brisant le silence. Elle a beaucoup souffert de ton absence. »
Alexandre opina du bonnet et sortit.
Eumène et Callisthène s'étaient retranchés au fond du couloir, dans l'attente d'une explosion de violence ou de joie. Ce silence irréel les laissa perplexes.
« Qu'en penses-tu ? demanda Callisthène.
— Le roi m'a dit : " Nous n'organiserons ni fêtes ni banquets. Il n'y a rien à célébrer : nous sommes tous deux lourds de chagrin. " Ce sont ses propres mots. »
Alexandre traversa le palais comme dans un rêve. Tout le monde souriait et inclinait la tête sur son passage, mais personne n'osait aller vers lui ou lui adresser la parole.
Soudain, un fort aboiement résonna dans la grande

cour, et Péritas surgit comme une furie sous le portique intérieur. Il sauta sur son maître et faillit le renverser, sans cesser d'aboyer et de lui faire fête.

Le jeune homme fut ému par l'affection que son chien lui démontrait d'une façon si ouverte et si enthousiaste en présence d'autrui. Il le caressa longuement, lui gratta les oreilles pour tenter de le calmer. Il songea à Argos, le chien d'Ulysse, qui avait été le seul à le reconnaître à son retour, après tant d'années, et il sentit que ses yeux s'embuaient.

Sa sœur se jeta à son cou en sanglotant dès qu'elle l'aperçut du seuil de sa chambre.

« Petite sœur..., murmura Alexandre en la serrant contre sa poitrine.

— J'ai tant pleuré... tant pleuré..., dit la jeune fille.

— Cela suffit, maintenant. Je suis de retour et j'ai faim. J'espérais que tu m'inviterais à dîner.

— Bien sûr ! s'exclama Cléopâtre en séchant ses larmes et en reniflant. Viens, entre. »

Elle le fit s'asseoir et ordonna aussitôt qu'on mette le couvert et qu'on apporte une cuvette afin que son frère puisse se laver les mains, les bras et les pieds.

« Maman viendra-t-elle à mon mariage ? demanda la jeune fille quand ils se furent allongés pour le dîner.

— Je l'espère. Sa fille et son frère se marient, elle ne devrait pas être absente. Cela ferait sans doute plaisir à notre père. »

Cléopâtre sembla se calmer, et ils commencèrent à se raconter comment ils avaient passé cette année en l'absence l'un de l'autre. La princesse tremblait chaque fois que son frère lui relatait une aventure particulièrement captivante ou lui parlait des dangereuses poursuites effectuées le long des gorges sauvages des monts illyriens.

De temps à autre, Alexandre s'interrompait : il voulait savoir comment elle s'habillerait pour ses noces, comment elle comptait mener son existence dans le palais royal de Boutrotos. Mais il lui arrivait aussi de la contempler en silence, d'une façon qui lui était particulière : en souriant légèrement et en penchant la tête vers la droite.

« Pauvre Perdiccas », dit-il bientôt, comme frappé par une pensée subite. « Il est éperdument amoureux de toi, et quand il a appris que tu allais te marier, il a sombré dans le désespoir.

— J'en suis désolée. C'est un gentil garçon.

— Plus que ça. Mon expérience me dit qu'il deviendra un jour l'un des meilleurs généraux de Macédoine. Mais il n'y a rien à faire : chacun de nous suit son destin.

— Oui », acquiesça Cléopâtre.

Le silence s'abattit soudain sur les deux jeunes gens, qui avaient pris tant de plaisir à se retrouver après leur longue séparation : ils écoutaient maintenant l'un et l'autre la voix de leurs sentiments.

« Je crois que tu seras heureuse avec ton époux, reprit Alexandre. C'est un jeune homme intelligent et courageux, et il est capable de rêver. Tu seras pour lui comme une fleur caressée par la rosée, comme le sourire du printemps, comme une perle enchâssée dans l'or. »

Cléopâtre posa sur lui ses yeux luisants. « Est-ce ainsi que tu me vois, mon frère ?

— Oui. Et c'est ainsi qu'il te verra, lui aussi, j'en suis certain. »

Il lui effleura la joue d'un baiser et la quitta.

Il était tard quand il regagna ses appartements, après son année d'absence : le parfum des fleurs qui l'ornaient et l'odeur de son bain caressèrent bientôt ses narines.

Les lanternes diffusaient une clarté intime et chaude ; son strigile, son peigne et son rasoir étaient bien alignés près de la baignoire, et Leptine était assise sur un tabouret, seulement vêtue d'un court chiton.

Elle se précipita vers lui dès qu'elle l'aperçut et se

jeta à ses pieds, refermant ses bras sur ses genoux et le couvrant de baisers et de larmes.

« Ne veux-tu pas m'aider à prendre mon bain ? lui demanda Alexandre.

— Si, si, bien sûr, mon seigneur. Tout de suite. »

Elle le déshabilla et attendit qu'il s'immerge dans la grande baignoire, puis elle commença à le caresser doucement avec une éponge. Elle lava ses cheveux doux et lisses, les sécha et versa sur sa tête une huile précieuse, provenant de la lointaine Arabie.

Quand il sortit de l'eau, elle le couvrit d'un drap et le conduisit à son lit. Puis elle se déshabilla à son tour et le massa longuement pour détendre ses membres ; mais elle ne le parfuma pas, car rien n'était plus beau et plus agréable à ses yeux que l'odeur naturelle de sa peau. Lorsqu'elle vit qu'il se laissait aller et qu'il fermait les yeux à demi, elle s'allongea auprès de lui, nue et tiède, et parsema son corps de baisers.

37

Eurydice accoucha d'un garçon à la fin du printemps, peu avant la date fixée pour les noces de Cléopâtre et d'Alexandre d'Épire, et cet événement refroidit à nouveau les relations du prince et de son père.

Incompréhensions et désaccords se multiplièrent. Ils furent aggravés par la décision de Philippe d'éloigner de la cour les amis les plus intimes de son fils, en particulier Héphestion, Perdiccas, Ptolémée et Séleucos.

Philotas, qui se trouvait alors en Asie, s'était montré en revanche relativement tiède à l'égard d'Alexandre après son retour. Il commença même à fréquenter ouvertement Amyntas, qui avait été l'héritier du trône avant la naissance de son cousin.

Tous ces éléments, doublés d'une familiarité perdue avec la cour et d'une sensation aiguë d'isolement, ne firent qu'accroître, chez Alexandre, un manque d'assurance qui le poussait à prendre des initiatives maladroites et à adopter des comportements injustifiés.

Quand il apprit que Philippe avait proposé son demi-frère Arrhidée, à moitié débile, au satrape de Carie qui cherchait un mari pour sa fille, il ne sut que penser. Craignant que cette décision ne fût en rapport avec l'expédition en Asie, il finit, après une longue réflexion, par envoyer un messager à Pixodaros, afin d'informer ce dernier qu'il s'offrait lui-même en mariage. Mais le roi l'apprit par ses espions. Il fut pris d'une rage terrible et décida d'annuler le projet d'alliance matrimoniale, désormais compromis.

Eumène communiqua cette mauvaise nouvelle à Alexandre.

« Mais comment t'es venue l'idée de faire une chose pareille ? lui demanda-t-il. Pourquoi ne m'en as-tu pas parlé ? Pourquoi ne m'as-tu pas consulté ? Je t'aurais dit que...

— Que m'aurais-tu dit ? éclata Alexandre, à la fois inquiet et irrité. Tu te contentes d'exécuter les ordres de mon père ! Tu me tiens à l'écart de tout !

— Tu n'es plus toi-même, répliqua Eumène. Comment as-tu pu penser que Philippe allait gâcher l'avenir de son héritier au trône en lui donnant pour épouse la fille d'un serviteur de son ennemi, le roi des Perses ?

— J'ignore si je suis encore l'héritier de Philippe. Il ne me le dit pas, il ne me dit rien. Il consacre tout son temps à sa nouvelle épouse et à leur bébé. Et vous aussi, vous m'avez abandonné. Vous avez peur de me fréquenter parce que vous pensez que je ne serai bientôt plus l'héritier du roi ! Considère un peu la situation : combien d'enfants a mon père ? Et puis, Amyntas pourrait trouver des appuis : au fond, il était l'héritier avant ma naissance, et ces temps derniers Philotas a passé plus de temps en sa compagnie qu'en la mienne. Et Attale n'a-t-il pas affirmé que sa fille accoucherait de l'héritier légitime ? Eh bien, un garçon vient de naître. »

Eumène observa un instant de silence. Il regardait Alexandre arpenter la pièce, attendant qu'il se calme. Quand il le vit s'immobiliser devant la fenêtre, le dos tourné, il reprit la parole :

« Il faut que tu obtiennes une entrevue avec ton père, même s'il a plutôt, à l'heure qu'il est, envie de t'égorger. Et il n'a pas entièrement tort.

— Tu vois ? Tu es dans son camp !

— Tais-toi ! Cesse de me traiter de cette façon ! Je

me suis toujours comporté loyalement à l'égard de ta famille. J'ai toujours essayé d'apaiser vos querelles car je considère ton père comme un grand homme, le plus grand que l'Europe ait jamais connu depuis un siècle, et parce que j'ai de l'affection pour toi, maudit têtu ! Allez, donne-moi un exemple, un seul exemple d'action commise contre toi, de chagrin que je t'ai causé depuis que nous nous connaissons, c'est-à-dire depuis de nombreuses années ! Vas-y, parle, j'attends. »

Alexandre ne répondit pas. Il se tordait les mains et se gardait bien de se retourner, voulant cacher les larmes qui embuaient ses yeux. Il se sentait bouillir de rage, car il se rendait compte que la colère de son père l'effrayait encore, comme au temps de son enfance.

« Il faut que tu l'affrontes. Maintenant. Maintenant qu'il est furieux de ce que tu as fait. Montre-lui que tu n'as pas peur, que tu es un homme, que tu es digne de t'asseoir un jour sur son trône. Admets ton erreur et demande-lui pardon. C'est cela, le vrai courage.

— D'accord, répondit Alexandre. Mais rappelle-toi que Philippe s'est déjà précipité sur moi en brandissant une épée.

— Il était soûl.

— Pourquoi, comment est-il à présent ?

— Tu es injuste envers lui. Il a fait pour toi tout ce qui était en son pouvoir. Sais-tu combien il a investi sur ta personne ? Le sais-tu ? Eh bien moi, je le sais, parce que je tiens ses comptes et parce que je classe ses archives.

— Je ne veux pas le savoir.

— Au moins cent talents, une somme disproportionnée : un quart du trésor de la ville d'Athènes au sommet de sa splendeur.

— Je ne veux pas le savoir !

— Il a perdu un œil au combat, et il est boiteux pour le restant de ses jours. Il a construit pour toi le plus vaste empire qui ait jamais existé à l'ouest des Détroits, et maintenant qu'il t'offre l'Asie, tu contrecarres ses projets, tu lui reproches les quelques plaisirs qu'un homme de son âge peut encore tirer de la vie. Va le trouver, Alexandre, et parle-lui, avant qu'il en prenne lui-même l'initiative.

— D'accord ! Je vais l'affronter. »

Et il sortit en claquant la porte.

Eumène le poursuivit dans le couloir. « Attends ! Attends donc !

— Quoi encore ?

— Laisse-moi d'abord lui dire un mot. »

Alexandre s'effaça devant lui et, en secouant la tête, le regarda gagner d'un pas rapide l'aile orientale du palais.

Eumène frappa et entra sans y être invité.

« Qu'y a-t-il ? demanda Philippe, le visage sombre.

— Alexandre veut te parler.

— Quoi ?

— Sire, ton fils regrette ce qu'il a fait, mais essaie de le comprendre : il se sent seul, à l'écart. Il a perdu ta confiance et ton amour. Ne peux-tu pas lui pardonner ? Au fond, ce n'est encore qu'un adolescent, ou presque. Il a cru que tu l'avais abandonné et il s'est laissé gagner par la peur. »

Eumène, qui s'attendait à une explosion de colère incontrôlée, s'étonna de voir le roi aussi calme. Il en était presque impressionné.

« Te portes-tu bien, sire ?

— Bien, bien. Fais-le entrer. »

En sortant, Eumène se heurta à Alexandre, qui patientait dans le couloir, le visage blême.

« Ton père est très éprouvé, affirma-t-il. Il est peut-être plus seul que toi. Souviens-t'en. »

Le prince franchit le seuil du bureau.

« Pourquoi as-tu agi ainsi ? interrogea Philippe.

— Je...

— Pourquoi ? hurla-t-il.

— Parce que je me sentais exclu de tes décisions, de tes projets, parce que j'étais seul, que personne ne me donnait ni aide ni conseils. J'ai cru affirmer ainsi la dignité de ma personne.

— En offrant ta main à la fille d'un esclave du roi des Perses ? »

« Les mots d'Eumène », songea Alexandre.

« Mais pourquoi ne me parles-tu pas ? poursuivit Philippe d'une voix plus calme. Pourquoi ne parles-tu pas à ton père ?

— Tu m'avais préféré Arrhidée, cette espèce de crétin.

— Justement ! cria à nouveau Philippe en abattant son poing sur la table. Et cela ne t'a pas mis la puce à l'oreille ? Est-ce ainsi qu'Aristote t'a appris à raisonner ? »

Alexandre resta silencieux ; Philippe se leva, fit les cent pas dans la pièce en boitant.

« Les problèmes que je t'ai créés sont-ils donc si graves ? demanda bientôt le prince.

— Non, répondit Philippe. Même si une alliance matrimoniale avec un satrape perse pouvait m'être utile alors que je m'apprête à passer en Asie. Mais il y a un remède à tout.

— Je suis désolé. Cela ne se reproduira plus. J'attends que tu m'attribues ma place au mariage de Cléopâtre.

— Ta place ? C'est celle qui revient à l'héritier du trône, mon fils. Va voir Eumène : il sait tout, car il a organisé la cérémonie dans les moindres détails. »

À ces mots, Alexandre rougit violemment. Il aurait voulu embrasser son père comme du temps où celui-ci lui rendait visite à Miéza. Mais il ne parvint pas à vaincre la pudeur et l'embarras qu'il éprouvait en sa présence depuis le jour où leurs rapports s'étaient dégradés. Il lui lança toutefois un regard ému, presque triste, et son père comprit. En effet, il dit :

« Et maintenant, débarrasse-moi le plancher, car j'ai du travail. »

« Viens, lui demanda Eumène. Il faut que tu voies de quoi ton ami est capable. Ce mariage sera le chef-d'œuvre de ma vie. Le roi a écarté les maîtres de cérémonie et les chambellans pour me confier l'entière responsabilité de l'organisation. Et maintenant, annonça-t-il en ouvrant une porte et en poussant Alexandre à l'intérieur d'une pièce, regarde-moi ça ! »

Le prince se trouvait dans une des salles de l'armurerie royale, qu'on avait totalement vidée pour y installer une grande table reposant sur des tréteaux. Y trônait une maquette du palais royal d'Aigai, sanctuaires et théâtre compris.

Les bâtiments étaient privés de toit, et on pouvait en voir l'intérieur, où l'on avait placé des figurines de terre cuite en couleurs. Elles représentaient les personnages qui participeraient aux cérémonies solennelles.

Eumène s'approcha et s'empara d'une baguette, sur la table. « Ici, expliqua-t-il en indiquant une grande salle ouverte sur un portiques à colonnes, aura lieu le mariage, ainsi que la grande procession qui s'ensuivra, un événement extraordinaire, encore jamais vu.

« La procession se déroulera au terme de la cérémonie, alors que la mariée sera conduite par ses dames dans la chambre nuptiale, pour le rituel du bain et de la coiffure : devant, les statues des douze dieux de l'Olympe — celles que tu vois ici — seront portées sur les épaules par des assistants. Il y aura aussi la statue de ton père, qui symbolisera ses sentiments religieux et sa fonction de dieu tutélaire de tous les Grecs.

« Au centre, le roi avancera dans un manteau blanc, la tête ceinte d'une couronne de feuilles de chêne en or. Tu marcheras à sa droite, un peu en avant, en ta qualité d'héritier du trône ; l'époux, Alexandre d'Épire, sera à sa gauche. Vous vous dirigerez ensemble vers le théâtre, que voici.

« Les invités et les délégations étrangères auront pris place dès les premières lueurs de l'aube, et assisté à des spectacles et des scènes jouées par des acteurs célèbres venus tout exprès d'Athènes, de Sicyone, de Corinthe, dont Thessalos, que, me dit-on, tu admires entre tous. »

Alexandre lissa son manteau blanc sur ses épaules et échangea un regard rapide avec son oncle. Tous deux précédaient de peu Philippe, accompagné par sa garde et vêtu d'une tunique rouge bordée d'or, à motifs d'ovules et de petites palmes, et d'un manteau blanc fort riche, son sceptre d'ivoire à la main droite et sa couronne de feuilles de chêne sur la tête. Sa silhouette rappelait la figurine qu'Eumène avait montrée au prince sur la maquette, dans la salle d'armes.

Les cordonniers royaux lui avaient confectionné une paire de cothurnes dignes d'un acteur tragique, que l'ourlet de sa robe dissimulait, et dont l'épaisseur — différente selon le pied — corrigeait son allure claudicante et augmentait considérablement sa taille.

Posté sur un pylône en bois qu'on avait dressé sur le côté le plus haut des gradins, Eumène coordonnait l'imposant cortège en agitant des petits drapeaux de couleur.

Il regarda à sa droite le grand hémicycle incroyablement bondé, puis, au fond de la voie d'accès, la tête de la procession : les merveilleuses statues des dieux, exécutées par les plus grands artistes, portant de véritables robes et de véritables couronnes d'or, et flanquées de leurs animaux sacrés — l'aigle de Zeus, la chouette d'Athéna, le paon d'Héra —, reproduits avec un tel réalisme qu'ils semblaient prêts à s'envoler.

Derrière venaient les prêtres, enroulés dans leurs bandelettes sacrées, leurs encensoirs à la main, puis un chœur de beaux jeunes gens nus, pareils à de petits amours, qui chantaient des hymnes nuptiaux en s'accompagnant à la flûte et aux timbales.

Au fond, le roi, précédé de son fils et de son jeune

gendre, et pour finir les sept gardes du corps royaux en tenue de parade.

Au signal d'Eumène, les sonneurs de trompe embouchèrent leurs instruments, et la procession s'ébranla.

C'était un spectacle superbe, que le soleil et la journée, extraordinairement limpide, rendaient encore plus grandiose. La tête de la procession pénétra dans l'hémicycle, et les statues des dieux parcoururent, l'une après l'autre, le demi-cercle de l'orchestre, avant d'être installées devant l'avant-scène.

Au moment où elle s'engageait sous la voûte d'entrée, la procession disparaissait à la vue d'Eumène, avant de resurgir un peu plus tard à l'intérieur du théâtre, en plein soleil.

Ainsi s'évanouirent à ses yeux les prêtres, qui défilaient dans un nuage d'encens, puis les jeunes gens, qui dansaient et chantaient leurs hymnes d'amour pour la mariée. Eumène les vit réapparaître de l'autre côté de l'arc, parmi les exclamations d'émerveillement du public.

Et voilà que passaient maintenant Alexandre de Macédoine et Alexandre d'Épire, et que le roi s'approchait. Comme prévu, une fois devant l'arc, le roi ordonna à son escorte de reculer, car il ne voulait pas se présenter aux Grecs entouré de ses gardes du corps, comme un tyran.

Eumène vit resurgir les deux jeunes hommes sous un tonnerre d'applaudissements, tandis qu'il perdait de vue le roi, désormais dans l'ombre. Du coin de l'œil, il aperçut les gardes du corps qui se retiraient. Distraitement, il leur lança un regard qui se fit bientôt plus attentif : il en manquait un !

À cet instant précis, Philippe quittait l'ombre de l'arc pour la lumière du théâtre. Devinant ce qui allait arriver, Eumène se mit à hurler à pleins poumons, mais il ne parvint pas à couvrir le vacarme des acclamations. Tout se déroula très rapidement : le garde du corps manquant bondit soudain en brandissant une courte dague, qu'il enfonça jusqu'à la garde dans le corps du roi. Puis il prit aussitôt la fuite.

À la consternation qui se peignit sur les visages, Alexandre comprit qu'un terrible événement venait de se produire. Il se retourna et vit le teint de son père adopter brusquement la pâleur des masques en ivoire des dieux. Il le vit chanceler et poser la main sur son manteau, qui s'imbibait de sang à la hauteur du flanc.

Derrière lui, un homme s'enfuyait en direction des prés qui bordaient la route. Le prince bondit vers son père, qui tombait à genoux. Alexandre d'Épire passa près de lui en courant, hurlant : « Attrapez cet homme ! »

Alexandre parvint à retenir le corps du roi avant qu'il ne s'écroule dans la poussière. Il l'étreignit contre lui tandis que le sang éclaboussait ses vêtements, inondait ses bras et ses mains.

« Papa ! criait-il en sanglotant. Papa, non ! » Et ses larmes brûlantes coulèrent sur les joues exsangues du roi.

C'est alors que le ciel explosa en une myriade de petits points lumineux au-dessus du roi, avant de s'obscurcir brusquement. Philippe se revit soudain au milieu d'une chambre sombre, serrant un nouveau-né contre sa poitrine. Il sentit la peau douce de l'enfant contre sa joue barbue, il sentit ses lèvres sur son épaule sillonnée de cicatrices, puis le parfum intense des roses de Piérie qui flottait dans la pièce. Ensuite, il sombra dans le noir et le silence.

38

Le fuyard courait à perdre haleine vers un bosquet où l'attendaient d'autres hommes, sans doute ses complices, qui s'enfuirent dès qu'ils aperçurent leurs poursuivants.

Demeuré seul, l'homme se retourna et comprit qu'on le traquait. Alexandre d'Épire avait jeté son manteau et se précipitait sur ses traces, l'épée au poing, en hurlant : « Capturez-le vivant ! Capturez-le vivant ! »

L'homme accéléra sa course autant qu'il le pouvait et tenta de sauter sur le dos d'un cheval qui se trouvait là, mais il trébucha sur les racines d'une vigne et s'écroula. Quand il se releva, les gardes étaient déjà sur lui. Ils le transpercèrent de part en part une dizaine de fois, le tuant sur le coup.

Ce geste remplit de rage le roi d'Épire, qui se mit à crier : « Espèces d'idiots ! Je vous avais dit de le capturer vivant !

— Mais, sire, il était armé et il a tenté de nous frapper.

— Poursuivez les autres ! ordonna alors le roi. Poursuivez les autres, au moins, et attrapez-les ! »

Alexandre arriva sur ces entrefaites, les vêtements encore tachés du sang de Philippe. Après avoir examiné l'assassin, il dit au roi d'Épire : « Je le connais. Il s'appelait Pausanias, c'était l'un des gardes du corps de mon père. Déshabillez-le, accrochez-le à l'un des poteaux de l'entrée, et laissez-le pourrir jusqu'à ce qu'il n'en reste que les os. »

Un attroupement se formait déjà autour du cadavre : des curieux, des hommes de la garde royale, des officiers de l'armée et des invités étrangers.

Alexandre et son beau-frère retournèrent au théâtre, qui se vidait rapidement, et rejoignirent Cléopâtre. Elle sanglotait désespérément dans sa robe de mariage, penchée sur la dépouille de son père. À quelques pas, les yeux remplis de larmes et la main devant la bouche, Eumène ne cessait de secouer la tête, comme s'il ne parvenait pas à prendre conscience de ce qui s'était produit. La reine Olympias, attendue depuis le matin, n'était pas encore là.

Alexandre fit sonner le rassemblement pour toutes les unités de combat présentes dans les environs ; il ordonna qu'on enlève le corps de son père et qu'on le prépare pour le rite funèbre, qu'on raccompagne Cléopâtre dans ses appartements et qu'on apporte deux armures, l'une pour son beau-frère et l'autre pour lui.

« Eumène ! cria-t-il, tirant ainsi son ami de sa torpeur. Trouve le sceau royal, envoie des estafettes auprès d'Héphestion, Ptolémée, Perdiccas, Séleucos et les autres, afin qu'ils soient informés. Je veux qu'ils m'attendent à Pella avant demain soir. »

Les armuriers accoururent rapidement et les jeunes gens enfilèrent leurs armures et leurs jambières, ceignirent leurs épées. Suivis par un détachement choisi, ils regagnèrent le palais en fendant la foule, décidés à l'occuper. Alexandre fit placer les membres de la famille royale sous stricte surveillance et les consigna dans leurs logements, à l'exception d'Amyntas, qui survint armé et se mit aussitôt à ses ordres : « Tu peux compter sur moi et sur ma fidélité. Je ne veux pas qu'il y ait d'autre sang versé.

— Je te remercie, répliqua Alexandre. Je n'oublierai pas ton geste. »

Des patrouilles d'« écuyers » et des détachements de la cavalerie furent postés aux portes de la ville. Philotas se rendit spontanément au palais et proposa lui aussi ses services au prince.

Au milieu de l'après-midi, Alexandre, flanqué du roi d'Épire et de son cousin Amyntas, se présenta devant l'armée rangée, vêtu du manteau royal et du diadème. Le message était clair.

Les officiers invitèrent les trompettes à sonner et les hommes crièrent le salut :

Salut, Alexandre, roi des Macédoniens !

Puis, à un autre signal, ils frappèrent longuement leurs boucliers avec leurs lances, répandant un vacarme assourdissant sous les portiques du palais.

Ayant reçu l'hommage des détachements bien alignés, Alexandre ordonna qu'on prépare Bucéphale et qu'on se tienne prêt. Il convoqua ensuite Eumène, ainsi que Callisthène, qui assistait lui aussi à la cérémonie.

« Eumène, occupe-toi du corps de mon père. Qu'il soit lavé et embaumé afin qu'il demeure intact jusqu'aux funérailles solennelles, que tu organiseras, et reçois ma mère, si jamais elle arrive. Appelle ensuite un architecte et ordonne-lui de commencer au plus vite les travaux pour la tombe royale.

« Callisthène, tu resteras ici pour enquêter sur l'auteur de ce crime. Recherche ses amis, ses complices, renseigne-toi sur ses derniers mouvements, interroge les gardes qui l'ont tué en enfreignant l'ordre de mon beau-frère. S'il le faut, utilise la torture. »

Eumène avança et tendit à Alexandre un petit écrin.

« Le sceau royal, sire.

— Est-ce que tu as de l'affection pour moi, Eumène ? Me gardes-tu ta confiance ? dit Alexandre en se passant la bague au doigt.

— Bien sûr, sire.

— Alors, continue de m'appeler Alexandre. »

Laissant une garnison à Aigai aux ordres de Philotas, il gagna la place d'armes, bondit sur Bucéphale et partit en direction de Pella, bien décidé à s'installer sur le trône de Philippe et à montrer à la cour qu'il était le nouveau roi.

Le théâtre était désormais complètement vide. Seules les statues des dieux veillaient, abandonnées sur leurs piédestaux. Dans la lumière déclinante du couchant, celle de Philippe avait la fixité mélancolique d'une divinité oubliée.

Soudain, tandis que l'obscurité commençait de tomber, une ombre sembla surgir du néant : un homme, dont la tête était recouverte de son manteau, pénétra dans l'arène déserte et examina longuement la tache de sang qui rougissait encore la terre. Se retournant, il s'engagea sous l'archivolte, près de la scène. C'est alors que son attention fut attirée par un objet métallique, ensanglanté et à moitié dissimulé sous le sable. Il se pencha pour l'observer de ses petits yeux gris, très mobiles, puis le ramassa et le cacha dans les plis de son manteau.

Il sortit et s'immobilisa devant le poteau où l'on avait cloué le corps de l'assassin, à présent enveloppé dans les ténèbres. Une voix résonna dans son dos :

« Oncle Aristote, je ne m'imaginais pas te trouver ici.

— Callisthène. Ce qui devait être un jour de liesse s'est conclu par un bien triste épisode.

— Alexandre espérait te serrer une nouvelle fois dans ses bras, mais les événements...

— Je le sais. Je le regrette aussi. Où est-il à présent ?

— Il marche sur Pella à la tête de ses troupes, afin d'ôter l'envie de se soulever à une partie de la noblesse. Mais toi, par quel mystère es-tu ici ? Ce n'est pas un spectacle bien gai.

— Le régicide a toujours constitué un point critique dans le devenir des êtres humains. Et, à ce que j'ai entendu, l'oracle de Delphes l'avait prédit : “ Voici le taureau couronné : la fin est proche ; le sacrificateur est prêt. " » Puis, se tournant vers le cadavre mutilé de Pausanias : « Le voici, le sacrificateur. Qui aurait pu penser que tel devait être l'épilogue de la prophétie ?

— Alexandre m'a demandé de mener une enquête sur ce crime. De découvrir ce que cache l'assassinat de son père. » Au loin, le chant lugubre des pleureuses s'échappait de la partie la plus reculée du temple. « Veux-tu m'aider ? demanda Callisthène. Tout cela me paraît si absurde...

— C'est là que réside la clef de ce crime, affirma Aristote. Dans son absurdité. Quel assassin aurait pu choisir une forme aussi grossière, un assassinat au théâtre, comme la scène d'une tragédie interprétée en direct, avec du vrai sang et... » Il sortit un instrument des plis de son manteau. « ... et une vraie épée. Une dague celtique, pour être exact.

— Une arme peu commune... Mais je vois que tu as déjà entamé tes recherches.

— La curiosité est la clef de la connaissance. Que sait-on de l'assassin ?

— Peu de chose. Il était originaire de la Lyncestide et se nommait Pausanias. C'est grâce à sa prestance physique qu'il avait été admis dans les rangs de la garde.

— Hélas, il ne pourra plus rien nous dire, et cela fait sans aucun doute partie du plan. As-tu interrogé les soldats qui l'ont tué ?

— Un ou deux, mais je n'en ai pas tiré grand-chose. Ils affirment qu'ils n'ont pas entendu l'ordre du roi Alexandre. La mort du roi leur aurait fait perdre la tête. Aveuglés par la colère, ils l'ont massacré au moment où il a esquissé un geste de défense.

— Une thèse crédible, mais probablement fausse. Où se trouve le roi d'Épire ?

— Il est parti avec Alexandre en direction de Pella.

— Il a donc renoncé à sa nuit de noces.

— Pour deux raisons compréhensibles : prêter

main-forte à son beau-frère en ce moment critique, et respecter le deuil de Cléopâtre. »

Aristote porta un doigt à ses lèvres pour inviter son neveu à se taire. On entendait un bruit de galop qui enflait progressivement.

« Partons, dit le philosophe. Quittons cet endroit. On agit plus librement lorsqu'on a l'assurance de ne pas être épié. »

Le galop ralentit peu à peu, puis finit par cesser tout à fait. Une silhouette vêtue d'un manteau noir mit pied à terre, avança vers le cadavre cloué à un poteau, puis baissa son capuchon en libérant une longue chevelure ondulée.

« Dieux du ciel, c'est Olympias ! » murmura Callisthène à l'oreille de son oncle.

La reine s'approcha du cadavre, tira un objet des plis de son manteau, puis se haussa sur la pointe des pieds. Quand elle s'éloigna pour rejoindre son escorte, il y avait une couronne de fleurs autour du cou de Pausanias.

« Oh ! par Zeus ! pesta Callisthène. Mais alors...

— Tu penses que ce geste est clair ? dit Aristote en secouant la tête. Pas du tout. Crois-tu que si elle était l'instigatrice de l'assassinat, elle l'accomplirait sous les yeux de son escorte, tout en sachant que le cadavre de Pausanias est probablement surveillé ?

— Si elle en est consciente, elle pourrait se comporter de manière absurde afin d'amener ceux qui enquêtent à la disculper.

— C'est vrai, mais il est toujours plus sage de chercher à comprendre les mobiles qui ont poussé un être à commettre un crime, plutôt que de s'interroger sur ce qu'il pense que les autres pensent, observa Aristote. Trouve-moi une lanterne ou une torche, et allons voir l'endroit où Pausanias a été tué.

— Mais ne vaut-il pas mieux attendre la lumière du soleil ?

— Avant que l'aube se lève, il peut se passer beaucoup de choses. Je t'attends là-bas. »

Le philosophe se mit en route vers le bosquet de chênes et d'ormes près duquel avait eu lieu le massacre de l'assassin.

39

Héphestion, Ptolémée, Séleucos et Perdiccas, tout quatre en armure, arrivèrent à la tombée de la nuit, en nage et harassés de fatigue. Ils confièrent leurs chevaux aux ordonnances et gravirent rapidement l'escalier du palais jusqu'à la salle du conseil où les attendait Alexandre.

Léonnatos et Lysimaque ne les rejoindraient que le lendemain car ils se trouvaient alors à Larissa, en Thessalie.

Un garde les fit entrer dans la pièce, déjà éclairée, où étaient réunis Alexandre, Philotas, le général Antipatros, Alexandre d'Épire, Amyntas, ainsi que plusieurs commandants des bataillons de la phalange et de la cavalerie des *hétaïroï*. Tous, y compris le roi, avaient revêtu leur armure. Casques et épées reposaient sur la table, à portée de main, signe que la situation était encore critique.

Alexandre alla à leur rencontre, l'air ému. « Mes amis, nous voici enfin réunis. »

Héphestion prit alors la parole au nom du groupe. « Nous sommes désolés de la mort du roi Philippe, et profondément chagrinés. L'exil qu'il nous avait infligé ne pèse nullement sur nos sentiments. Il demeure dans notre souvenir un grand roi, le plus courageux des combattants, le plus sage des gouvernants. Il a été pour nous une sorte de père, impitoyable et sévère, mais aussi généreux et capable de nobles élans. Nous le pleurons avec une douleur sincère. Sa mort est un terrible événement. Mais puisque tu recueilles son héritage, nous te reconnaissons comme son successeur et comme notre roi. »

Sur ces mots, il s'approcha d'Alexandre et l'embrassa sur les deux joues. Les autres l'imitèrent, puis ils saluèrent le roi Alexandre d'Épire et les officiers présents avant de s'asseoir à la table.

Alexandre reprit son discours : « La nouvelle de la mort de Philippe va se répandre dans le monde entier en l'espace de quelques jours, car des milliers de témoins y ont assisté. Elle provoquera une série de réactions difficiles à prévoir. Mais nous devons agir avec la même rapidité, afin de faire obstacle à tout ce qui pourrait affaiblir le royaume ou détruire en partie ce que mon père a construit. Voici mon plan.

« Il nous faut d'abord réunir des informations sur l'état des frontières du nord, sur les réactions de nos récents alliés athéniens et thébains, et... » Il se tourna vers Philotas avec un regard lourd de signification. « ... sur les intentions des généraux qui commandent notre corps d'expédition en Asie : Attale et Parménion. Étant donné qu'ils disposent d'une armée de quinze mille hommes, il est opportun de procéder au plus vite à ces vérifications.

— Que penses-tu faire ? demanda Philotas non sans une certaine appréhension.

— Je n'ai pas l'intention de vous mettre dans l'embarras : je confierai mon message à un officier grec du nom d'Hécatée, qui combat à notre service dans la région des Détroits, à la tête d'un petit détachement. J'ai, de toute façon, décidé de destituer Attale de ses fonctions, et vous pouvez aisément en comprendre la raison. »

Il n'y eut pas d'objection : la scène qui s'était déroulée un an plus tôt, lors du mariage de Philippe, était encore vive dans leur mémoire.

« Je crois que les conséquences de la mort du roi se feront très vite sentir, continua Alexandre. Certains penseront qu'il est possible de revenir en arrière, et nous devrons leur prouver qu'ils se trompent. Ce n'est qu'ensuite que nous pourrons reprendre le projet de mon père. »

Alexandre se tut. Au cours de cet instant, tout le monde se rendit compte que le temps s'était arrêté, qu'un avenir dont on ne pouvait rien imaginer était en train de se préparer dans cette pièce. Le jeune homme que Philippe avait soumis à un dur apprentissage siégeait à présent sur le trône des Argéades et, pour la première fois de sa vie, le pouvoir dévastateur qu'il n'avait vu s'exercer que par les héros des poèmes se trouvait à présent entre ses mains.

Alexandre laissa à ses amis le commandement des diverses unités de la phalange et de la cavalerie des *hétaïroï*, et à Héphestion la responsabilité du palais royal ; puis il repartit en compagnie du roi d'Épire pour Aigai, où son père attendait encore une sépulture, et où il allait devoir accomplir des tâches difficiles.

À mi-chemin, ils rencontrèrent un émissaire d'Eumène qui apportait une dépêche urgente.

« Je suis heureux de t'avoir trouvé, sire ! s'exclama-t-il en lui tendant un rouleau scellé. Eumène désire que tu lises cette missive sans tarder. »

Alexandre l'ouvrit et parcourut son message laconique :

> Eumène à Alexandre, roi des Macédoniens, salut !
>
> Le petit garçon d'Eurydice a été découvert inanimé dans son berceau et je crains pour la vie de sa mère.
>
> La reine Olympias est arrivée au palais la nuit qui a suivi ton départ.
>
> Ta présence est indispensable ici.
>
> Prends soin de toi.

« Ma mère est arrivée juste après notre départ, le savais-tu ? demanda Alexandre à son beau-frère.

— Elle ne m'a rien dit lorsque j'ai quitté Boutrotos, répondit le roi d'Épire en secouant la tête, mais j'étais intimement persuadé qu'elle n'assisterait pas à la cérémonie. Cela constituait un nouvel affront pour elle. Elle se voyait totalement exclue par Philippe, puisque ce mariage m'amenait à garantir les frontières occidentales. Je n'aurais pas pu imaginer qu'elle avait décidé de me rejoindre à Aigai.

— Quoi qu'il en soit, elle est là, et elle a pris des initiatives très graves. Dépêchons-nous, avant qu'elle n'accomplisse l'irréparable », dit Alexandre en poussant Bucéphale au galop.

Ils atteignirent Aigai au couchant et entendirent de loin le palais résonner de cris poignants. Eumène vint à leur rencontre sur le seuil.

« Elle hurle ainsi depuis deux jours. Elle dit que c'est ta mère qui a tué son enfant. Et elle refuse de se séparer du petit cadavre. Mais le temps a passé et tu comprends...

— Où est-elle ?

— Dans l'aile sud, répondit Eumène. Suis-moi. »

Alexandre fit signe à sa garde de l'accompagner, et il traversa le palais, entièrement occupé par des hommes armés. Nombre d'entre eux étaient des Épirotes qui appartenaient à l'escorte de son beau-frère.

« Qui les a placés ici ?

— La reine, ta mère », assura Eumène, hors d'haleine, derrière Alexandre.

Plus ils s'approchaient, plus les gémissements augmentaient ; ils explosaient brusquement en des cris rauques, puis s'éteignaient en un long sanglot.

Le petit groupe arriva devant une porte qu'Alexandre ouvrit sans hésiter, mais il fut bientôt glacé par le spectacle qui l'y attendait. Eurydice gisait dans un coin, échevelée, les yeux gonflés et rouges, le regard hébété.

Elle serrait contre sa poitrine le corps inerte de son enfant. La tête et les bras du petit pendaient, et l'on pouvait deviner à la couleur bleuâtre de ses membres qu'il était déjà en train de se décomposer.

Les vêtements de la jeune femme étaient déchirés et ses cheveux tachés de sang coagulé ; son visage, ses bras et ses jambes couverts de bleus et de contusions. La pièce baignait dans une odeur écœurante de sueur, d'urine et de putréfaction.

Alexandre baissa les yeux. Un instant, il revit Eurydice au sommet de sa splendeur, assise auprès du roi, son père : aimée, gâtée, jalousée de tous. Il sentit l'horreur lui monter au cerveau, la rage gonfler sa poitrine et les veines de son cou.

Il se tourna vers Eumène et lui demanda d'une voix brisée par la colère : « Qui est le coupable ? »

Eumène baissa la tête en silence.

Alexandre hurla encore : « Qui est le coupable ?

— Je ne sais pas.

— Qu'on s'occupe d'elle immédiatement ! Fais appeler Philippe, mon médecin, et dis-lui de la soigner. Qu'il lui prépare quelque chose pour qu'elle puisse se reposer... dormir. »

Il s'apprêtait à repartir quand Eumène le retint : « Elle refuse de se séparer de son enfant. Que devons-nous faire ? »

Alexandre s'immobilisa et se tourna vers la jeune femme qui se recroquevilla encore plus, tel un animal terrorisé.

Il s'agenouilla devant elle en la fixant, penchant légèrement la tête sur son épaule comme pour atténuer la puissance de son regard et l'entourer d'un halo de compassion. Puis il tendit la main et caressa doucement sa joue.

Eurydice ferma les yeux, renversa la tête contre le mur. Elle émit un profond soupir de douleur.

En tendant les bras, Alexandre murmura : « Donne-le moi, Eurydice, donne-moi le petit. Il est fatigué, ne le vois-tu pas ? Nous devons le coucher. »

Deux grosses larmes roulèrent sur les joues de la jeune femme et s'attardèrent à la commissure de ses lèvres. Elle chuchota : « Coucher... », puis dénoua ses bras.

Alexandre s'empara délicatement du nouveau-né, comme s'il était vraiment endormi, puis il sortit dans le couloir.

Une femme, convoquée par Eumène, arriva sur ses entrefaites. « Je m'en occupe, sire », dit-elle. Alexandre déposa le petit corps dans ses bras et lui ordonna : « Mets-le aux côtés de mon père. »

« Pourquoi ? hurla-t-il en ouvrant la porte. Pourquoi ? »

La reine Olympias se dressa devant lui et planta ses yeux de feu dans les siens : « Ainsi, tu oses entrer armé dans mes appartements !

— Je suis le roi des Macédoniens ! s'écria Alexandre. Et je vais où il me plaît ! Pourquoi as-tu tué cet enfant et pourquoi t'es-tu acharnée d'une façon aussi barbare sur sa mère ? Qui t'a donné le droit dc faire une chose pareille ?

— Tu es le roi des Macédoniens parce que l'enfant est mort, répondit Olympias d'une voix impassible. N'est-ce pas ce que tu voulais ? As-tu oublié tes tourments lorsque tu craignais d'avoir perdu les faveurs de Philippe ? As-tu oublié ce que tu as dit à Attale, le jour du mariage de ton père ?

— Je ne l'ai pas oublié, mais je ne tue pas les enfants et je ne m'acharne pas sur des femmes sans défense.

— Il n'y a pas d'autre choix pour un roi. Un roi est seul, et aucune loi ne dit qui doit succéder à Philippe sur le trône. Un groupe d'aristocrates aurait pu prendre l'enfant sous sa tutelle et décider de gouverner en son nom jusqu'à sa majorité. Si cela s'était produit, qu'aurais-tu fait ?

— Je me serais battu pour conquérir le trône !

— Et combien d'hommes aurais-tu tué ? Réponds ! Combien de veuves auraient pleuré leurs maris, et combien de mères leurs fils décédés précocement, combien de champs auraient-été brûlés et détruits, combien de villages et de villes mis à sac et incendiés ? Et pendant ce temps, un empire bâti avec autant de sang et autant de destructions serait allé à la ruine. »

Alexandre se reprit, son visage s'assombrit comme si les massacres et les deuils que sa mère avait évoqués pesaient maintenant sur son esprit.

« Le destin veut que les choses en aillent ainsi, répliqua-t-il. Le destin veut que l'homme supporte les blessures, les maladies, les souffrances et la mort avant de s'enfoncer dans le néant. Mais il relève de son pouvoir et de son choix d'agir avec honneur et d'être clément chaque fois que cela lui est possible. C'est la seule dignité qui lui est concédée depuis qu'il a été mis au monde, la seule lumière avant que ne viennent les ténèbres d'une nuit sans fin... »

40

Le lendemain, Eumène annonça à Alexandre que la tombe de son père était prête, et que l'on pouvait célébrer ses funérailles. En réalité, seule la première partie du grand sépulcre avait été achevée, dans un délai extrêmement court : on avait prévu une seconde chambre où l'on déposerait d'autres objets précieux pour accompagner le roi dans l'au-delà.

Revêtu d'habits somptueux et la tête ceinte d'une couronne de feuilles de chêne en or, Philippe fut placé sur le bûcher par ses soldats. Deux bataillons de la phalange et un escadron des *hétaïroï* à cheval lui rendirent les honneurs.

Le bûcher fut éteint avec du vin pur ; les cendres et les os furent enveloppés dans un tissu de pourpre et d'or, en forme de chlamyde macédonienne, et enfermés dans un coffret en or massif muni de pieds en forme de pattes de lion et d'un couvercle frappé de l'étoile argéade à seize pointes.

À l'intérieur de la tombe, on installa la cuirasse en fer, cuir et or, que le roi avait portée durant le siège de Potidée, ses deux jambières de bronze, son carquois en or, son bouclier de parade en bois, recouvert d'une feuille d'or et orné d'une scène dionysiaque de satyres et de ménades sculptée dans l'ivoire. Ses armes d'attaque — son épée et la pointe de sa lance — furent jetées dans le feu de l'autel et fléchies rituellement afin qu'elles ne soient plus jamais utilisées.

Alexandre déposa ses offrandes personnelles : une magnifique carafe en argent massif, dont l'anse était décorée d'une tête barbue de satyre, et une coupe en argent à deux anses d'une telle beauté et d'une telle légèreté qu'elle semblait sans poids.

L'entrée du sépulcre fut fermée par une grande porte de marbre à deux battants, flanquée de deux demi-colonnes doriques qui reproduisaient l'entrée du palais royal d'Aigai. Un artiste de Byzance s'employait encore à peindre sur le linteau une magnifique scène de chasse.

La reine Olympias n'assista pas au rite funèbre, parce qu'elle ne souhaitait pas placer d'offrandes votives sur le bûcher ni dans la tombe de son mari, et parce qu'elle ne voulait pas rencontrer Eurydice.

Quand les soldats refermèrent la grande porte de marbre, Alexandre pleura : il avait aimé son père et il sentait qu'on enterrait à jamais sa jeunesse derrière ces battants.

Eurydice se laissa mourir d'inanition avec la petite Europe, et les soins de Philippe, le médecin, qui fit appel à toutes ses connaissances, ne servirent à rien.

Alexandre fit édifier une somptueuse tombe pour la jeune femme et ordonna qu'on y place le trône de marbre que son père utilisait pour administrer la justice sous le chêne d'Aigai, une pièce magnifique, ornée de griffons et de sphinx en or, ainsi que d'un quadrige peint sur le dossier. Une fois ses devoirs accomplis, il s'en retourna à Pella, l'âme remplie de tristesse.

Le général Antipatros était un officier de la vieille garde de Philippe, loyal envers le trône et extrêmement fiable. Alexandre l'avait chargé de suivre la mission d'Hécatée en Asie, auprès de Parménion et d'Attale, et il en attendait impatiemment le résultat.

Il savait que les barbares du nord, les Triballes et les Illyriens, récemment soumis par son père, pouvaient s'insurger d'un moment à l'autre ; il n'ignorait pas que les Grecs n'avaient accepté les clauses de la paix de Corinthe qu'après le massacre de Chéronée, et que tous ses ennemis, en premier lieu Démosthène, étaient encore vivants et en pleine activité. De plus, Attale et Parménion contrôlaient les Détroits et se trouvaient à la tête d'un corps d'expédition fort de quinze mille hommes.

Comme si cela ne suffisait pas, on venait d'apprendre que des agents perses prenaient des contacts à Athènes avec le parti antimacédonien et qu'ils offraient de gros financements en or pour fomenter un soulèvement.

Les éléments d'instabilité étaient nombreux, et si toutes ces menaces se concrétisaient en même temps, le nouveau roi n'aurait pas d'issue.

La première réponse à ses interrogations arriva au début de l'automne : Antipatros demanda audience au roi, et Alexandre le reçut dans le bureau qui avait appartenu à son père. Bien qu'il fût un soldat à part entière, Antipatros n'aimait pas le montrer ; il avait ainsi coutume de s'habiller comme un citoyen ordinaire. C'était une preuve de son équilibre et de son assurance.

« Sire, annonça-t-il en entrant, j'ai des nouvelles en provenance d'Asie : Attale a refusé de céder son commandement et de rentrer à Pella ; il a opposé une résistance armée et a été tué. Parménion t'assure de sa sincère fidélité.

— Antipatros, je voudrais savoir ce que tu penses vraiment de Parménion. Il sait que son fils Philotas est ici, au palais. Il pourrait penser que je le tiens en otage. Est-ce, à ton avis, la raison de sa déclaration de fidélité ?

— Non, répondit sans hésiter le vieux général. Je connais bien Parménion. Il t'est attaché, il t'a toujours aimé, depuis l'époque où tu étais enfant et que tu venais t'asseoir sur les genoux de ton père pendant les conseils de guerre dans l'armurerie royale.

Soudain, Alexandre se souvint de la comptine qu'il chantait chaque fois qu'il voyait les cheveux blancs de Parménion :

Le vieux soldat qui part en guerre
Tombe par terre, tombe par terre.

Il se sentit envahi par une profonde tristesse en songeant que le pouvoir modifiait dramatiquement les rapports humains.

Antipatros continua : « Mais si tu as des doutes, il n'y a qu'un moyen de les chasser.

— Lui envoyer Philotas.

— Exactement. D'autant plus que ses deux autres fils, Nicanore et Hector, sont déjà à ses côtés.

— C'est ce que je vais faire. Je chargerai Philotas de lui remettre une lettre le rappelant à Pella. J'ai besoin de lui : je crains qu'une tempête ne soit sur le point d'éclater.

— Cette décision me paraît fort sage, sire. Si Parménion apprécie une chose, c'est la confiance.

— Quelles nouvelles as-tu du Nord ?

— De mauvaises nouvelles. Les Triballes se soulèvent, ils ont incendié plusieurs de nos garnisons frontalières.

— Que me conseilles-tu ?

— Je leur ai adressé des messages. S'ils devaient les ignorer, frappe-les aussi durement que tu le peux.

— Bien sûr. Et dans le Sud ?

— Rien de bon. Le parti antimacédonien se renforce un peu partout, jusqu'en Thessalie. Tu es très jeune, et certains pensent que...

— Parle librement.

— Que tu manques d'expérience et que tu ne parviendras pas à sauvegarder l'hégémonie que Philippe a établie.

— Ils le regretteront vite.
— Il y a autre chose.
— Oui ?
— Ton cousin Archélaos...
— Continue », lui ordonna Alexandre, le visage sombre.
— ... Il a été victime d'un accident de chasse.
— Il est mort ? »
Antipatros acquiesça.
« Quand mon père a conquis son trône, il l'a épargné, tout comme Amyntas, même s'ils étaient tous deux en droite ligne de succession jusqu'à ce moment-là.
— Un accident de chasse, sire, répéta Antipatros, l'air impassible.
— Où est Amyntas ?
— En bas, dans le corps de garde.
— Je ne veux pas qu'il lui arrive malheur : il était à mes côtés après l'assassinat de mon père. »
Antipatros eut un signe d'assentiment, puis il se dirigea vers la porte.
Resté seul, Alexandre se leva et marcha jusqu'à la grande carte d'Aristote, qu'il avait tenu à installer dans son bureau : l'Est et l'Ouest lui semblaient acquis, sous la surveillance d'Alexandre d'Épire et de Parménion, pour autant qu'il puisse compter sur ce dernier. Mais le Nord et le Sud représentaient de graves menaces. Il devait frapper au plus vite et durement, de façon à prouver que la Macédoine possédait un roi aussi fort que Philippe.
Il sortit sur le chemin de ronde qui donnait au nord et porta son regard vers les montagnes où il avait vécu en exil. Les forêts commençaient à changer de couleur à l'approche de l'automne, bientôt la neige tomberait : jusqu'au printemps, la situation demeurerait tranquille dans cette région. Il fallait donc, pour le moment, effrayer les Thessaliens et les Thébains, et trouver un

plan d'action en attendant que Philotas et Parménion rentrent d'Asie.

Il réunit son conseil de guerre quelques jours plus tard.

« Je pénétrerai en Thessalie avec l'armée, sur le pied de guerre ; je les obligerai à me reconfirmer la charge de *tagos* qui appartenait à mon père, et j'irai jusque sous les murs de Thèbes, annonça-t-il. Je veux montrer aux Thessaliens qu'ils ont un nouveau chef. Quant aux Thébains, j'ai l'intention de les épouvanter : il faut qu'ils sachent que je peux frapper à tout moment.

— Nous avons un problème, intervint Héphestion. Les Thessaliens ont bloqué la vallée de Tempé en élevant des fortifications à droite et à gauche du fleuve. Nous sommes bloqués. »

Alexandre s'approcha de la carte et indiqua le massif du mont Ossa, qui tombait à pic dans la mer.

« Je le sais, répondit-il. Mais nous passerons ici.

— Et comment ? demanda Ptolémée. Nous n'avons pas d'ailes, me semble-t-il.

— Certes, mais nous possédons des masses et des ciseaux, répliqua Alexandre. Nous creuserons un escalier dans la roche. Faites venir du mont Pangée cinq cents mineurs, les meilleurs. Donnez-leur de la bonne nourriture, des vêtements, des chaussures, et promettez-leur la liberté s'ils en finissent avant dix jours : ils se relaieront sans trêve du côté de la mer. Les Thessaliens ne pourront pas les voir.

— Tu parles sérieusement ? demanda Séleucos.

— Je ne plaisante jamais durant les conseils de guerre. Et maintenant, dépêchons-nous. »

Tous les membres du conseil se lancèrent un regard stupéfait : à l'évidence, aucun obstacle, aucune barrière, humaine ou divine, n'arrêterait Alexandre.

41

L'« escalier d'Alexandre » fut construit en sept jours. À la faveur des ténèbres, l'infanterie d'assaut des « écuyers » passa dans la plaine de Thessalie sans coup férir.

Quelques heures plus tard, un messager à cheval rapporta la nouvelle au commandant thessalien, sans pouvoir l'expliquer. Au reste, personne n'était alors en mesure de le faire.

« Tu es en train de me dire qu'une armée macédonienne, conduite par le roi en personne, marche dans notre dos ?

— Oui.

— Et par quel miracle a-t-elle débarqué, selon toi ?

— On l'ignore, mais les soldats sont bien là. Et ils sont nombreux.

— Combien ?

— Entre trois et cinq mille hommes, bien armés et bien équipés. Il y a aussi des chevaux. Pas beaucoup, certes, mais il y en a.

— Il est impossible de venir par la mer, et encore moins par la montagne. »

Le commandant, un certain Charidème, n'avait pas encore fini de parler quand un de ses soldats lui signala que deux bataillons de la phalange et un escadron d'*hétaïroï* à cheval remontaient le fleuve en direction des fortifications. Les Thessaliens allaient donc être écrasés entre deux armées avant la tombée du soir. Un peu plus tard, un autre guerrier lui communiqua qu'un officier macédonien du nom de Cratère s'était présenté dans l'intention de négocier.

« Dis-lui de venir immédiatement », ordonna Charidème, et il sortit par une poterne pour rencontrer le Macédonien.

« Je me nomme Cratère, déclara l'officier, et je te demande de nous laisser passer. Nous ne voulons vous faire aucun mal, mais seulement rejoindre notre roi, qui se trouve derrière vous, et nous rendre avec lui à Larissa, où il doit convoquer le conseil de la ligue thessalienne.

— Je n'ai pas grand choix, observa Charidème.

— Non, effectivement, répliqua Cratère.

— D'accord, traitons. Mais puis-je savoir une chose ?

— Je te répondrai dans la limite de mes capacités, répondit Cratère sur un ton très solennel.

— Par quel mystère votre infanterie a-t-elle surgi dans notre dos ?

— Nous avons creusé un escalier dans le flanc du mont Ossa.

— Un escalier ?

— Oui. Ce passage nous permet de garder des contacts avec nos alliés thessaliens. »

Abasourdi, Charidème ne put que s'incliner.

Deux jours plus tard, Alexandre atteignit Larissa, convoqua le conseil de la ligue thessalienne, et se fit reconfirmer la charge de *tagos* à vie.

Puis il attendit les autres divisions de l'armée pour traverser la Béotie et défiler sous les murailles de Thèbes dans un grand déploiement de forces.

« Je ne veux pas que le sang soit versé, affirma-t-il. Mais il faut que les Thébains soient terrorisés. Fais le nécessaire, Ptolémée. »

Alors Ptolémée disposa l'armée selon le modèle de la bataille de Chéronée. Il demanda à Alexandre d'enfiler une armure identique à celle qu'avait portée son père et ordonna qu'on amène le gigantesque tambour de guerre, monté sur roues et tiré par quatre chevaux.

Son funeste grondement résonna jusqu'aux murs de la ville où, quelques jours plus tôt, les Thébains avaient tenté d'assiéger la garnison macédonienne de la citadelle de Cadmée. Le souvenir des deuils subis et la peur de cette armée menaçante permirent d'apaiser un moment les âmes les plus turbulentes, mais non d'éteindre leur haine et leur volonté de revanche.

« Cela suffira-t-il ? demanda Alexandre à Héphestion tandis qu'ils défilaient au pied des murailles thébaines.

— Pour l'instant, oui. Mais ne te fais pas d'illusions. Comment agiras-tu envers les autres villes qui ont chassé nos garnisons ?

— Je ne ferai rien. Je veux être le guide des Grecs, pas leur tyran. Ils doivent comprendre que je ne leur suis pas hostile. Que l'ennemi se trouve de l'autre côté de la mer ; c'est le Perse, qui nie toute liberté aux villes grecques d'Asie.

— Est-il vrai que tu as demandé une enquête sur la mort de ton père ?

— Oui, à Callisthène.

— Et penses-tu qu'il parviendra à découvrir la vérité ?

— Je pense qu'il fera tout son possible.

— Et s'il démasquait des Grecs ? Les Athéniens, par exemple ?

— Je prendrai les mesures nécessaires en temps voulu.

— On a aperçu Callisthène en compagnie d'Aristote, le savais-tu ?

— Bien sûr.

— Et comment expliques-tu le fait qu'Aristote ne vienne pas s'entretenir avec toi ?

— Il a été difficile de me parler, ces derniers temps.

Il est probable également qu'il veuille conserver une totale indépendance de jugement. »

Le dernier détachement des *hétaïroï* disparut au milieu du grondement, de plus en plus faible, du tambour, et les Thébains se réunirent en conseil pour délibérer. Ils avaient reçu une lettre de Démosthène, encore à Calaurie, qui les exhortait à ne pas désespérer, à se tenir prêts pour l'instant de la délivrance.

« Un adolescent siège sur le trône de Macédoine, disait-il, et la situation est favorable. »

La missive de l'orateur enthousiasma les Thébains, mais nombre d'entre eux prônaient la prudence. Un vieillard, qui avait perdu deux fils à Chéronée, intervint : « Cet adolescent, ainsi que Démosthène l'appelle, a reconquis la Thessalie en trois jours, sans coup férir, et nous a lancé un message bien précis par le biais de la parade qu'il a effectuée sous nos murs. Moi, je l'écouterais. »

Mais les voix courroucées qui s'élevaient de tous côtés étouffèrent cette invitation à la raison, et les Thébains décidèrent de se soulever à la première occasion.

Alexandre atteignit Corinthe sans rencontrer d'autres obstacles ; il convoqua le conseil de la ligue panhellénique et lui demanda de le confirmer dans ses fonctions de général de toutes les armées confédérées. « Chaque État membre sera libre de se gouverner ainsi qu'il l'entend ; nous n'exercerons aucune ingérence dans le domaine de ses règlements intérieurs et de sa constitution, proclama-t-il du siège qui avait appartenu à son père. La ligue n'a qu'un seul but : libérer les Grecs d'Asie du joug des Perses et entretenir une paix durable parmi les Grecs de la péninsule. »

Tous les délégués signèrent la motion, à l'exception des Spartiates qui n'avaient pas même adhéré à la ligue de Philippe.

« Nous avons depuis toujours l'habitude de mener les Grecs, et non d'être menés, déclara leur envoyé à Alexandre.

— Je le regrette, répliqua le roi, car les Spartiates sont de magnifiques guerriers. Mais aujourd'hui, les Macédoniens constituent le peuple le plus puissant de la Grèce ; il est donc juste qu'ils tiennent les rênes de la ligue et qu'ils aient l'hégémonie. »

Mais il s'exprimait avec amertume, car il se souvenait du courage avec lequel les Lacédémoniens s'étaient battus aux Thermopyles et à Platées. Il comprenait qu'aucune puissance n'était en mesure de résister à l'usure du temps : seule la gloire de ceux qui ont vécu honorablement s'accroît au fil du temps.

Sur le chemin du retour, il voulut visiter Delphes. Il fut fasciné par les merveilles de la ville sacrée. Il s'arrêta devant le fronton du sanctuaire d'Apollon, et lut les mots qui y étaient gravés en lettres d'or :

Connais-toi toi-même

« Qu'est-ce que cela peut bien signifier, d'après toi ? » interrogea Cratère qui ne s'était jamais posé de problèmes de nature philosophique.

— C'est évident, répondit Alexandre. Se connaître soi-même est l'entreprise la plus difficile qui soit, car elle implique directement notre faculté de raisonner, mais aussi nos peurs et nos passions. C'est uniquement en se connaissant soi-même à fond que l'on est en mesure de comprendre les autres, ainsi que la réalité qui nous entoure. »

Ils observèrent le long défilé de fidèles venus de toutes parts, qui apportaient des offrandes et demandaient un verdict au dieu. Il n'y avait pas de localité grecque qui n'eût des représentants à Delphes.

« Crois-tu que l'oracle dit la vérité ? questionna Ptolémée.

— Le verdict qu'il a livré à mon père résonne encore dans mes oreilles.

— Un verdict ambigu, commenta Héphestion.

— Mais véridique, en fin de compte, répliqua

Alexandre. Si Aristote était ici, il nous dirait peut-être que les prophéties confirment l'avenir, mais ne le prévoient pas...

— C'est probable, admit Héphestion. Un jour, j'ai assisté à l'un de ses cours à Miéza : Aristote n'a confiance en personne, pas même dans les dieux. Il ne se fonde que sur son esprit. »

Aristote se laissa aller contre le dossier de son fauteuil et croisa les mains sur son ventre. « Et l'oracle de Delphes ? As-tu pensé à l'oracle de Delphes ? Nous pouvons également le soupçonner. Rappelle-toi : un oracle vit sur sa propre crédibilité. Mais pour construire cette crédibilité, il lui faut posséder un immense patrimoine de connaissances. Et personne ne possède autant de connaissances que les prêtres du sanctuaire d'Apollon : voilà pourquoi ils peuvent prévoir l'avenir. Ou le déterminer. Le résultat est le même. »

Callisthène tenait une tablette sur laquelle il avait noté les noms de ceux que l'on pouvait jusqu'à présent soupçonner d'avoir assassiné le roi.

Aristote reprit : « Que sais-tu de l'assassin ? Qui a-t-il fréquenté les jours qui ont précédé le meurtre du roi ?

— C'est une triste histoire, mon oncle, commença Callisthène. Une histoire dans laquelle Attale, le père d'Eurydice, est profondément impliqué. Jusqu'au cou, si l'on peut dire.

— Et Attale a été tué.

— Exact.

— Eurydice aussi est morte.

— En effet. Alexandre lui a fait construire une tombe somptueuse.

— En outre, il s'est violemment dressé contre sa mère Olympias, qui s'est acharnée sur la jeune femme, et a probablement fait assassiner l'enfant.

— Cela innocenterait Alexandre.

— Mais cela le favorise également dans la succession.

— Le soupçonnes-tu ?

— Le connaissant comme je le connais, non. Mais parfois, être au courant d'un crime, ou le soupçonner, sans rien tenter pour l'empêcher, constitue une forme de culpabilité.

« Le problème, c'est que de nombreuses personnes avaient intérêt à tuer Philippe. Nous devons continuer de recueillir des renseignements. La vérité, dans ce cas précis, pourrait être la somme du plus grand nombre d'indices en défaveur de l'un ou de l'autre suspect. Poursuis ton enquête concernant les faits qui impliquent Attale, et tiens-moi informé. Informe également Alexandre : c'est lui qui t'a confié cette mission.

— Dois-je tout lui rapporter ?

— Tout. Et observe bien ses réactions.

— Puis-je lui dire que tu me prêtes main-forte ?

— Bien sûr, répondit le philosophe. Premièrement, parce que cela lui fera plaisir. Deuxièmement, parce qu'il le sait déjà. »

42

Le général Parménion rentra à Pella en compagnie de Philotas, son fils, vers la fin de l'automne, après avoir pris les dispositions nécessaires pour que l'armée d'Asie puisse hiverner tranquillement.

Il fut reçu par Antipatros, qui avait alors la garde du sceau royal et remplissait la fonction de régent.

« J'ai été fort chagriné de ne pouvoir assister aux funérailles du roi, dit Parménion. Et j'ai été attristé par la mort d'Attale, même s'il m'est impossible d'affirmer que je ne m'y attendais pas.

— Quoi qu'il en soit, Alexandre a fait preuve d'une confiance totale à ton égard puisqu'il t'a envoyé Philotas. Il a voulu que tu prennes en toute liberté la décision qui te semblait la plus juste.

— Voilà pourquoi je suis revenu. Mais je m'étonne de voir le sceau royal à ton doigt : la reine mère ne t'a jamais beaucoup aimé et, d'après ce qu'on me dit, elle exerce encore une grande influence sur Alexandre.

— C'est vrai, mais le roi sait fort bien ce qu'il veut. Et il veut que sa mère reste à l'écart de la politique. De la façon la plus absolue.

— Et pour le reste ?

— Juges-en par toi-même. En trois mois, il a réannexé la ligue thessalienne, intimidé les Thébains, ressoudé la ligue panhellénique et obtenu l'appui du général Parménion, qui représente la clef de l'Orient. Pour un adolescent, ainsi que le nomme Démosthène, ce n'est pas rien.

— Tu as raison, mais il reste le Nord. Les Triballes se sont alliés avec les Gètes, qui vivent le long du cours inférieur de l'Istros, et ne cessent d'effectuer des incursions dans nos territoires. Nous avons perdu de nombreuses villes fondées par le roi Philippe.

— Si j'ai bien compris, c'est la raison pour laquelle Alexandre t'a rappelé à Pella. Il a l'intention de marcher vers le nord, au milieu de l'hiver, afin de surprendre l'ennemi, et il souhaite que tu commandes l'infanterie de ligne. Il mettra ses amis à tes ordres, à la tête des bataillons, afin qu'ils soient instruits à bonne école.

— Et où est-il ? demanda Parménion.

— Selon les dernières nouvelles, il traverse la Thessalie. Mais il est d'abord passé par Delphes. »

Parménion s'assombrit. « A-t-il consulté l'oracle ?

— Si l'on peut dire.

— Pourquoi ?

— Désireux d'éviter qu'un autre incident ne se produise, les prêtres lui ont expliqué que la Pythie était souffrante et qu'elle ne pouvait répondre à ses questions. Mais Alexandre l'a traînée de force à son trépied en l'obligeant à prononcer son oracle. » Parménion écarquillait les yeux comme s'il ne pouvait croire à cette histoire. « C'est alors que la Pythie s'est écriée sur un ton rageur : “ Il est donc impossible de te résister, jeune homme ! ” Alexandre s'est immobilisé, frappé par cette phrase, et il a dit : “ C'est un verdict qui me convient. ” Puis il est parti. »

Parménion secoua la tête. « Elle est vraiment bonne, celle-là ! C'est une réplique digne d'un grand acteur.

— Alexandre en est un. Ou en tout cas, c'est aussi ce qu'il est. Tu verras.

— Penses-tu qu'il croie aux oracles ? »

Antipatros caressa sa barbe drue. « Plus ou moins. Il

est habité à la fois par la rationalité de Philippe et d'Aristote, et par la nature mystérieuse, instinctive et barbare de sa mère. Mais il a vu tomber son père comme un taureau devant l'autel, et les termes de l'oracle ont dû alors s'imposer à lui avec la violence du tonnerre. Tant qu'il vivra, il ne les oubliera pas. »

Le soir tombait, et les deux vieux guerriers furent envahis par une soudaine et profonde mélancolie. Ils sentaient que leur époque s'était achevée avec la mort du roi Philippe, que leurs jours s'étaient comme dissous dans le tourbillon de flammes qui avait enveloppé son bûcher.

« Si nous avions été à ses côtés, peut-être..., murmura soudain Parménion.

— Ne dis rien, mon ami. Personne ne peut empêcher le destin de s'accomplir. Nous devons seulement penser que notre roi avait préparé Alexandre à lui succéder. Ce qui reste de notre vie lui appartient. »

Le roi regagna Pella à la tête de ses troupes et traversa la ville au milieu d'une foule chaleureuse. C'était la première fois, de mémoire d'homme, qu'une armée rentrait victorieuse d'une campagne sans s'être battue, sans avoir subi de pertes. Tout le monde voyait dans ce magnifique jeune homme, au visage radieux, à l'armure et aux vêtements resplendissants, l'incarnation ou presque d'un jeune dieu, d'un héros d'épopée. La même lumière semblait se refléter dans ses compagnons qui chevauchaient à ses côtés, le même regard inquiet et fébrile briller dans leurs yeux.

Antipatros vint l'accueillir. Il en profita pour lui remettre le sceau et lui annoncer l'arrivée de Parménion.

« Conduis-moi chez lui sans tarder », ordonna Alexandre.

Le général monta en selle et le conduisit vers une villa isolée, un peu en dehors de la ville.

Lorsqu'on lui apprit qu'Alexandre avait accouru sans même faire halte dans ses appartements, Parménion descendit l'escalier, le cœur serré. Dès qu'il franchit le seuil de sa demeure, il tomba nez à nez avec lui.

« Vieux et valeureux soldat ! le salua Alexandre en l'embrassant. Merci d'être revenu.

— Sire, répliqua Parménion la gorge nouée, la mort de ton père m'a profondément chagriné. Si j'avais pu, j'aurais donné ma vie pour le sauver. Je lui aurais fait un bouclier de mon corps, j'aurais... » Il ne put poursuivre, tant sa voix était brisée.

« Je le sais », dit Alexandre. Puis il posa les mains sur ses épaules, plongea son regard dans le sien et lui dit : « Moi aussi. »

Parménion baissa les yeux.

« Tout s'est passé en un éclair, général, ce plan a été conçu par un esprit génial et implacable. Il y avait un grand vacarme, et je marchais devant avec le roi Alexandre d'Épire : Eumène s'est mis à crier, mais je n'ai pas compris ce qu'il voulait me dire, je ne parvenais pas à l'entendre. Et quand je me suis retourné en devinant qu'il se passait quelque chose, mon père était déjà à genoux, baignant dans son sang.

— Je le sais, sire. Mais ne parlons plus de ces choses bien tristes. Demain, je me rendrai à Aigai et j'offrirai un sacrifice dans son temple funéraire. J'espère qu'il m'entendra. Quelle est la raison de ta visite ?

— Je voulais te voir et t'inviter à dîner. Nous serons tous réunis, et je vous exposerai mes plans pour l'hiver. Je vous annoncerai notre ultime expédition en Europe. Par la suite, nous marcherons vers l'Orient, vers le levant. »

Il bondit sur son cheval et s'éloigna au galop. Rentré chez lui, Parménion appela son serviteur. « Préparemoi un bain, ainsi que mon plus bel habit, lui ordonna-t-il. Ce soir, je dîne chez le roi. »

43

Les jours qui suivirent, Alexandre s'exerça aux arts militaires et participa à de nombreuses battues de chasse ; mais il eut également l'occasion de se rendre compte que son autorité était désormais reconnue dans des pays lointains : des ambassades des Grecs d'Asie, et même de la Sicile et de l'Italie, affluèrent à la cour.

Les envoyés d'un groupe de villes situées au bord de la mer Tyrrhénienne lui offrirent une coupe en or et lui adressèrent une supplique.

Alexandre en fut flatté et leur demanda d'où ils venaient.

« De Neapolis, de Medma et de Posidonia, lui expliquèrent-ils avec un accent qui lui était inconnu, mais qui lui évoquait un peu celui de l'île d'Eubée.

— Et que désirez-vous ?

— Roi Alexandre, répondit le plus âgé d'entre eux. Il y a dans notre pays une ville puissante, au nord de nos terres, qui s'appelle Rome.

— J'en ai entendu parler, dit Alexandre. On raconte qu'elle a été fondée par Énée, le héros troyen.

— Eh bien, nous subissons les dommages d'une ville maritime située dans le territoire des Romains, qui s'adonne à la piraterie et nuit énormément à notre commerce. Nous voulons mettre fin à cette situation et nous aimerions que tu leur demandes d'y veiller. Ta renommée s'est répandue dans le monde entier et je crois que ton intervention aurait un très grand poids.

— Je m'en acquitterai volontiers, et j'espère qu'ils m'écouteront. Quant à vous, tenez-moi au courant des conséquences de cette initiative. »

Puis il adressa un signe au scribe et se mit à dicter :

> Alexandre, roi des Macédoniens, *hegemon* panhellénique, au peuple et à la ville des Romains, salut !
>
> Nos frères qui habitent les villes du golfe tyrrhénien disent que certains de vos sujets leur causent de graves dommages par l'exercice de la piraterie.
>
> Je vous prie donc d'y trouver un remède au plus vite, ou de laisser les autres résoudre le problème à votre place, si vous n'en êtes pas capables.

Il marqua la lettre de son sceau et la tendit à ses invités, qui le remercièrent et s'éloignèrent, l'air satisfait.

« Je me demande quelles conséquences aura cette missive, observa-t-il ensuite à l'adresse d'Eumène, qui était assis près de lui. Et que penseront ces Romains d'un roi si lointain qui se mêle de leurs affaires intérieures ?

— Pas si loin que ça, affirma Eumène. Tu verras qu'ils te répondront. »

D'autres ambassades et d'autres nouvelles arrivèrent des confins septentrionaux, où la situation s'aggravait : l'alliance que les Triballes et les Gètes avaient scellée s'était consolidée, elle risquait de réduire à néant toutes les conquêtes de Philippe en territoire thrace. Les Gètes, en particulier, étaient redoutables : persuadés d'être immortels, ils se battaient avec une fureur sauvage et un total mépris du danger. Nombre de colonies fondées par Philippe avaient été assaillies et saccagées, leur population massacrée ou réduite en esclavage. Il régnait toutefois une certaine tranquillité au cours de cette période : les guerriers étaient, semblait-il, rentrés dans leurs villages pour se protéger contre les rigueurs du froid.

Alexandre, bien qu'on fût encore en hiver, décida donc d'anticiper son départ et de mettre à exécution le plan qu'il avait conçu. Il envoya un messager vers la flotte byzantine, lui enjoignant de remonter l'Istros jusqu'à sa confluence avec le fleuve Peucé, mouvement qui requérait cinq journées de navigation. Quant à lui, il rassembla toutes les unités de l'armée à Pella, plaça Parménion à la tête de l'infanterie, prit lui-même le commandement de la cavalerie et partit.

Ils franchirent le mont Rhodope, descendirent dans la vallée de l'Euros, puis reprirent leurs marches forcées en direction des cols du mont Hémon, encore recouverts d'une épaisse couche de neige. Au fur et à mesure qu'ils avançaient, ils découvraient des villes détruites, des champs dévastés, des cadavres empalés, d'autres attachés et carbonisés. La colère du roi s'accrut alors comme la fureur d'un fleuve en crue.

Il fondit sur la plaine de Gétie, incendia les villages et les campements, ravagea les récoltes, massacra les troupeaux.

En proie à la terreur, les populations se retirèrent en désordre vers l'Istros et tentèrent de se réfugier sur une île, située au milieu du fleuve, où Alexandre ne pourrait les atteindre. Mais celui-ci les rejoignit grâce à la flotte byzantine qui transportait les troupes d'assaut, les « écuyers » et la cavalerie de la Pointe.

Sur l'île, le choc fut intense : les Gètes et les Triballes luttaient avec une fougue désespérée car ils défendaient le dernier morceau de terre qui leur restait, ainsi que leurs femmes et leurs enfants. Alexandre conduisit lui-même l'attaque jusqu'à leurs positions, défiant le vent glacial et les flots impétueux de l'Istros grossis par les pluies torrentielles. La fumée des incendies se mêlait aux rafales de pluie et de neige fondue ; les hurlements des combattants, les cris des blessés et les hennissements des chevaux se confondaient avec le vacarme des coups de tonnerre et le sifflement du vent du nord.

Les défenseurs avaient formé un cercle compact au moyen de leurs boucliers et planté les hampes de leurs lances dans le sol afin d'opposer une muraille de pointes à la charge de la cavalerie. Derrière eux, les archers décochaient des nuées de flèches mortelles. Mais Alexandre était comme possédé par une force terrible.

Parménion, qui l'avait pourtant vu combattre à Chéronée trois ans plus tôt, fut effaré et abasourdi en le voyant se jeter dans les corps à corps, oublieux de tout, comme sous l'emprise d'une fureur incontrôlable, hurlant, fauchant ses ennemis de son épée et de sa hache, poussant Bucéphale, cuirassé de bronze, contre les rangs ennemis, et finissant par se ménager une brèche où entraîner la cavalerie lourde et l'infanterie d'assaut.

Encerclés, désespérés, traqués l'un après l'autre comme des bêtes en fuite, les Triballes se rendirent, tandis que les Gètes continuaient de résister jusqu'au dernier homme, jusqu'au dernier souffle d'énergie.

Quand tout fut terminé, la tempête qui venait du nord atteignit le fleuve et l'île, mais elle s'atténua bientôt en rencontrant l'humidité qui montait du vaste courant. Comme par enchantement, la neige se mit à tomber, d'abord mêlée de pluie, sous forme de minuscules cristaux de glace, puis à gros flocons. Le terrain — de la boue sanglante — fut rapidement recouvert d'un blanc manteau, les incendies s'éteignirent et partout s'installa un silence pesant, brisé ici et là par quelques cris étouffés, ou par le halètement des chevaux qui se déplaçaient comme des spectres dans la tourmente.

Alexandre regagna la rive. Les soldats qu'il avait laissés de garde sur le môle le virent surgir du rideau de neige et de brouillard : il avait perdu son bouclier, mais il brandissait encore son épée et sa hache à double tranchant, couvert de sang de la tête aux pieds. Les plaques de bronze qui protégeaient le poitrail et le front de Bucéphale étaient tout aussi rouges ; son corps et ses naseaux dégageaient un nuage de vapeur qui lui donnait l'allure d'une bête fantastique, d'une créature de cauchemar.

Parménion le rejoignit aussitôt, les traits empreints de stupeur. « Sire, tu n'aurais pas dû... »

Alexandre ôta son casque, libérant ses cheveux dans le vent glacé, et le vieux général ne reconnut pas sa voix lorsqu'il déclara : « C'est terminé, Parménion, nous pouvons reculer. »

Une partie de l'armée fut rapatriée par le chemin qu'elle avait parcouru à l'aller, tandis qu'Alexandre conduisait vers l'ouest la cavalerie et le reste des soldats en remontant le cours de l'Istros. Bientôt, il rencontra le peuple des Celtes, venu de terres fort lointaines situées sur les rives de l'Océan septentrional, et il conclut un pacte d'alliance avec eux.

Il s'assit sous une tente de peaux tannées en compagnie de leur chef, un géant blond qui portait un casque surmonté d'un oiseau dont les ailes battaient avec un léger grincement chaque fois qu'il bougeait la tête.

« Je jure que je resterai fidèle à ce pacte, affirma le barbare, tant que la terre ne s'enfoncera pas dans la mer, que la mer ne submergera pas la terre, et que le ciel ne nous tombera pas sur la tête. »

Alexandre fut surpris par cette formule, qu'il n'avait encore jamais entendue, et il demanda : « Que craignez-vous le plus ? »

Le chef leva les yeux vers lui dans un mouvement d'ailes, il sembla réfléchir un instant, puis il répondit sur un ton très sérieux : « Que le ciel nous tombe sur la tête. »

Alexandre n'en connut jamais la raison.

Par la suite, il traversa les territoires des Dardaniens et des Agrianes, des populations sauvages de souche illyrienne qui avaient trahi l'alliance avec Philippe pour s'unir aux Gètes et aux Triballes. Il les battit et les obligea à lui fournir des troupes, car les Agrianes étaient célèbres pour leur capacité à gravir les rochers les plus abrupts munis de leurs armes. Le roi pensait qu'il aurait été plus pratique d'utiliser ce genre de troupes que de devoir creuser un escalier, à l'usage de son infanterie d'assaut, dans la roche du mont Ossa.

L'armée erra longtemps dans l'enchevêtrement des vallées et des forêts de ces terres inhospitalières, et l'on perdit bientôt sa trace. Le bruit courut même que le roi était tombé avec ses troupes dans une embuscade, où il avait péri.

Cette rumeur se répandit très rapidement dans le monde grec, atteignant d'abord Athènes, par la mer, puis Thèbes.

Démosthène quitta aussitôt l'île de Calaurie, où il s'était réfugié, et se présenta à l'assemblée réunie sur la place publique. Il prononça un discours enflammé, puis adressa des messages à Thèbes, ainsi qu'un chargement gratuit d'armures lourdes destinées à l'infanterie de ligne, dont les Thébains étaient totalement dépourvus. La ville se souleva, les hommes prirent les armes et assiégèrent la garnison qui occupait la Cadmée, creusant des tranchées et élevant des palissades autour de la citadelle, si bien que les Macédoniens se retrouvèrent prisonniers et qu'ils ne purent recevoir aucun approvisionnement de l'extérieur.

Mais Alexandre fut informé de cette révolte et des mots de dérision que Démosthène avait eus pour lui. Il s'emporta terriblement.

Il abandonna en toute hâte les rives de l'Istros et arriva devant les murailles de Thèbes treize jours plus tard, évitant la reddition aux défenseurs de la Cadmée, épuisés par le siège. Ceux-ci furent stupéfaits quand ils virent le roi, monté sur Bucéphale, ordonner aux Thébains de lui livrer sans tarder les responsables de la révolte.

« Livrez-les, criait-il, et j'épargnerai la ville ! »

Les Thébains se réunirent en assemblée pour délibérer. Revenus de l'exil auquel Philippe les avait contraints, les représentants du parti démocratique brûlaient de se venger.

« Que craignez-vous donc ? Ce n'est qu'un adolescent ! » s'exclama l'un deux, un dénommé Diodore. « Les Athéniens sont avec nous, Sparte et la ligue des Étoliens pourraient rapidement joindre leurs forces aux nôtres. Il est temps de nous débarrasser de la tyrannie macédonienne ! Le Grand Roi des Perses a également promis son appui : il a envoyé à Athènes des armes et de l'argent destinés à soutenir notre révolte.

— Alors pourquoi ne pas attendre les renforts ? s'écria un autre citoyen en se levant. En attendant, la garnison de la Cadmée pourrait se rendre, ce qui nous permettrait d'utiliser ces hommes pour les négociations : les libérer en échange du retrait définitif des troupes macédoniennes de notre territoire. Nous pourrions également tenter une sortie quand l'armée alliée prendra Alexandre à revers.

— Non ! s'écria Diodore. Chaque jour qui passe joue en notre défaveur. Tous ceux qui croient avoir été injustement traités ou opprimés par notre ville s'unissent au Macédonien : à présent, c'est le tour des Phocéens, des habitants de Platées, de Thespies et d'Oropos. Ils nous détestent au point de souhaiter notre anéantissement. N'ayez pas peur, Thébains ! Vengeons les morts de Chéronée une fois pour toutes ! »

Excités par ces mots enflammés, les membres de l'assemblée bondirent en hurlant : « La guerre ! » et se précipitèrent chez eux pour prendre les armes, sans même attendre que les magistrats fédéraux aient levé la séance.

Alexandre convoqua le conseil de guerre sous sa tente.

« Je ne veux qu'une chose : les pousser à la négociation, commença-t-il, même s'ils s'y refusent.

— Mais ils nous narguent ! objecta Héphestion. Attaquons-les, nous verrons bien qui est le plus fort !

— Ils le savent déjà, intervint Parménion. Nous disposons de trente mille hommes et de trois mille chevaux. Ce sont, qui plus est, des vétérans qui n'ont jamais connu la défaite. Ils négocieront.

— Le général Parménion a raison, dit Alexandre. Je ne veux pas de sang. Je m'apprête à envahir l'Asie et je désire partir en sachant que la Grèce est en paix, et animée, si possible, de sentiments amicaux. Je vais leur donner un temps de réflexion supplémentaire.

— Mais alors, pourquoi avons-nous supporté treize jours de marches éreintantes ? Pour demeurer bien assis sous nos tentes en attendant que ces gens-là prennent leur décision ? interrogea encore Héphestion.

— J'ai voulu leur montrer que je suis capable de frapper n'importe quand, et très rapidement. Que je ne serai jamais assez loin pour leur laisser le temps de s'organiser. Mais s'ils demandent la paix, je la leur accorderai volontiers. »

Pourtant, les jours s'écoulaient et rien ne se produisait. Alexandre décida alors de menacer plus fermement les Thébains afin de les amener à traiter. Il déploya son armée et la fit avancer jusqu'aux murailles, puis il envoya aux habitants un héraut, qui proclama :

« Thébains ! Le roi Alexandre vous offre la paix que tous les Grecs ont acceptée, l'autonomie et les règlements politiques que vous souhaitez. Si vous refusez, il offre son hospitalité à tous ceux qui voudront sortir en choisissant la vie contre la haine et les effusions de sang ! »

La réponse des Thébains arriva sans tarder. Un de leurs hérauts cria, du haut d'une tour :

« Macédoniens ! Tous ceux qui voudront s'unir à nous et au Grand Roi des Perses pour libérer les Grecs de la tyrannie seront bien acceptés, et nous leur ouvrirons nos portes. »

Ces mots blessèrent profondément Alexandre : ils sous-entendaient qu'il était l'oppresseur barbare qu'il n'avait jamais voulu être, et anéantissaient en un instant tous les projets et les efforts de son père Philippe.

Rejeté et méprisé, il fut pris d'une colère irrépressible et ses yeux s'assombrirent autant qu'un ciel où les nuages s'amoncellent.

« Ça suffit, maintenant ! s'exclama-t-il. Ils ne me laissent pas le choix. Je vais leur donner une telle leçon que plus personne n'osera enfreindre la paix que j'ai bâtie pour tous les Grecs. »

À Thèbes, les voix qui exhortaient le peuple aux négociations s'étaient éteintes, d'autant plus que certains prodiges avaient répandu sur la ville une profonde inquiétude. Trois mois avant qu'Alexandre ne se présente au pied des murailles à la tête de son armée, on avait assisté dans le temple de Déméter à un étrange phénomène : une énorme toile d'araignée en forme de manteau, dont les contours resplendissaient de couleurs irisées comme celles de l'arc-en-ciel, s'était soudain tissée.

Interrogé, l'oracle de Delphes avait répondu :

> Ce signe, les dieux le manifestent à tous les mortels, aux Béotiens surtout et à leurs voisins.

On consulta aussi l'oracle ancestral de Thèbes, qui affirma :

> Une toile se tisse pour le bonheur de l'un et le malheur de l'autre.

Personne n'avait su attribuer un sens à ces propos, mais le matin où Alexandre avait surgi avec son armée, les statues s'étaient mises à transpirer sur la place du marché, se couvrant rapidement de grosses gouttes qui coulaient jusqu'au sol.

En outre, on rapporta aux représentants de la ville que le lac Copaïs avait émis un bruit semblable à un mugissement et qu'on avait vu, près de Dircé, se former dans l'eau des ronds de la couleur du sang, qui s'étaient étendus sur toute la superficie du lac. Des voyageurs venus de Delphes avaient également raconté que le toit du petit temple des Thébains, qu'on avait érigé près du sanctuaire en remerciement pour les dépouilles enlevées aux Phocéens au cours de la guerre sacrée, portait des taches de sang.

Les devins qui s'occupaient de ces présages affirmaient que la toile d'araignée, à l'intérieur du temple, signifiait que les dieux abandonnaient la ville ; et son irisation, une série de malheurs. Les statues qui transpiraient présageaient une catastrophe menaçante, l'apparition du sang en de nombreux lieux annonçait un massacre imminent.

Ils conclurent donc que tous ces signes étaient funestes : il ne fallait en aucune façon tenter le sort sur le champ de bataille, mais plutôt chercher une solution négociée.

Cependant, les Thébains ne furent nullement impressionnés. Mieux, ils rappelèrent qu'ils comptaient parmi les meilleurs combattants de toute la Grèce et évoquèrent les grandes victoires qu'ils avaient remportées dans le passé. En proie à une sorte de folie collective, ils agirent plus en fonction d'un courage aveugle que par sagesse et réflexion, et ils se précipitèrent tête baissée dans le gouffre, entraînant la ruine de leur pays.

En trois jours seulement, Alexandre acheva tous les ouvrages devant servir pour le siège ainsi que les machines destinées à abattre les murailles. Alors les Thébains sortirent en bon ordre, prêts à combattre. Ils avaient placé la cavalerie sur leur aile gauche, la protégeant derrière une palissade, et aligné l'infanterie lourde au centre et à droite. À l'intérieur de la ville, les femmes et les enfants s'étaient réfugiés dans les temples, priant les dieux de les épargner.

Alexandre partagea ses forces en trois : la première division devait attaquer la palissade, la deuxième affronter l'infanterie thébaine, et la troisième demeurer en réserve, sous le commandement de Parménion.

Le combat se déchaîna au son des trompes avec une

violence qu'on n'avait jamais vue, pas même durant la bataille de Chéronée. Les Thébains savaient qu'ils étaient allés trop loin et qu'Alexandre n'aurait aucune pitié pour eux s'il les battait : ils savaient que leurs maisons seraient saccagées et brûlées, leurs femmes violées, leurs enfants vendus. Ils luttaient avec un total mépris du danger, s'exposant à la mort avec témérité.

Le vacarme de la bataille, les exhortations des commandants, le son aigu des trompes et des flûtes s'élevaient jusqu'au ciel tandis que l'énorme tambour de Chéronée faisait retentir jusqu'au fond de la vallée ses sombres échos.

Dans un premier temps, ne pouvant supporter le redoutable impact de la phalange, les Thébains durent reculer. Mais quand ils en vinrent au corps à corps sur un terrain plus accidenté, ils démontrèrent leur supériorité. L'issue du combat sembla dès lors incertaine pendant plusieurs heures, comme si les dieux avaient placé les adversaires sur les deux plateaux de la balance en un équilibre parfait.

Alexandre lança finalement sa troupe de réserve à l'attaque : la phalange, qui avait combattu jusqu'alors, se partagea en deux, laissant avancer le détachement de renfort. Mais l'idée de se battre contre des troupes fraîches, en dépit de leur épuisement, n'effraya pas les Thébains. Ils n'en étaient que plus fiers.

Leurs officiers s'époumonaient : « Regardez, soldats ! Il faut deux Macédoniens pour vaincre un Thébain ! Repoussons-les comme nous avons repoussé les autres ! »

Et ils se déchaînèrent pour lancer un dernier assaut qui déciderait du sort de leurs vies et de leur cité.

C'est alors que Perdiccas, qui se trouvait sur l'aile gauche, s'aperçut qu'une poterne latérale des murailles avait été libérée pour permettre aux troupes de renfort de s'élancer contre les lignes thébaines. Il envoya donc un détachement l'occuper et en profita pour faire entrer un grand nombre de guerriers.

Les Thébains reculèrent rapidement pour tenter de verrouiller la poterne, mais leurs compagnons se pressaient derrière eux, créant un enchevêtrement d'hommes et de chevaux qui se blessèrent entre eux, sans empêcher pour autant les troupes ennemies de se répandre à l'intérieur.

Entre-temps, les Macédoniens qui étaient enfermés dans la citadelle effectuèrent une sortie et prirent à revers leurs adversaires, qui se livrèrent à un corps à corps dans les rues étroites et tortueuses, devant leurs propres maisons.

Aucun Thébain ne se rendit, aucun n'implora à genoux qu'on épargne sa vie, mais ce courage désespéré n'inspira guère la pitié de leurs ennemis, et la journée ne fut pas assez longue pour freiner la cruauté de leur vengeance : rien n'aurait pu les arrêter. Aveuglés par la fureur, ivres de sang et de violence, ils pénétrèrent dans les temples, arrachèrent aux autels les femmes et les enfants pour user sur eux de toutes formes d'outrage possibles.

Partout la ville résonnait des cris désespérés de jeunes filles et de jeunes garçons qui appelaient au secours leurs parents, hélas incapables de les aider.

Les Macédoniens avaient été rejoints par les Béotiens et les Phocéens, des Grecs qui avaient subi par le passé l'oppression thébaine. S'ils parlaient la même langue et le même dialecte que leurs adversaires, ils se montrèrent toutefois les plus féroces, semant l'horreur dans la ville alors que les cadavres de leurs victimes gisaient, entassés, dans tous les coins et sur toutes les places.

Seules la tombée de la nuit, la fatigue et l'ivresse mirent un terme au massacre.

Le lendemain, Alexandre réunit le conseil de la ligue pour décider du sort de Thèbes.

Les délégués de Platées s'exprimèrent les premiers : « Les Thébains ont toujours trahi la cause commune des Grecs. Ils ont été les seuls, au cours de l'invasion perse, à s'allier contre leurs frères qui luttaient cependant pour la liberté de tous. Ils n'ont éprouvé aucune pitié quand notre ville a été détruite par les barbares et incendiée, quand nos femmes ont été outragées et nos fils réduits en esclavage dans des pays lointains et inaccessibles.

— Et les Athéniens, intervint le délégué de Thespies, qui les ont d'abord aidés pour les abandonner ensuite à l'approche du châtiment, ont-ils oublié que les Perses ont brûlé leur ville et incendié les sanctuaires de leurs dieux ?

— Par le châtiment exemplaire d'une seule ville, affirmèrent les représentants des Phocéens et des Thessaliens, nous empêcherons que d'autres guerres éclatent, que d'autres peuples menacent la paix à cause de leur haine et de leur partialité aveugle. »

La décision fut prise à une grande majorité, et si Alexandre y était personnellement hostile, il ne put s'y opposer car il avait proclamé qu'il respecterait la décision du conseil.

Huit mille Thébains furent vendus comme esclaves. Leur ville millénaire, chantée par Homère et par Pindare, fut entièrement rasée, balayée de la surface de la terre comme si elle n'avait jamais existé.

44

Alexandre se laissa presque tomber de son cheval et se traîna sous sa tente. Ses oreilles étaient remplies de hurlements poignants, d'invocations et de plaintes ; ses mains couvertes de sang.

Il refusa de se nourrir et de boire, il se débarrassa de ses armes et se jeta sur sa couche, en proie à d'épouvantables convulsions. Il semblait avoir perdu le contrôle de ses muscles et de ses sens : cauchemars et hallucinations défilaient devant ses yeux et dans son âme comme une tempête qui emporte tout, comme un souffle dévastateur lui arrachant ses pensées au moment même où elles se formaient.

La souffrance et le désespoir d'une ville grecque extirpée de ses racines pesaient sur son cœur comme un fardeau. Il éprouvait un sentiment d'oppression, qui augmenta au point d'exploser en un cri presque bestial de délire et de chagrin. Mais personne ne le distingua parmi les nombreux hurlements qui blessaient cette nuit maudite, parcourue d'ombres ivres et de fantômes sanglants.

Brusquement, la voix de Ptolémée le ramena à la réalité :

« La situation n'a rien à voir avec une bataille ouverte, n'est-ce pas ? Elle ne ressemble pas à notre combat sur l'Istros. Et pourtant, la chute de Troie que ton cher Homère a chantée n'a pas dû être bien différente, pas plus que la destruction de tant de villes glorieuses dont le souvenir est à jamais perdu. »

Alexandre demeura silencieux. Il s'était dressé sur son lit et portait sur son visage une expression hagarde, presque de folie. Il se contenta de murmurer : « Je... je ne voulais pas.

— Je le sais », dit Ptolémée, et il baissa la tête. « Tu n'es pas entré dans la ville, reprit-il après quelques instants, mais je peux t'assurer que les combattants les plus terribles et les plus féroces, ceux qui se sont le plus acharnés sur ces malheureux, ont été leurs voisins, les Phocéens, les Platéens et les Thespiens, qui leur ressemblent pourtant par la langue, la lignée, les traditions et les croyances.

« Il y a soixante-dix ans, quand Athènes fut vaincue, elle dut se rendre sans conditions à ses adversaires, les Spartiates et les Thébains. Sais-tu ce que proposèrent les Thébains ? Le sais-tu ? Ils demandèrent qu'Athènes soit brûlée, ses murailles démantelées, sa population assassinée ou vendue en esclavage. Si Lysandre, le Lacédémonien, ne s'y était pas fermement opposé, la gloire du monde, la plus belle ville jamais construite, ne serait plus aujourd'hui qu'un tas de cendres, et son nom serait perdu.

« Le sort que les ancêtres évoquèrent alors pour un ennemi devenu impuissant et sans défense s'est maintenant retourné, comme une punition inéluctable, contre leurs descendants, et qui plus est dans des circonstances bien différentes. Tu leur avais offert la paix en échange d'une modeste limitation de leur liberté.

« À présent, leurs voisins, les membres de la confédération béotienne, se disputent déjà le territoire de la ville mère détruite et demandent ton arbitrage. »

Alexandre alla vers une cuvette remplie d'eau et y plongea la tête, puis il s'essuya le visage. « Est-ce pour cette raison que tu es venu ? Je ne veux pas les voir.

— Non. Je voulais te dire que, selon tes ordres, la

maison du poète Pindare a été épargnée, et que j'ai réussi à soustraire aux flammes un certain nombre de ses œuvres. »

Alexandre approuva d'un signe de tête.

« En outre, je tenais à te dire que... Perdiccas est en danger de mort. Il a été gravement blessé durant l'attaque d'hier, mais il n'a pas voulu qu'on te prévienne.

— Pourquoi ?

— Pour ne pas te détourner de tes responsabilités de commandement dans un moment aussi crucial, mais désormais...

— Voilà pourquoi il n'est pas venu me faire son rapport ! Oh ! par tous les dieux ! s'exclama Alexandre. Conduis-moi immédiatement auprès de lui ! »

Ptolémée sortit, précédant le roi vers une tente éclairée, à l'extrémité ouest du campement.

Perdiccas gisait sur son lit de camp, inconscient et brûlant de fièvre. Philippe, le médecin, était assis à son chevet. Il pressait régulièrement une éponge imbibée d'un liquide clair au-dessus de sa bouche.

« Comment va-t-il ? » demanda Alexandre.

Philippe secoua la tête. « Il a une fièvre de cheval et il a perdu beaucoup de sang : une mauvaise blessure, un coup de lance au-dessous de la clavicule. Ses poumons ne sont pas atteints, mais ses muscles ont été sectionnés, ce qui a provoqué une grave hémorragie. J'ai cautérisé, cousu et tamponné sa plaie, et j'essaie de lui administrer un liquide mélangé à un médicament qui devrait calmer sa douleur et empêcher la fièvre de monter encore. Mais j'ignore combien il en absorbe... »

Alexandre posa la main sur le front de Perdiccas.

« Mon ami, ne t'en va pas, ne me laisse pas. »

Il le veilla avec Philippe pendant toute la nuit, en dépit de son épuisement et d'un terrible manque de sommeil. À l'aube, Perdiccas ouvrit les yeux. Alexandre donna un coup de coude à Philippe, qui s'était assoupi.

Le médecin sursauta, puis il tâta le front du blessé :

celui-ci était encore très chaud, mais sa température avait considérablement baissé.

« Il s'en tirera peut-être », dit-il avant de se rendormir.

Ptolémée entra un peu plus tard.

« Comment se porte-t-il ? demanda-t-il à voix basse.

— Philippe pense qu'il peut s'en tirer.

— Tant mieux. Mais tu devrais te reposer, toi aussi : tu as une mine atroce.

— Tout a été atroce, ici. Je viens de passer les pires journées de ma vie. »

Ptolémée s'approcha de lui, comme s'il voulait lui révéler quelque chose sans parvenir à s'y décider.

« Qu'y a-t-il ? demanda Alexandre.

— Je... Je ne sais pas... Si Perdiccas était mort, je ne t'aurais rien dit, mais étant donné qu'il peut survivre, je pense que tu devrais savoir...

— Quoi ? Par les dieux, cesse de tourner autour du pot !

— Avant de perdre conscience, Perdiccas m'a remis une lettre.

— Pour moi ?

— Non. Pour ta sœur, la reine d'Épire, dont il a été l'amant. Il lui demande de ne pas l'oublier. Je... Nous plaisantions tous au sujet de cet amour, mais nous ne pensions pas que... » Ptolémée lui tendit la lettre.

« Non, dit Alexandre. Je refuse de la voir. Le passé est le passé : ma sœur était une jeune fille pleine de vie, et il n'y a rien de mal, selon moi, à ce qu'elle ait désiré un homme qui lui plaisait. Désormais, elle a abandonné son adolescence et vit dans la joie auprès d'un époux dont elle est amoureuse. Quant à Perdiccas, je ne peux certainement pas lui reprocher d'avoir voulu consacrer ses dernières pensées à la femme qu'il aime.

— Que dois-je donc faire de cette missive ?

— Brûle-la. Mais s'il t'en parle, dis-lui que tu l'as directement remise à Cléopâtre. »

Ptolémée s'approcha d'une lanterne et avança la

feuille de papyrus qu'il tenait à la main au-dessus de la flamme. Les mots d'amour de Perdiccas se consumèrent dans le feu et s'évanouirent dans l'air.

L'impitoyable punition de Thèbes sema l'horreur dans toute la Grèce : c'était la première fois, depuis plusieurs générations, qu'une cité aussi illustre, aux racines si profondes qu'elles se perdaient dans les mythes des origines, était balayée de la surface de la terre. Le désespoir des quelques survivants s'étendit à tous les Grecs, qui assimilaient leur patrie à la cité qui leur avait donné le jour, avec ses sanctuaires, ses sources, ses places, où tous les souvenirs étaient jalousement conservés.

La cité représentait tout pour les Grecs : à chaque coin de rue se trouvait une image, une vieille idole rongée par le temps, qui était reliée d'une façon ou d'une autre à un mythe, à un événement appartenant à leur patrimoine commun. Chaque source avait une rumeur particulière, chaque arbre sa propre voix, chaque pierre son histoire. Partout, on pouvait distinguer les traces des dieux, des héros, des ancêtres, partout on vénérait leurs reliques et leurs effigies.

La perte de la ville avait donné aux Grecs le sentiment d'avoir perdu leur âme, d'être morts avant de descendre au tombeau, d'être devenus aveugles après avoir profité de la lumière du soleil et des couleurs de la terre, d'être devenus inférieurs aux esclaves, à qui il arrive d'oublier leur passé.

Les réfugiés thébains qui parvinrent à rejoindre Athènes furent les premiers à apporter la nouvelle, et la ville sombra dans la consternation. Les représentants du peuple envoyèrent partout des hérauts pour convoquer l'assemblée, car ils voulaient que les gens entendent le compte rendu des événements de la voix même des témoins, et non par le biais des racontars.

Quand la vérité apparut clairement aux Athéniens

dans tout ce qu'elle avait de terrible et de dramatique, on vit se lever un vieil amiral de la marine de guerre, du nom de Phocion, qui avait conduit l'expédition athénienne dans les Détroits contre la flotte de Philippe.

« Il me paraît évident que ce qui est arrivé à Thèbes pourrait également arriver à Athènes. Nous avons trahi notre pacte avec Philippe exactement comme l'ont fait les Thébains. Et nous les avons armés, qui plus est. Pour quelle raison Alexandre devrait-il nous réserver un sort plus clément ?

« Il est vrai toutefois que les responsables de ces décisions, ceux qui ont persuadé le peuple de voter ces mesures, qui ont incité les Thébains à défier le roi de Macédoine pour les laisser ensuite l'affronter seuls, et qui exposent aujourd'hui leur cité à un risque mortel, devraient considérer que le sacrifice de quelques hommes est préférable à l'extermination d'un grand nombre, ou de tous. Ils devraient avoir le courage de se rendre et d'affronter le destin qu'ils ont témérairement défié.

« Citoyens, je me suis prononcé contre ces choix, et j'ai été accusé d'être l'ami des Macédoniens. Quand Alexandre était encore en Thrace, Démosthène a dit qu'un enfant siégeait sur le trône ; quand il a gagné la Thessalie, il a commencé à le qualifier d'adolescent, puis il a parlé de jeune homme quand il est arrivé devant les murailles de Thèbes. Maintenant que le roi a démontré sa puissance dévastatrice, comment Démosthène le définira-t-il ? Avec quels mots entend-il s'adresser à lui ? Reconnaîtra-t-il enfin qu'il s'agit d'un homme en pleine possession de son pouvoir et de ses capacités ?

« Je pense qu'il faut avoir le courage de ses actes aussi bien que de ses paroles. Je n'ai rien d'autre à ajouter. »

Démosthène se leva alors pour défendre sa conduite et celle de ses partisans en faisant appel, comme toujours, au sens de la liberté et à la démocratie dont Athènes était le berceau, mais il conclut en s'en remettant aux décisions de l'assemblée :

« Je n'ai pas peur de la mort. Je l'ai déjà affrontée à visage découvert sur le champ de bataille de Chéronée, d'où je me suis sauvé à grand-peine en me cachant derrière un tas de cadavres, puis en m'enfuyant à travers les cols de montagne. J'ai toujours servi la ville et je la servirai encore, en ce moment difficile : si l'assemblée me demande de me livrer, je m'exécuterai. »

Démosthène avait été habile, comme à l'accoutumée, en s'offrant en sacrifice, mais il avait parlé ainsi pour que son choix prenne l'allure d'un sacrilège aux yeux de tout le monde, ou presque.

Les membres de l'assemblée s'interrogèrent alors sur la meilleure façon de réagir, et les chefs des diverses tendances politiques eurent loisir de convaincre leurs propres partisans.

Deux philosophes célèbres participaient également aux débats : Speusippe, qui avait pris la tête de l'Académie après la mort de Platon, et Démophon.

« Sais-tu ce que je pense ? dit Speusippe à son ami, avec un sourire amer. Que Platon et les Athéniens ont refusé à Aristote la direction de l'Académie, et qu'il a créé Alexandre pour se venger. »

L'assemblée vota contre la proposition qui voulait soumettre Démosthène et son parti aux Macédoniens ; elle décida toutefois d'envoyer une ambassade en choisissant les hommes qui avaient le plus de chances d'être écoutés, et elle plaça Démade à la tête de la délégation.

Alexandre rencontra celui-ci sur la route de Corinthe, où il avait l'intention de convoquer une nouvelle fois les représentants de la ligue panhellénique afin qu'ils lui reconfirment, après les événements de Thèbes, le commandement suprême dans la guerre contre les Perses.

Il était assis sous sa tente, auprès d'Eumène.

« Comment va ta blessure, Démade ? » lui demanda-t-il d'abord, à la stupéfaction générale.

L'orateur releva son manteau et la montra. « Elle s'est parfaitement cicatrisée, Alexandre. Un vrai chirurgien n'aurait sans doute pas été plus habile.

— Le mérite en revient à mon maître Aristote, qui a également été votre concitoyen. Au fait, ne crois-tu pas que vous devriez lui consacrer une statue sur la place du marché ? Sauf erreur, il n'y en a pas sur votre place. »

Les délégués échangèrent des regards de plus en plus surpris.

« Non, nous n'y avons pas encore pensé, admit Démade.

— Alors, pensez-y ! Une chose encore. Je veux Démosthène, Lycurgue, ainsi que tous les inspirateurs de la révolte. »

Démade baissa la tête. « Sire, nous nous attendions à cette requête, et nous comprenons ton état d'âme. Tu sais que je me suis toujours prononcé contre la guerre et en faveur de la paix, même si j'ai accompli mon devoir et combattu comme les autres quand la ville me l'a demandé. Cependant, je suis persuadé que Démosthène et ses amis ont agi en toute bonne foi, en sincères patriotes.

— Patriotes ? s'écria Alexandre.

— Oui, ô roi, en patriotes, rétorqua Démade avec fermeté.

— Alors pourquoi ne se rendent-ils pas ? Pourquoi n'assument-ils pas la responsabilité de leurs actions ?

— Parce que la ville le refuse, parce qu'elle est prête à affronter n'importe quel danger et n'importe quel défi. Écoute-moi, Alexandre, Athènes est prête à accueillir des requêtes raisonnables, mais ne la pousse pas au désespoir car si tu devais l'emporter, ta victoire serait plus amère qu'une défaite.

« Thèbes n'existe plus. Sparte ne s'alliera jamais avec toi. Si tu détruis Athènes, ou si tu t'en fais une ennemie éternelle, que restera-t-il de la Grèce ? On obtient souvent plus de résultats par la clémence que par la force ou l'arrogance. »

Alexandre s'abstint de répondre. Il arpenta un moment sa tente avant de retourner s'asseoir. « Que voulez-vous ?

— Aucun citoyen athénien ne sera livré et aucune mesure de rétorsion ne devra être appliquée contre la ville. Nous te demandons aussi l'autorisation d'accorder un abri et de l'aide aux réfugiés thébains. En échange, nous renouvellerons notre adhésion à la ligue panhellénique et à la paix commune. Si tu passes en Asie, tu auras besoin de notre flotte pour assurer tes arrières : la tienne est trop petite et elle manque de l'expérience nécessaire. »

Eumène s'approcha et lui murmura à l'oreille : « Ces propositions me semblent raisonnables.

— Alors, rédigez un document et signez-le », ordonna Alexandre en se levant.

Il se débarrassa du sceau qu'il portait à son doigt et le tendit à Eumène. Puis il sortit.

45

Aristote referma sa sacoche, prit son manteau qui pendait au mur, et la clef de la porte qui était accrochée à un clou. Il jeta un dernier coup d'œil à la demeure et dit, comme en son for intérieur :

« J'ai l'impression de n'avoir rien oublié.

— Alors tu es vraiment sur le départ ? observa Callisthène.

— Oui. J'ai décidé de rentrer à Athènes. La situation y est à nouveau calme, me semble-t-il.

— Sais-tu où aller ?

— Démade s'en est occupé, il m'a trouvé un grand bâtiment du côté de Lycée, pourvu d'un portique couvert, un peu comme à Miéza, où je pourrai fonder mon école. Il y a assez d'espace pour y installer une bibliothèque, sans oublier mes collections de plantes. En outre, je consacrerai un département à l'étude de la musique. J'ai déjà fait transporter tout mon matériel au port, il ne me reste plus qu'à m'embarquer.

— Et tu m'abandonnes à mon enquête.

— Pas du tout. Je vais pouvoir rassembler plus de renseignements à Athènes qu'en Macédoine. Désormais, j'ai appris tout ce que je pouvais apprendre ici.

— C'est-à-dire ?

— Assieds-toi. » Aristote tira d'un tiroir quelques feuillets couverts de notes. « Une chose est sûre : le bouleversement qui a suivi la mort de Philippe a engendré des bavardages, des racontars, des calomnies et des insinuations en tous genres, comme lorsqu'une grosse pierre tombe au fond d'un étang vaseux. Il faut attendre que la vase se dépose et que l'eau redevienne limpide pour y voir un peu plus clair.

« Le geste de Pausanias pourrait être la conséquence — c'était facile à imaginer — d'une trouble histoire d'amours masculines, les plus dangereuses qui soient. La voici, brièvement : Pausanias est un beau garçon, très habile dans le maniement des armes, qui parvient à entrer dans la garde d'honneur de Philippe. Le roi le remarque et en fait son amant. Entre-temps, Attale lui présente sa fille, la pauvre Eurydice, qui séduit aussitôt le roi.

« Fou de jalousie, Pausanias fait une scène à Attale, qui ne semble toutefois pas attribuer une grande importance à la chose. Ou plutôt, il réagit avec esprit et, pour démontrer ses bonnes dispositions, invite le jeune homme à dîner après une battue de chasse en montagne.

« L'endroit est isolé, le vin coule à flots, les participants sont plutôt excités. À un moment donné, Attale se lève, abandonnant Pausanias à ses gardes-chasses, lesquels déshabillent le jeune homme et le violent au cours de la nuit de toutes les façons possibles et imaginables. Puis ils le laissent plus mort que vif.

« Bouleversé par cet outrage, Pausanias demande aussitôt à Philippe de le venger. Mais le roi ne peut se dresser contre son futur beau-père, pour qui il nourrit, en outre, une grande estime. Le jeune homme voudrait tuer Attale, ce qui n'est plus possible : le roi lui a confié le commandement, avec Parménion, du corps d'expédition vers l'Asie. Pausanias retourne donc sa colère contre la seule cible restante : Philippe. Et il l'assassine. »

Aristote laissa tomber sa main gauche sur sa liasse

de feuilles avec un bruit sourd, comme pour accompagner le sens de sa conclusion.

Callisthène examina ses petits yeux gris qui brillaient d'une expression indéfinissable, hésitant entre la complicité et l'ironie.

« Je me demande si tu y crois, ou si tu fais semblant d'y croire.

— Il ne faut pas sous-évaluer l'impulsion passionnelle, qui a toujours représenté une forte motivation dans le comportement humain, en particulier dans le cas d'un individu privé d'équilibre tel que peut l'être un assassin. En outre, cette histoire est si complexe qu'elle pourrait être vraie.

— Elle pourrait...

— Oui. De nombreux éléments ne cadrent pas avec le reste. En premier lieu, beaucoup de rumeurs circulent à propos des amours masculines de Philippe, mais personne n'a jamais rien rapporté de sûr à ce sujet, en dehors de faits totalement épisodiques. Pas même dans le cas présent. Quoi qu'il en soit, peux-tu imaginer qu'un homme de son envergure accueillerait dans sa garde d'honneur un hystérique doublé d'un déséquilibré ?

« Deuxièmement, si les choses s'étaient réellement passées ainsi, pourquoi l'offensé aurait-il tant attendu avant d'exécuter sa vengeance, et pourquoi l'aurait-il fait d'une façon aussi dangereuse ? Troisièmement, qui est le témoin fondamental de toute cette affaire ? Attale. Or, le hasard veut qu'il soit mort. Assassiné.

— Donc ?

— Donc, l'instigateur de ce crime a probablement inventé une histoire compliquée et relativement plausible, en rejetant la responsabilité sur un homme qui, étant mort, ne peut ni approuver ni démentir.

— Bref, on reste dans le noir.

— Peut-être. Mais on commence à entrevoir quelques éléments plus significatifs.

— Lesquels ?

— La personnalité de l'instigateur, et le type de

milieu qui peut avoir produit une histoire de ce genre. Maintenant, prends ces notes, j'en ai une copie dans mon sac de voyage, et fais-en bon usage. Je continuerai mon enquête d'un autre observatoire.

— Le fait est, répliqua Callisthène, que je risque de ne plus avoir le temps de mener à bien ces recherches. Désormais Alexandre est totalement absorbé par son expédition en Asie, et il m'a demandé de le suivre. J'écrirai l'histoire de cette entreprise. »

Aristote hocha la tête et ferma les yeux à demi. « Cela signifie qu'il a tourné le dos au passé et à tout ce qu'il représente pour lui, afin de mieux courir vers l'avenir, à savoir vers l'inconnu. »

Il prit sa sacoche, jeta son manteau sur ses épaules et sortit. Le soleil commençait à se lever sur l'horizon, sculptant les cimes lointaines du mont Chyssos au pied duquel s'étendait la vaste plaine de Macédoine, avec sa capitale et sa retraite solitaire de Miéza.

« C'est étrange, observa-t-il en s'approchant du char qui allait l'emmener au port. Nous n'avons plus eu le loisir de nous revoir.

— Mais il parle sans cesse de toi et il viendra peut-être te rendre visite avant de partir pour l'Asie.

— Je ne crois pas, dit le philosophe comme s'il pensait à voix haute. Il est attiré à présent par sa soif d'aventure comme une phalène par la flamme d'une lanterne. Quand il éprouvera vraiment le désir de me voir, il sera trop tard pour revenir en arrière. De toute façon, je te ferai savoir mon adresse à Athènes. Tu pourras ainsi m'écrire quand tu le souhaiteras. Je pense qu'Alexandre s'efforcera d'entretenir de bons contacts avec cette cité. Adieu, Callisthène, prends soin de toi. »

Callisthène l'embrassa. Avant que son oncle ne grimpe sur le char, il eut l'impression de voir pour la première fois une lueur d'émotion dans ses petits yeux gris.

46

Dans la pénombre du soir, on distinguait à peine le vieux sanctuaire situé au sommet de la colline, à l'orée du bois. À la lumière des lanternes, les colonnes de bois peint exhibaient les signes du temps et des intempéries auxquelles elles étaient exposées depuis des siècles.

Les décorations du linteau et du fronton, en terre cuite colorée, représentaient les aventures du dieu Dionysos, et le reflet changeant de la lumière des torches et des lampes semblait les mettre en mouvement, les rappeler presque à la vie.

Par la porte ouverte, on pouvait apercevoir à l'intérieur de la *cella* la statue du dieu, qui se dressait dans la pénombre, solennelle dans sa fixité primitive. Deux sièges avaient été installés à son pied, et huit autres — quatre par côté — disposés le long des colonnades latérales qui soutenaient les chevrons du plafond.

Ptolémée arriva le premier, suivi de Cratère et de Léonnatos, qui se présentèrent ensemble. Lysimaque, Séleucos et Perdiccas, qui n'était pas complètement rétabli, les rejoignirent un peu plus tard, précédant de peu Eumène et Philotas, également invités à la réunion. Monté sur Bucéphale, Alexandre arriva le dernier en compagnie d'Héphestion.

Alors seulement ils entrèrent et prirent place au milieu des colonnades du temple désert et silencieux.

Alexandre s'assit, invita Héphestion à s'installer à sa droite ainsi que ses compagnons, tous impatients de connaître les raisons de cette réunion nocturne.

« Le moment est venu, commença le roi, de donner le signal du départ à l'entreprise que mon père caressait depuis longtemps, mais que sa mort soudaine et violente lui a interdit de mettre en œuvre : l'invasion de l'Asie ! »

Un souffle de vent pénétra par la porte principale du sanctuaire, et les flammes des lanternes qui brûlaient au pied de la statue du dieu oscillèrent, animant le sourire énigmatique de la divinité.

« Ce n'est pas par hasard que je vous ai rassemblés ici : Dionysos nous indiquera la route, lui qui est allé avec son cortège de satyres et de silènes, couronné de pampres, jusqu'aux Indes lointaines qu'aucune armée grecque n'a jamais atteintes.

« Le conflit qui oppose l'Asie à la Grèce est ancien ; il s'est usé au cours de son histoire millénaire sans qu'il y ait ni vainqueur ni vaincu. La guerre de Troie a duré dix ans et s'est conclue par la mise à sac et la destruction d'une seule cité. Les invasions les plus récentes, d'abord tentées par les Athéniens puis par les Spartiates afin de libérer les Grecs de l'Asie de la domination perse, ont échoué, tout comme les invasions des Perses en Grèce, mais non sans entraîner des massacres, des incendies et des mises à sac qui n'ont même pas épargné les temples des dieux.

« Désormais les temps ont changé : nous possédons l'armée la plus puissante qui ait jamais existé, les soldats les plus forts et les mieux entraînés, mais surtout, affirma-t-il en regardant ses compagnons un à un dans les yeux, nous sommes unis, nous qui siégeons ici, par un lien d'amitié profond et sincère. Nous avons grandi ensemble dans une petite ville, avons partagé les mêmes jeux, avons fréquenté les cours du même maître, et c'est ensemble que nous avons appris à affronter les premières épreuves et les premiers dangers.

— Nous avons reçu les coups de la même baguette ! ajouta Ptolémée, suscitant un éclat de rire général.

— Bien dit ! approuva Alexandre.

— Est-ce pour cette raison que tu n'as pas invité Parménion ? demanda Seleucos. Si je me souviens bien, nous les avons jadis reçus de sa propre main, sur les ordres de ton père.

— Par Zeus ! Je vois que tu ne l'as pas oublié ! s'exclama Alexandre en riant.

— Et qui peut oublier sa baguette ? dit Lysimaque. Il me semble que j'en ai encore les traces sur mon dos.

— Non. Si je n'ai pas invité Parménion, ce n'est pas pour cette raison », reprit Alexandre, réussissant à attirer à nouveau l'attention de ses compagnons. « Je n'ai pas de secrets pour lui, et la preuve en est que son fils Philotas se trouve parmi nous.

« Parménion sera le pilier de notre expédition, le conseiller, le dépositaire du patrimoine d'expérience et de valeurs que mon père a accumulé. Mais Parménion est un compagnon de mon père, alors que vous êtes mes amis ; et je vous demande ici, en présence de Dionysos et de tous les dieux, de me suivre jusqu'où nous mènera notre combat. Même s'il s'agit du bout du monde !

— Même au bout du monde ! » s'écrièrent-ils tous en se levant et en se pressant autour de leur roi.

Ils étaient désormais animés d'une puissante excitation, d'une frénésie irrépressible, d'un désir d'aventure que la vue et la proximité physique d'Alexandre, qui semblait croire à ce rêve plus que quiconque, rendaient encore plus brûlant.

« Chacun de vous, continua le roi quand le calme se fut un peu rétabli, recevra le commandement d'une division de l'armée ainsi que le titre de " garde du corps " du roi. C'est la première fois que des hommes aussi jeunes se voient attribuer des responsabilités aussi grandes. Mais je sais que vous en serez dignes parce que je vous connais, que j'ai grandi avec vous et que je vous ai vus combattre.

— Quand partirons-nous ? demanda Lysimaque.

— Bientôt. Au printemps. Préparez-vous donc, dans votre corps et dans votre esprit. Et si l'un de vous devait avoir des regrets ou changer d'avis, qu'il ne craigne pas de me l'avouer. J'aurai également besoin d'amis fiables sur le sol macédonien.

— Combien de soldats conduirons-nous en Asie ? interrogea Ptolémée.

— Trente mille fantassins, cinq mille cavaliers et tous les hommes que nous pourrons emmener sans trop dégarnir notre pays. J'ignore encore jusqu'où nous pourrons nous fier à nos alliés grecs. Quoi qu'il en soit, je les ai priés, eux aussi, de nous fournir un contingent, mais je crois qu'il ne comptera pas plus de cinq mille hommes.

— Nous n'avons pas besoin d'eux ! s'exclama Héphestion.

— Si, au contraire, répliqua Alexandre. Ce sont de formidables combattants, et nous le savons tous. En outre, cette guerre est une réponse aux invasions perses du territoire grec, à la menace incessante que l'Asie fait peser sur l'Hellade. »

Eumène se leva. « Puis-je intervenir ?

— Laissez parler le secrétaire général ! s'écria Cratère en riant.

— Oui, laissez-le donc parler, dit Alexandre. Je veux connaître son point de vue.

— Mon point de vue se résume en quelques mots, Alexandre. En faisant de mon mieux dès maintenant et jusqu'au jour de notre départ, les fonds que je parviendrai à réunir suffiront à peine à entretenir l'armée pendant une durée d'un mois.

— Eumène ne pense qu'à l'argent ! s'exclama Perdiccas.

— Et il a raison, répliqua Alexandre. C'est pour cela que je le paie, il ne faut pas prendre sa réflexion à la légère. Mais j'ai déjà prévu une solution. Les cités grecques d'Asie nous aideront : c'est aussi pour leurs habitants que nous entreprenons cette campagne. Et puis nous verrons.

— Nous verrons ? demanda Eumène comme s'il tombait des nues.

— Tu n'as pas entendu Alexandre ? répliqua Héphestion. Il a dit " nous verrons ". Ce n'est pas assez clair ?

— Pas le moins du monde, grommela Eumène. Si je dois organiser le ravitaillement de quarante mille hommes et de cinq mille chevaux, il faut que je sache où trouver cet argent, par Héraclès ! »

Alexandre posa la main sur son épaule. « Nous le trouverons, Eumène, ne t'inquiète pas. Je t'assure que nous le trouverons. Fais en sorte que tout soit prêt pour le départ. Il ne nous reste plus beaucoup de temps.

« Mes amis, mille ans se sont écoulés depuis que mon ancêtre Achille a mis pied en Asie pour combattre la ville de Troie avec les autres Grecs, et nous réitérons à présent son entreprise avec la certitude de la dépasser. Peut-être nous manquera-t-il la plume d'Homère pour la raconter. Mais le courage ne nous fera certainement pas défaut.

« Je suis certain que vous saurez égaler les exploits des héros de l'*Iliade*. Nous en avons rêvé tant de fois ensemble, n'est-ce pas ? Avez-vous oublié l'époque où nous nous levions, le soir, après le passage de Léonidas dans notre dortoir, pour nous raconter les aventures d'Achille, de Diomède et d'Ulysse, veillant tard dans la nuit, jusqu'à ce que nos paupières se ferment sous l'effet de la fatigue ? »

Le silence s'abattit sur le sanctuaire : les souvenirs d'une enfance encore proche, la crainte subtile qu'inspirait un avenir menaçant et inconnu, la conviction que la mort chevauchait toujours aux côtés de la guerre, envahissaient le cœur des jeunes gens.

Ils scrutaient le visage d'Alexandre, scrutaient la couleur fuyante de ses yeux à la faible clarté des lanternes. Et ils y lisaient une mystérieuse inquiétude, le désir brûlant d'une aventure sans fin. Ils comprenaient que leur départ approchait, mais ils ignoraient tout de leur retour.

Le roi alla vers Philotas : « Je parlerai à ton père. Je voudrais que nous soyons seuls à partager le souvenir de cette soirée. »

Philotas acquiesça : « Tu as raison. Et je te suis reconnaissant de m'avoir demandé d'y participer. »

Ptolémée brisa cette atmosphère de mélancolie soudaine. « Tout cela m'a donné faim. Et si nous allions manger une perdrix à la broche à l'auberge d'Eupite ?

— Oui, oui ! répondirent-ils tous.

— C'est Eumène qui paie ! s'écria Héphestion.

— Oui, oui, c'est Eumène qui paie ! » répétèrent les autres, y compris le roi.

Le temple replongea bientôt dans le calme. Seul le galop des chevaux, dont l'écho se perdait dans la nuit, troubla un moment encore le silence.

À cet instant précis, au loin, dans le palais de Boutrotos surplombant la mer, Cléopâtre ouvrait la porte de sa chambre nuptiale et se préparait à recevoir son époux. Le deuil traditionnellement prescrit aux jeunes mariées avait pris fin.

Le roi des Molosses fut accueilli par un groupe de jeunes filles vêtues de blanc qui tenaient des flambeaux, symboles d'amour ardent, et conduit le long de l'escalier jusqu'à une porte entrouverte. L'une d'elles lui ôta son manteau blanc et poussa légèrement l'un des battants. Puis elles s'éloignèrent dans le couloir, aussi légères que des papillons de nuit.

Alexandre vit une lumière dorée et tremblante se

poser sur une chevelure aussi douce que l'écume : Cléopâtre. Il se souvint de la fillette timide qu'il avait surprise tant fois en train de l'observer en cachette, dans le palais de Pella, avant de s'enfuir à toutes jambes. Deux servantes s'affairaient autour d'elle : l'une brossait ses cheveux tandis que l'autre dénouait la ceinture de son péplum nuptial et dégrafait les attaches d'or et d'ambre qui le retenaient sur ses épaules d'ivoire. La jeune femme se tourna vers la porte. Elle n'avait plus pour vêtement que la lumière des lanternes.

Son mari entra et s'approcha pour contempler la beauté de son corps de statue, pour s'enivrer un instant du rayonnement qui émanait de son visage de déesse. Elle soutint son regard brûlant, sans baisser ses longs cils humides. En cet instant précis, ses yeux reflétaient la force sauvage d'Olympias et l'ardeur visionnaire d'Alexandre. Le roi tomba sous le charme avant même de pouvoir la serrer dans ses bras.

D'une caresse, il effleura son visage et ses seins durcis. « Mon épouse, ma déesse... Combien de nuits blanches ai-je passées dans cette maison en songeant à ta bouche de miel et à ta poitrine ? Combien de nuits... »

Sa main glissa sur le ventre lisse de la jeune femme, jusqu'au léger duvet. Il l'attira et la renversa sur le lit.

Il entrouvrit ses lèvres d'un baiser enflammé, auquel elle répondit aussi passionnément, avec une force de plus en plus ardente. En la pénétrant, il comprit qu'elle n'était pas vierge, que d'autres avaient possédé son corps avant lui, mais il ne s'interrompit pas. Il continua de lui donner tout le plaisir dont il était capable et de jouir de leur étreinte, enfouissant son visage dans le nuage soyeux de ses cheveux, laissant glisser ses lèvres sur sa peau parfumée, sur son cou, ses épaules et sa superbe poitrine.

Il avait le sentiment de coucher avec une déesse ; mais les mortels ne peuvent rien demander aux déesses :

ils doivent se contenter d'éprouver de la reconnaissance pour ce qu'ils reçoivent d'elles.

Il se laissa finalement retomber, épuisé, à ses côtés, tandis que les flammes des lanternes s'éteignaient l'une après l'autre, faisant place à la pénombre laiteuse de la nuit lunaire.

Cléopâtre s'endormit, la tête posée sur son large torse, terrassée par cette longue vague de plaisir et par la fatigue qui pesait soudain sur ses yeux d'adolescente.

Pendant des jours et des nuits, le roi des Molosses ne songea qu'à elle, ne se consacra qu'à elle et l'entoura de toutes les attentions et de tous les égards possibles, même si le douloureux aiguillon de la jalousie commençait déjà à vriller son cœur. Mais un événement imprévu vint réveiller son intérêt pour le monde extérieur.

Il se trouvait en compagnie de Cléopâtre sur les remparts du palais, profitant de la brise du soir, lorsqu'il vit quelques navires surgir du large et mettre le cap sur son port. Il s'agissait d'un grand vaisseau doté d'une figure de proue magnifique, en forme de dauphin, et qui était escorté par quatre navires de guerre remplis d'archers et d'hoplites.

Un garde se présenta bientôt : « Sire, des invités étrangers en provenance d'une puissante ville du nom de Tarente, en Italie, te demandent de bien vouloir les recevoir demain. »

Jetant un coup d'œil vers le soleil rouge qui se couchait lentement derrière l'horizon marin, le roi répondit : « Dites-leur que je les accueillerai avec plaisir. »

Puis, ayant versé à Cléopâtre une coupe d'un vin léger, ce vin pétillant qu'appréciait tout particulièrement son frère, il lui demanda : « Connais-tu cette ville ?

— De nom seulement, répondit la jeune femme en portant la coupe à ses lèvres.

— C'est une ville très riche et très puissante, mais

peu versée dans les activités guerrières. Veux-tu écouter son histoire ? »

Le soleil s'était enfoncé dans la mer, ne laissant à sa surface qu'un reflet violacé.

« Oui, si je dois l'entendre de ta bouche.

— Bien. Tu dois donc savoir qu'il y a fort longtemps, les Spartiates s'employaient sans succès à assiéger Ithomé, en Messénie. Les chefs lacédémoniens étaient très inquiets : du fait de l'absence prolongée de milliers de guerriers, immobilisés depuis des années par ce long siège, il naissait peu d'enfants dans la ville. Ils pensaient donc que le jour viendrait où le recrutement militaire serait trop faible et où la ville se dégarnirait.

« Ils élaborèrent un plan. Après s'être rendus à Ithomé, ils choisirent un groupe de soldats — les plus jeunes et les plus forts qu'ils trouvèrent — et leur ordonnèrent de rentrer chez eux pour accomplir une mission beaucoup plus agréable que la guerre, mais pas moins prenante. »

Cléopâtre lui lança un clin d'œil complice et se mit à sourire : « Je crois deviner de quoi il s'agit.

— C'est bien cela, poursuivit le roi ; leur mission consistait à engrosser toutes les vierges de la ville. Ils s'exécutèrent avec un sens du devoir et une ardeur semblables à ceux qui les animaient sur le champ de bataille. Et leur entreprise fut couronnée d'un tel succès qu'une nombreuse nichée d'enfants naquit l'année suivante.

« Mais bientôt la guerre prit fin. Les autres guerriers regagnèrent leur foyer et s'employèrent à rattraper le temps perdu : d'autres enfants virent le jour. Et quand ils eurent grandi, ils déclarèrent que les rejetons illégitimes ne pouvaient être considérés comme des citoyens de Sparte, et qu'ils devaient plutôt subir le sort des bâtards.

« Indignés, ces derniers se préparèrent à la révolte sous la conduite de leur chef, un garçon fort et hardi du nom de Taras. Hélas pour eux, leur complot fut découvert et ils furent contraints de quitter leur patrie. Taras interrogea alors l'oracle de Delphes, qui leur indiqua un lieu, en Italie, où ils pourraient fonder une ville et y vivre dans la richesse et le bonheur. La ville fut effectivement fondée, et elle existe encore : il s'agit de Tarente, qui tire son nom de Taras.

— C'est une belle histoire, observa Cléopâtre avec une ombre de tristesse dans les yeux. Mais je me demande bien ce qu'ils veulent.

— Tu le sauras dès que je les aurai entendus, affirma le roi en prenant congé de sa femme avec un baiser. Maintenant, permets-moi de donner les ordres nécessaires afin qu'ils soient dignement reçus. »

Les quatre navires tarentais repartirent deux jours plus tard, et c'est alors seulement qu'Alexandre d'Épire regagna la chambre nuptiale.

Cléopâtre avait fait préparer le dîner dans la chambre, où flottait un parfum de lis. Elle s'était allongée sur le lit de banquet, uniquement vêtue d'une robe de lin transparent.

« Que voulaient-ils donc ? demanda-t-elle à son mari dès qu'il se fut étendu auprès d'elle.

— Ils sont venus me demander de l'aide et... m'offrir l'Italie.

— Tu vas partir ? dit-elle après un long silence.

— Oui », répondit le roi.

Il sentait que ce départ, que la guerre et le risque de mourir au combat lui pèseraient moins que l'idée, toujours plus forte, que Cléopâtre avait jadis appartenu à un autre homme, dont elle cultivait peut-être le souvenir, ou qu'elle aimait encore.

« Est-il vrai que mon frère s'apprête à quitter la Macédoine ?

— Oui. Il se dirige vers l'Orient et s'apprête à envahir l'Asie.

— Toi, tu pars vers l'Occident, et je vais rester seule. »

Le roi saisit sa main et la caressa longuement. « Écoute. Un jour qu'Alexandre se trouvait dans ce palais, il fit un rêve que je veux te raconter... »

Parménion dévisagea Alexandre d'un air incrédule. « J'espère que tu ne parles pas sérieusement. »

Alexandre posa la main sur son épaule. « Je n'ai jamais été aussi sérieux de toute mon existence. C'est le rêve de mon père, Philippe, et le mien depuis toujours. Nous partirons avec les premiers vents du printemps.

— Mais, sire, intervint Antipatros, tu ne peux pas partir comme ça.

— Pourquoi pas ?

— Parce que tout peut arriver à la guerre, et que tu n'as ni épouse ni enfant. Il faut d'abord que tu te maries et que tu laisses un héritier sur le trône des Macédoniens. »

Alexandre sourit et secoua la tête. « Cette idée ne me vient même pas à l'esprit ! Il est nécessaire d'observer une longue procédure avant de prendre épouse : évaluer toutes les candidates possibles au rôle de reine, choisir attentivement une éventuelle élue et affronter les réactions des familles qui se verraient ainsi exclues.

« Il faudrait ensuite préparer le mariage, la liste des invités, organiser la cérémonie, s'employer enfin à ce que la jeune femme tombe enceinte, chose qui ne se produit pas toujours instantanément. Et quand bien même elle se produirait, il n'est pas sûr qu'un fils naîtrait de cette union, ce qui m'amènerait à patienter une année supplémentaire. Et si un fils naissait, je serais obligé d'imiter Ulysse et Télémaque : le quitter au berceau pour le revoir au terme d'une période indéterminée. Non, je dois partir immédiatement, ma décision est irrévocable.

« Je ne vous ai pas convoqués pour discuter de mes

noces, mais de mon expédition en Asie. Vous êtes les deux piliers de mon royaume, comme vous l'avez été pour mon père, et j'ai l'intention de vous confier des charges de la plus haute importance, en espérant que vous les accepterez.

— Tu sais que nous te sommes fidèles, sire, affirma Parménion qui ne parvenait pas à appeler le jeune roi par son prénom ; et que nous comptons t'obéir tant que nos forces nous soutiendront.

— Je le sais, dit Alexandre. Et c'est pourquoi je m'estime heureux. Toi, Parménion, tu m'accompagneras et tu auras le commandement général de toute l'armée. Seul le roi sera supérieur à toi. En revanche, Antipatros restera en Macédoine, avec les prérogatives et les pouvoirs de régent. C'est seulement de cette façon que je pourrai partir tranquille, certain d'avoir confié mon trône au meilleur homme qui soit.

— Tu m'honores trop, sire, répliqua Antipatros. D'autant plus que la reine, ta mère, demeurera à Pella et...

— Je sais très bien à quoi tu fais allusion, Antipatros. Mais souviens-toi d'une chose : ma mère ne devra s'occuper en aucune façon de la politique du royaume, ni avoir des contacts officiels avec les délégations étrangères. Elle n'aura qu'un rôle de représentation.

« Elle ne pourra prendre part aux relations diplomatiques que sur ta demande et sous ta surveillance attentive. Il lui sera interdit d'intervenir dans des affaires à caractère politique, qu'il te faudra administrer personnellement.

« Je souhaite que ses désirs soient honorés et satisfaits chaque fois que cela sera possible, mais tout devra passer par toi : c'est à toi, et non à elle, que je laisse le sceau royal. »

Antipatros acquiesça d'un signe de tête. « Il sera fait selon tes volontés, sire. Je n'ai qu'un seul désir : que cette situation n'engendre aucun conflit. Ta mère possède une forte personnalité et...

— Je ferai savoir publiquement que c'est toi le dépositaire du pouvoir en mon absence, et tu n'auras donc à rendre compte de tes décisions qu'à moi-même, reprit-il. Nous resterons en contact permanent. Je te tiendrai informé de toutes mes actions, et tu feras de même en me rapportant tout ce qui se passe dans les cités grecques qui nous sont alliées, tout ce que trameront nos amis et nos ennemis. C'est pourquoi nous nous emploierons à garantir la sécurité des voies de communication à chaque moment.

« Quoi qu'il en soit, nous aurons le loisir de définir ta charge dans tous les détails, Antipatros, mais il demeure que j'ai confiance en toi, et que tu jouiras de la plus grande liberté de décision. Je vous ai convoqués ici dans le but de savoir si vous acceptiez ma proposition. Je suis donc satisfait. »

Alexandre se leva, et les deux vieux généraux l'imitèrent en signe de respect. Mais avant que le roi ne sorte, Antipatros prit la parole : « J'ai une question à te poser, sire : combien de temps penses-tu que durera ton expédition, et jusqu'où comptes-tu aller ?

— C'est une question à laquelle je ne peux te répondre, Antipatros, parce que j'ignore moi-même la réponse. »

Il prit congé d'un signe de tête et s'éloigna, abandonnant les deux généraux dans l'armurerie déserte. « Sais-tu, reprit Antipatros, que vous n'aurez des vivres et de l'argent que pour une durée d'un mois ? »

Parménion acquiesça. « Je le sais. Mais que pouvais-je dire ? Il est arrivé à son père de faire pire. »

Il était tard, ce soir-là, quand Alexandre regagna ses appartements. Ses serviteurs dormaient, à l'exception des gardes qui veillaient devant sa porte et de Leptine, qui l'attendait avec une lanterne pour l'aider à prendre son bain, déjà préparé, bien chaud et parfumé.

Elle le déshabilla et le laissa se plonger dans la

grande baignoire de pierre avant de lui verser de l'eau sur les épaules avec un broc d'argent. C'était là un geste que lui avait appris Philippe, le médecin : le ruissellement de l'eau avait l'effet d'un massage encore plus délicat que celui qu'elle pratiquait avec les mains ; il calmait Alexandre, détendait les muscles de ses épaules et de son cou, où se concentraient toute fatigue et toute tension.

Alexandre glissa très lentement dans son bain et s'allongea entièrement ; Leptine continua de verser de l'eau sur son ventre et sur ses cuisses jusqu'à ce qu'il lui ordonne d'arrêter.

Elle posa le broc sur le bord de la baignoire et, bien que le roi ne lui eût pas encore adressé la parole, elle osa parler la première :

« Le bruit court que tu vas partir, mon seigneur. »

Alexandre s'abstint de répondre et Leptine dut accomplir un effort sur elle-même pour poursuivre : « Il paraît que tu vas en Asie et je...

— Tu ?

— Je voudrais te suivre. Je t'en prie : je suis la seule à savoir m'occuper de toi, la seule à savoir t'accueillir le soir et te préparer pour la nuit.

— Tu viendras », répondit Alexandre en sortant du bain.

Les yeux de Leptine se remplirent de larmes, mais elle garda le silence et se mit à essuyer délicatement le roi à l'aide d'un drap de lin.

Alexandre s'allongea sur le lit en étirant ses membres, tandis qu'elle le regardait d'un air fasciné. Puis, comme à l'accoutumée, elle se déshabilla et s'installa près de lui en promenant ses mains et ses lèvres sur son corps.

« Non, dit Alexandre. Pas comme ça. Ce soir, c'est moi qui vais te prendre. » Il lui écarta doucement les jambes et s'allongea sur elle. Leptine resserra les bras autour de son buste comme si elle refusait de perdre un seul instant d'une intimité si précieuse, et elle accompagna la longue poussée de ses reins, le mouvement puissant de ses flancs. Quand il s'abandonna, il sentit son visage se fondre dans ses cheveux, et en respira longuement le parfum.

« Vraiment, je pourrai te suivre ? lui demanda-t-elle alors qu'il s'étendait à nouveau près elle.

— Oui, jusqu'à ce que nous rencontrions dans notre marche un peuple dont tu comprendras la langue, cette mystérieuse langue que tu parles parfois dans ton sommeil.

— Pourquoi dis-tu cela, mon seigneur ?

— Tourne-toi », lui ordonna Alexandre.

Leptine lui présenta son dos, tandis qu'il s'emparait d'une bougie et qu'il l'approchait.

« Tu as un tatouage sur l'épaule, le savais-tu ? Un genre de tatouage qui m'est inconnu. Oui, tu m'accompagneras et peut-être rencontrerons-nous un jour quelqu'un qui sera en mesure de te rappeler qui tu es, et d'où tu viens. Mais je veux que tu saches une chose : en Asie, les choses changeront. Ce sera un autre monde, il y aura d'autres gens, d'autres femmes, et moi aussi, je serai différent. Une période de ma vie s'achève et une autre commence. Comprends-tu ce que je veux te dire ?

— Je le comprends, mon seigneur, mais le seul fait de te voir et de savoir que tu te portes bien me comblera de joie. Je ne demande rien d'autre à la vie, car j'ai déjà eu plus que je n'aurais pu espérer. »

47

Alexandre retrouva le roi d'Épire un mois avant son départ pour l'Asie, dans une localité secrète de l'Éordée, après avoir fixé leur rendez-vous par un rapide échange de courriers. Plus d'un an s'était écoulé depuis leur dernière rencontre, depuis que Philippe avait été assassiné, et beaucoup d'événements s'étaient produits au cours de cette période, non seulement en Macédoine et en Grèce, mais aussi en Épire.

Le roi Alexandre avait réuni toutes les tribus de sa petite patrie montagneuse en une confédération qui lui avait attribué le rôle de chef suprême et lui avait confié l'instruction et le commandement de l'armée. Après avoir suivi un enseignement sur le mode macédonien, les guerriers épirotes avaient été répartis en phalanges d'infanterie lourde et en escadrons de cavalerie. Quant au style de la monarchie, il avait été façonné selon le modèle grec pour tout ce qui concernait le cérémonial, la frappe de monnaies d'or et d'argent, la façon de se vêtir et de se comporter. Le roi d'Épire et le roi de Macédoine semblaient maintenant se refléter l'un dans l'autre.

Quand vint le moment des retrouvailles, un peu avant l'aube, les deux jeunes gens, qui s'étaient reconnus de loin, éperonnèrent leurs chevaux en direction d'un grand platane solitaire qui se dressait près d'une source, au milieu d'une vaste clairière. La montagne était recouverte d'un manteau vert foncé que les pluies récentes et l'arrivée de la nouvelle saison faisaient briller ; le ciel, encore sombre, était parcouru de grands nuages blancs poussés par un vent tiède en provenance de la mer.

Ils mirent pied à terre, abandonnèrent leurs chevaux et s'embrassèrent avec une fougue juvénile.

« Comment te portes-tu ? demanda Alexandre.

— Bien, répondit son beau-frère. Je sais que tu es sur le départ.

— Toi aussi, m'a-t-on dit.

— Tu l'as su par Cléopâtre ?

— Ce sont des bruits qui courent.

— Je comptais te l'apprendre moi-même.

— Je le sais.

— La ville de Tarente, l'une des plus riches d'Italie, m'a demandé de lui porter assistance contre les barbares d'Occident qui se pressent à ses frontières : les Bruttiens et les Lucaniens.

— Je réponds, quant à moi, à l'appel des villes grecques d'Asie qui réclament mon aide contre les Perses. N'est-ce pas merveilleux ? Nous avons le même nom et le même sang, nous sommes tous deux rois et chefs d'armées et nous nous lançons dans des entreprises similaires. Te rappelles-tu le rêve des deux soleils que je t'ai un jour raconté ?

— C'est la première chose qui m'est venue à l'esprit quand j'ai reçu la requête des Tarentais. Il y a peut-être un signe des dieux dans tout cela.

— J'en suis convaincu, répliqua Alexandre.

— Donc, tu n'es pas opposé à mon expédition.

— La seule personne qui pourrait s'y opposer est Cléopâtre. Ma pauvre sœur ! Elle a vu son père tomber sous les coups d'un assassin le jour de son mariage, et voilà que son époux l'abandonne.

— J'essaierai de me faire pardonner. Vraiment, tu n'as rien contre mes projets ?

— Voyons, ils me remplissent d'enthousiasme ! Si

tu ne m'avais pas devancé, je t'aurais moi-même demandé un entretien. Te souviens-tu de la grande carte d'Aristote ?

— Je l'ai fait reproduire dans mon palais de Boutrotos.

— Cette carte place la Grèce au centre du monde, et Delphes est le nombril de la Grèce. Pella et Boutrotos sont à la même distance de Delphes, et Delphes à la même distance de l'extrême Occident — où se trouvent les Colonnes d'Héraclès — et de l'extrême Orient — où s'étendent les eaux de l'Océan immobile.

« Nous devons prêter ici un serment solennel, en prenant à témoin le ciel et la terre. Nous devons promettre de partir, moi pour l'Orient et toi pour l'Occident, et de ne pas nous arrêter tant que nous n'aurons pas atteint les rives de l'Océan extrême. Et nous devons jurer qui si l'un de nous tombait, l'autre le remplacerait et achèverait son entreprise. Nous partons tous deux sans héritier, mon ami. Nous serons donc les héritiers l'un de l'autre. Y es-tu disposé ?

— De tout mon cœur, Alexandre, dit le roi des Molosses.

— De tout mon cœur, Alexandre », dit le roi des Macédoniens.

Ils dégainèrent leurs armes et s'entaillèrent les poignets, mêlèrent leur sang dans une coupelle en argent.

Alexandre le Molosse en versa un peu sur le sol avant de tendre la coupelle à Alexandre le Macédonien, qui projeta le reste vers le ciel. Puis il dit : « Le ciel et la terre sont témoins de notre serment. Aucun lien ne peut être plus fort et plus terrible. Et maintenant, il ne nous reste plus qu'à nous dire adieu et à nous souhaiter bonne chance. J'ignore quand nous nous reverrons, mais ce sera un grand jour, le plus grand jour que le monde ait jamais connu. »

Le soleil printanier dépassa alors la cime des monts de l'Éordée jetant une lumière pure et limpide sur l'immense paysage de sommets, de vallées et de torrents. Il fit scintiller la moindre goutte de rosée, comme si la nuit avait semé des perles sur les prés et sur les branches des arbres, comme si les araignées avaient tissé des fils d'argent dans l'obscurité.

Le vent d'ouest répondit à l'apparition du dieu de la lumière en ridant la grande étendue d'herbe, en caressant les touffes de jonquilles dorées et de crocus pourpres, les corolles vermeilles des lis de montagne. Des volées d'oiseaux surgirent du bois et s'élevèrent vers le ciel à la rencontre des cirrus qui glissaient, aussi blancs que des ailes de colombe ; des troupeaux de cerfs et de chevreuils sortirent de la forêt en courant vers les prairies et les eaux scintillantes des torrents.

C'est alors que se détacha, au sommet d'une colline, la silhouette légère d'une amazone, vêtue d'un simple chiton qui laissait ses jambes découvertes, une adolescente aux longs cheveux dorés, montée sur un cheval blanc à la queue et à la crinière flottantes.

« Cléopâtre voulait te dire au revoir, expliqua le roi d'Épire. Je n'ai pas pu l'en empêcher.

— Et tu aurais eu tort de le faire. Moi aussi, je désirais la saluer plus que toute autre chose au monde. Je reviens. »

Il bondit sur son cheval et rejoignit la jeune femme qui l'attendait, tremblante d'émotion, aussi resplendissante que la statue d'Artémisia.

Ils coururent l'un vers l'autre et s'embrassèrent sur le visage, sur les yeux et les cheveux, se caressèrent avec une douceur poignante.

« Ma sœur adorée, ma douce, ma tendre..., lui dit Alexandre en la regardant avec une infinie tendresse.

— Mon cher Alexandre, mon roi, mon seigneur, mon frère adoré, lumière de mes yeux... » et elle fut incapable de terminer sa phrase. « Quand te reverrai-je ? demanda-t-elle, les prunelles luisantes.

— Personne ne le sait, petite sœur, notre destin repose dans les mains des dieux. Mais je te jure que tu seras dans mon cœur à chaque instant, dans le silence de la nuit comme dans le fracas de la bataille, dans la chaleur du désert comme dans le froid des montagnes. Je t'appellerai chaque soir, avant de m'endormir, et j'espère que le vent te portera ma voix. Adieu, Cléopâtre.

— Adieu, mon frère. Moi aussi je monterai sur les remparts de la tour la plus haute et je tendrai l'oreille en attendant que le souffle du vent m'apporte ta voix et le parfum de tes cheveux. Adieu, Alexandre... »

Cléopâtre s'enfuit en pleurant sur son cheval, ne pouvant supporter la vue de son frère s'éloignant. Alexandre retourna à petits pas vers son beau-frère qui l'attendait, adossé au tronc du gigantesque platane. Il s'adressa à lui d'une voix émue, en lui serrant les deux mains :

« Nous aussi, quittons-nous ici. Adieu, roi d'Occident, roi du soleil rouge et du mont Atlas, roi des Colonnes d'Héraclès. Quand nous nous reverrons, nous célébrerons une nouvelle ère pour toute l'humanité. Mais si le destin ou la jalousie des dieux devaient nous en empêcher, que notre étreinte soit plus forte que le temps et la mort, que notre rêve brûle à jamais, aussi fort que la flamme du soleil.

— Adieu, roi d'Orient, roi du soleil blanc et du mont Paropamisos, seigneur de l'Océan extrême. Que notre rêve brûle à jamais, quel que soit le sort qui nous attend. »

Ils s'étreignirent, vaincus par l'émotion, tandis que la brise mêlait leurs crinières de lion et que leurs larmes se confondaient, comme un peu plus tôt leur sang, dans un rite solennel et terrible, en présence du ciel et de la terre, dans la force du vent.

Puis ils sautèrent sur leurs étalons et les éperonnèrent. Le roi des Molosses partit en direction du soir et du couchant, le roi des Macédoniens en direction du matin et de l'aurore. Personne ne savait, pas même les dieux, vers quel sort ils s'acheminaient, car seul le Destin insondable connaît le sentier et la route d'hommes aussi grands.

48

L'armée se rassembla alors que soufflaient les premiers vents du printemps, en commençant par les bataillons de l'infanterie lourde des *pézétaïroï*, équipés de pied en cap, d'immenses sarisses sur l'épaule. Au premier rang, des jeunes gens brandissaient des boucliers marqués de l'étoile argéade de cuivre fauve ; des soldats plus expérimentés, reconnaissables à leur étoile de bronze, étaient alignés derrière eux ; venaient enfin les vétérans, aux écus frappés d'une étoile d'argent.

Tous portaient le casque en forme de bonnet phrygien, muni d'une courte visière, ainsi que des tuniques et des manteaux rouges. Pendant les exercices — des replis ou des simulations d'attaque —, leurs sarisses se heurtaient, provoquant un terrible vacarme, comme si un vent impétueux s'insinuait entre les branches d'une forêt de bronze. Et quand les officiers leur ordonnaient de baisser leurs lances, l'immense phalange présentait l'aspect terrifiant d'un porc-épic hérissé de pointes d'acier.

La cavalerie des *hétaïroï* fut recrutée par les nobles, district par district, équipée de lourdes cuirasses les recouvrant jusqu'à l'abdomen et de casques béotiens à larges bords. Ils montaient de magnifiques chevaux de bataille, venus de Thessalie et nourris dans les gras pâturages qui s'étendaient sur la plaine et le long des rives des grands fleuves.

La flotte concentrée dans les ports du Nord fut bientôt rejointe par des escadrons athéniens et corinthiens, car on craignait une intervention de la marine perse, guidée par un amiral du nom de Memnon, un homme redoutable par sa ruse et par son expérience, fidèle à ses engagements en dépit de tous les dangers.

L'ayant rencontré en Asie, Eumène mit en garde Alexandre, un jour qu'il passait la flotte en revue à bord du vaisseau amiral. « Attention, Memnon est un guerrier qui ne vend son épée qu'une seule fois et à un seul homme. Il la vend chèrement, et c'est comme s'il jurait fidélité à sa patrie : rien ni personne ne peut lui faire changer de camp, ni de bannière.

« Il commande une flotte composée d'équipages grecs et phéniciens, et compte sur l'appui secret d'un certain nombre de tes adversaires en Grèce. Imagine ce qui se passerait s'il t'attaquait par surprise alors que tu fais traverser les Détroits à ton armée.

« Mes informateurs ont inventé un système de signaux lumineux entre la côte asiatique et la côte européenne afin de déclencher l'alarme à l'approche de sa flotte. Nous savons que les satrapes perses des provinces occidentales lui ont confirmé le commandement suprême de leurs forces en Asie, avec la charge de s'opposer à ton invasion et de te neutraliser. Mais nous ignorons pour l'heure ses plans de bataille, nous ne disposons que de quelques informations sommaires.

« Combien de temps nous faudra-t-il pour en savoir plus ? demanda Alexandre.

— Un mois, peut-être.

— C'est trop. Nous partons dans quatre jours. »

Eumène lui jeta un regard interdit : « Quatre jours ? Mais c'est de la folie, nous n'avons pas encore assez de ravitaillement ! Je te l'ai dit : l'entretien de ton armée n'est assuré que pour un mois environ. Il est nécessaire d'attendre les nouveaux chargements des mines du mont Pangée.

— Non, Eumène, je n'attendrai pas. Chaque jour qui passe permet à l'ennemi d'organiser sa défense, de concentrer ses troupes, de rassembler des mercenaires, ici même, en Grèce. Il nous faut frapper au plus vite. Comment crois-tu que Memnon agira ?

— Memnon a déjà combattu avec succès les généraux de ton père. Parménion te dira combien il est imprévisible.

— Mais toi, qu'en penses-tu ?

— Il t'attirera d'abord à l'intérieur en pratiquant la tactique de la terre brûlée, puis coupera tes voies de communication et ton approvisionnement maritime à l'aide de sa flotte », suggéra une voix dans son dos.

Eumène se retourna. « Tu connais l'amiral Néarque ? »

Alexandre lui serra la main. « Salut, amiral.

— Pardonne-moi, sire », dit Néarque, un robuste Crétois aux épaules larges, aux yeux et aux cheveux noirs. « Je m'occupais des manœuvres et je n'ai donc pas pu te suivre.

— Est-ce ton point de vue que tu viens d'exposer ?

— En toute sincérité, oui. Memnon sait qu'il serait dangereux de t'affronter en rase campagne car il ne dispose pas de troupes suffisamment nombreuses pour contrecarrer ta phalange ; mais il sait probablement que tu ne possèdes pas de grandes réserves.

— Et comment le saurait-il ?

— Le système d'informations que les Perses ont mis au point est extraordinaire : ils ont des espions partout, et ils les paient fort bien. En outre, ils peuvent compter sur un grand nombre d'amis et de sympathisants macédoniens. Memnon n'aura qu'à temporiser avant de déclencher des actions de diversion dans ton dos, aussi bien sur terre que sur mer, te causant des difficultés à défaut de te piéger.

— Le crois-tu vraiment ?

— Je veux seulement te prévenir, sire. L'expédition à laquelle tu te prépares n'a rien à voir avec les précédentes. »

Le bateau prenait le cap vers le large, affrontant les ondes frangées d'écume. Le chef de nage battait le rythme et les rameurs courbaient leur échine luisante sous le soleil, plongeant et soulevant leurs longues rames.

Alexandre semblait absorbé par le roulement pressant des tambours et par le cri des rameurs qui tentaient de garder le rythme.

« On dirait que tout le monde a peur de ce Memnon, observa-t-il soudain.

— Il ne s'agit pas de peur, sire, précisa Néarque. Nous nous contentons de tracer les grandes lignes d'un scénario possible, ou plutôt probable selon moi.

— Tu as raison, amiral : nous sommes plus exposés et plus faibles sur mer, mais personne ne peut nous battre sur terre.

— Pour l'instant, dit Eumène.

— Pour l'instant, admit Alexandre.

— Et donc ? interrogea encore Eumène.

— Même la flotte la plus puissante du monde a besoin de ports, n'est-ce pas, amiral ? demanda Alexandre en se tournant vers Néarque...

— Cela ne fait aucun doute, mais...

— Il faudrait que tu occupes tous les abords des Détroits jusqu'au delta du Nil, pour lui couper la route, suggéra Eumène.

— En effet », dit Alexandre sans broncher.

Tard dans la nuit, la veille du départ, Alexandre regagna Aigai où il s'était rendu pour accomplir un sacrifice sur la tombe de Philippe. Il monta aussitôt dans les appartements de sa mère. Elle veillait, solitaire, brodant un manteau à la lumière des lanternes.

Quand il frappa à sa porte, elle vint à sa rencontre et l'embrassa.

« Je n'aurais jamais cru que ce moment viendrait, dit-elle en essayant de dissimuler son émotion.

— Ce n'est pas la première fois que tu me vois partir, maman.

— Mais cette fois, c'est différent, je le sens. J'ai fait des rêves étranges, difficiles à interpréter.

— Je l'imagine. Aristote dit que les rêves sont engendrés par notre esprit, c'est pourquoi tu peux chercher la réponse au fond de toi.

— Je l'ai cherchée, mais depuis un certain temps, l'introspection me procure un sentiment de vertige, presque de peur.

— Et tu en connais la raison.

— Que veux-tu dire par là ?

— Rien. Tu as beau être ma mère, tu demeures pour moi l'être le plus mystérieux que j'aie jamais rencontré.

— Je ne suis qu'une femme malheureuse. Et voilà que tu pars pour une longue guerre. Mais il était écrit que ces choses-là se produiraient, que tu accomplirais des exploits extraordinaires, surhumains.

— Qu'est-ce que cela signifie ? »

Olympias se tourna vers la fenêtre, comme si elle cherchait des images et des souvenirs parmi les étoiles, ou sur la face de la lune. « Il y a longtemps, avant que tu naisses, j'ai rêvé qu'un dieu m'avait effleurée tandis que je dormais dans ma chambre nuptiale aux côtés de ton père. Et un jour, à Dodone, pendant ma grossesse, le vent qui s'insinuait parmi les branches des chênes sacrés a murmuré ton nom à mon oreille :

Alexandros

« Certains hommes, engendrés par des femmes mortelles, connaissent un destin hors du commun, et tu es de ceux-là, mon fils, j'en suis certaine. J'ai toujours considéré le fait d'être ta mère comme un privilège, ce qui n'implique pas que le moment de la séparation en soit moins amer.

— Il l'est aussi pour moi, maman. J'ai perdu mon père il y a peu de temps, t'en souviens-tu ? Et un témoin a dit qu'il t'avait vue glisser une couronne de fleurs au cou de son assassin.

— Cet homme a vengé les féroces humiliations que Philippe m'avait infligées, et il a fait de toi un roi.

— Cet homme a exécuté les ordres d'un instigateur. Pourquoi ne le couronnes-tu pas, lui aussi ?

— Parce que j'ignore de qui il s'agit.

— Mais je le saurai, tôt ou tard, et je le clouerai vivant au poteau.

— Et si ton père était un dieu ? »

Alexandre baissa les paupières et revit Philippe s'écrouler dans une mare de sang, il le vit s'effondrer lentement comme dans un rêve, et il put déchiffrer les rides que la souffrance gravait cruellement sur son visage avant de le tuer. Il sentit les larmes lui monter aux yeux.

« Si mon père est un dieu, je le rencontrerai un jour. Mais il ne sera certainement pas plus bienveillant avec moi que ne l'a été Philippe. J'ai offert des sacrifices à son ombre courroucée avant de partir, mère. »

Olympias leva à nouveau les yeux vers le ciel : « L'oracle de Dodone a marqué ta naissance. Un autre oracle, au milieu d'un désert ardent, marquera pour toi une autre naissance, dans une vie qui ne s'éteindra pas. » Puis elle se tourna brusquement vers son fils et se jeta dans ses bras. « Ne m'oublie pas, mon enfant. Mes pensées voleront vers toi chaque jour et chaque nuit. Mon esprit te servira de bouclier sur le champ de bataille, il guérira tes blessures, te frayera un chemin dans la pénombre, combattra les influences malignes, chassera la fièvre. Je t'aime, Alexandre, plus que tout au monde.

— Moi aussi, je t'aime, maman, et je penserai à toi

chaque jour. Maintenant saluons-nous, car je partirai avant que l'aube ne se lève. »

Olympias l'embrassa sur les joues, sur les yeux et la tête, elle le serrait contre sa poitrine comme s'il lui était impossible de le quitter.

Alexandre se libéra doucement de cette étreinte et dit à sa mère dans un dernier baiser : « Adieu, maman. Prends soin de toi. »

De grosses larmes s'échappèrent des yeux de la reine. Et c'est seulement lorsque les pas de son fils se furent perdus au loin, dans les couloirs du palais, qu'elle parvint à murmurer :

« Adieu, Alexandre. »

Elle veilla toute la nuit afin de le voir une dernière fois, de son balcon, enfiler son armure à la lumière des torches, se coiffer de son casque à crête, ceindre son épée et empoigner son bouclier, frappé de l'étoile d'or. Elle pouvait entendre Bucéphale hennir et piaffer d'impatience, et Péritas lancer des aboiements désespérés en essayant en vain de briser sa chaîne.

Elle l'observa ainsi, immobile, tandis qu'il s'envolait sur son étalon. Et elle demeura là jusqu'à ce que le dernier écho de son galop s'évanouisse dans le lointain, englouti par les ténèbres.

49

L'amiral Néarque ordonna aux soldats de hisser l'étendard royal et d'emboucher les trompettes, et la grande quinquérème s'ébranla, glissant légèrement sur les eaux. Le gigantesque tambour de Chéronée avait été fixé au centre du pont, à la base du grand mât, et quatre hommes donnaient le rythme aux rameurs en le frappant à l'aide de grandes massues enveloppées de cuir, de telle sorte que son grondement, porté par le vent, résonnait aux oreilles de tous les soldats dans le sillage du vaisseau amiral.

Alexandre se dressait à la proue, dans une armure de lames d'argent, coiffé d'un casque du même métal en forme de tête de lion à gueule ouverte. Il portait des jambières ciselées et une épée à poignée d'ivoire qui avait appartenu à son père. Il serrait dans sa main droite une lance de frêne, terminée par une pointe dorée qui brillait au soleil à chacun de ses mouvements, comme la foudre de Zeus.

Le roi paraissait envoûté par son rêve, il accueillait sur son visage la caresse du vent marin et celle de la lumière limpide du soleil. Debout sur les cent cinquante navires qui composaient la flotte, tous les soldats concentraient leur regard sur cette silhouette étincelante à la proue du vaisseau amiral, semblable à la statue d'un dieu.

Mais soudain, un bruit sembla tirer le roi de sa torpeur. Il tendit l'oreille, balaya les environs d'un regard inquiet. Néarque s'approcha. « Que se passe-t-il, sire ?

— Écoute, n'entends-tu rien ? »

Néarque secoua la tête : « Non, rien.

— Mais si, écoute. On dirait... c'est impossible ! »

Il descendit du château de proue et marcha le long de la muraille jusqu'à ce qu'il entende, plus clairement cette fois-ci, mais toujours faiblement, l'aboiement d'un chien. En scrutant les vagues ourlées d'écume, il aperçut Péritas qui nageait désespérément, à la limite de ses forces. Alors il s'écria : « C'est mon chien ! C'est Péritas, sauvez-le ! Sauvez-le, par Héraclès ! »

Trois marins plongèrent immédiatement et ils entourèrent de cordes le corps de l'animal pour le hisser à bord.

Une fois sur le pont, la pauvre bête se coucha, complètement épuisée, tandis qu'Alexandre s'agenouillait devant elle, la caressant avec émotion. Un bout de chaîne pendait encore à son cou, et ses pattes saignaient d'avoir tant couru.

« Péritas, Péritas, répétait-il. Ne meurs pas.

— Ne t'inquiète pas, sire, le rassura un vétérinaire de l'armée aussitôt accouru. Il s'en tirera. Il est seulement mort de fatigue. »

Séché et réchauffé par les rayons du soleil, Péritas donna bientôt des signes de vie et fit entendre sa voix. C'est alors que Néarque posa la main sur l'épaule du roi. « Sire, l'Asie. »

Alexandre bondit et se précipita à la proue : la rive asiatique se profilait devant lui, découpée par mille criques et ponctuée de villages enchâssés dans des collines boisées et des plages ensoleillées.

« Nous allons débarquer », ajouta Néarque tandis que les marins amenaient la voile et s'apprêtaient à jeter l'ancre.

Le grand rostre de bronze fendait les vagues vaporeuses et Alexandre contemplait cette terre, désormais proche, comme si les rêves qu'il avait longuement caressés s'apprêtaient à devenir réalité.

Le commandant s'écria : « Rames dehors ! »

Les rameurs levèrent leurs rames ruisselantes, laissant le navire continuer sur son élan vers la côte. Quand ils se trouvèrent à proximité du rivage, Alexandre empoigna sa lance, prit son élan et la jeta de toutes ses forces.

La hampe pointue décrivit dans le ciel une large courbe en scintillant sous le soleil comme un météore, puis, reprenant de la vitesse, elle se précipita vers le sol avant de se planter en vibrant sur le sol asiatique.

Note de l'auteur

En décidant de rédiger ce « roman Alexandre » sur un ton moderne, j'ai voulu raconter de façon réaliste et prenante l'une des plus grandes aventures de tous les temps, sans renoncer pour autant à une extrême fidélité aux sources, aussi bien littéraires qu'historiques.

J'ai choisi une langue relativement actuelle — car le monde hellénistique fut « moderne » sous de nombreux aspects, dans l'expressionnisme de son art, dans l'innovation de son architecture, dans le progrès technique et scientifique, dans le goût de la nouveauté et du spectacle — tout en cherchant à éviter des expressions gratuitement anachroniques. Ainsi, j'ai employé dans le domaine militaire des termes aussi modernes que « bataillon » ou « général » pour traduire *lóchos* ou *strategós*, qui auraient pu rebuter de nombreux lecteurs ; et, dans le domaine médical, le mot « bistouri » pour indiquer un instrument chirurgical dont la présence est amplement attestée par l'archéologie.

J'ai tenté de restituer le langage typique de certains milieux et de divers personnages (femmes, hommes, soldats, prostituées, médecins, artistes, devins), en considérant que les poètes comiques (en particulier Aristophane et Ménandre) et les auteurs satiriques devaient, pour répondre aux exigences de leur art, reproduire un langage réaliste, et ce jusque dans ses connotations populaires et triviales. Ces poètes ont constitué pour moi une source précieuse en ce qui concerne certains aspects de la vie quotidienne, tels que la mode, la cuisine, les devises et les proverbes.

En ce qui concerne le domaine historique, j'ai essentiellement consulté Plutarque, Diodore de Sicile, Arrien et Quinte-Curce, et plus occasionnellement Trogue Pompée et le *Roman d'Alexandre*. Certains passages plus anecdotiques de Pline, Valère Maxime, Théophraste, Pausanias, Diogène Laerce m'ont été utiles pour la reconstitution anthropologique et sociale. Mais j'ai également puisé dans quantité de sources fort disparates, telles que Xénophon, Élien, Apollodore, Strabon, et naturellement Démosthène et Aristote, ainsi que des fragments d'historiens grecs perdus. Les sources archéologiques m'ont permis, en revanche, de visualiser les habitations, les intérieurs, les objets, les armes, les décors, le mobilier, les machines, les ustensiles, et j'ai pu, grâce à la récente découverte des tombes royales de Vergina, décrire de façon réaliste les funérailles de Philippe II.

Enfin, je désire remercier les amis qui m'ont assisté et conseillé, en particulier Lorenzo Braccesi, qui m'a accompagné au cours de ce long — et parfois complexe — voyage sur les traces d'Alexandre, ainsi que Laura Grandi et Stefano Tettamanti, qui ont suivi, page après page pourrait-on dire, la naissance de ce roman.

VALERIO MANFREDI.

CYCLE D'OGIER D'ARGOUGES

Une fantastique épopée enracinée dans l'Histoire de la guerre de Cent Ans au nom de l'honneur perdu.

LES LIONS DIFFAMÉS

En 1340, après la bataille de l'Écluse, le chevalier normand Godefroy d'Argouges, faussement accusé de trahison, est dégradé et les glorieux lions d'or de son blason sont diffamés. Pour venger cet opprobre, il envoie son fils Ogier apprendre le métier des armes dans le château de son oncle Guillaume de Rechignac. En Périgord, Ogier connaît les amours les plus simples, mais aussi les plus singulières avec Anne, la lavandière, Adelis, la ribaude et Tancrède, son étrange et inoubliable cousine qui sait si bellement s'offrir et si bien se reprendre.

LE GRANIT ET LE FEU

Cinq ans ont passé. Ogier est devenu un écuyer solide. Il songe moins à devenir chevalier qu'à restaurer son honneur. Hélas ! ses desseins subissent un contretemps terrible. Au cœur de l'été 1345, les Anglais se répandent en Périgord. La forteresse de Rechignac a excité la convoitise d'un capitaine d'aventure : Robert Knolles. Il somme Guillaume de lui livrer son château. Le vieux guerrier refuse. Ogier, son oncle et Blanquefort, son sénéchal, s'emploient à stimuler le courage des défenseurs. Les assauts des « routiers » se multiplient. Le fier château sera-t-il envahi ?

LES FLEURS D'ACIER

Jeudi 13 avril 1346. En fin de matinée, Ogier d'Argouges et ses compagnons contournent le champ clos de Chauvigny où des joutes vont rassembler, le dimanche suivant, les meilleurs chevaliers du Poitou et quelques personnages fameux du royaume. Ogier sait que

des émissaires du roi d'Angleterre doivent y rencontrer secrètement des nobles français traîtres à la Couronne. Parmi eux, Richard de Blainville, le favori du roi Philippe VI, l'homme qui a injustement dégradé son père et diffamé les lions de ses armes. Pourra-t-il, tout en sauvant l'honneur menacé de son suzerain, assouvir enfin sa vengeance ?

LA FÊTE ÉCARLATE

Dimanche 16 avril 1346. En ce jour de Pâques, la population de Chauvigny et des environs se presse autour du champ clos. Le hasard favorise Ogier dans son entreprise : il rencontre l'ancien chapelain de Gratot, frère Isambert, que sa couardise a conduit à servir Blainville. Il apprend que les conjurés vont se réunir dans un souterrain sous la maison du chévecier de l'église Saint-Pierre. Ces hommes décideront de la date à laquelle les armées anglaises débarqueront en Normandie afin de conquérir Paris et installer sur le trône des Valois le légitime successeur de Philippe le Bel : Édouard III.

LES NOCES DE FER

Mardi 3 octobre 1346. Ce jour-là, dans la matinée, Henry de Lancastre, comte de Derby, qui vient de conquérir les grandes cités de la Saintonge et d'en ruiner les édifices religieux, commande à son armée de se déployer autour de Poitiers. Ogier d'Argouges, qui a survécu au massacre de Crécy, cinq semaines auparavant, a quitté Gratot, le château familial, pour se rendre en Poitou et demander au seigneur des Halles de Poitiers, Herbert III Berland, la main de sa fille Blandine. Chemin faisant, il doute que sa démarche aboutisse.

LE JOUR DES REINES

Blessé devant Calais assiégé, Ogier d'Argouges, prisonnier, est emmené en Angleterre. Le roi Édouard III et sa noblesse, glorifiés par les manants du royaume, célèbrent leurs victoires par des fêtes grandioses : les joutes d'Ashby. Mêlé à des aventures guerrières et amoureuses où apparaissent Catherine de Salisbury et Jeanne de Kent, surnommée la plus belle fille d'Angleterre, Ogier est bien déterminé à refuser sa condition d'otage.

L'ÉPERVIER DE FEU

L'Épervier de feu décrit d'hallucinante façon l'hécatombe que la peste noire provoqua en 1348 en Normandie. Non seulement l'irrésistible fléau y détruisit les manants, les paysans, les prud'hommes et leurs familles, mais il ouvrit ce malheureux duché à des hordes aussi épouvantables que la gigantesque épidémie.

ÉGALEMENT CHEZ POCKET
LITTÉRATURE « GÉNÉRALE »

ABGRALL JEAN-MARIE
La mécanique des sectes

ALBERONI FRANCESCO
Le choc amoureux
L'érotisme
L'amitié
Le vol nuptial
Les envieux
La morale
Je t'aime
Vie publique et vie privée

ALLÈGRE CLAUDE
Toute vérité est bonne à dire

ANTILOGUS PIERRE
FESTJENS JEAN-LOUIS
Guide de self-control à l'usage des conducteurs
Guide de survie au bureau
Guide de survie des parents
Le guide du jeune couple
L'homme expliqué aux femmes
L'école expliquée aux parents

ARNAUD GEORGES
Le salaire de la peur

BARJAVEL RENÉ
Les chemins de Katmandou
Les dames à la licorne
Le grand secret
La nuit des temps
Une rose au paradis

BERBEROVA NINA
Tchaïkovski

BERNANOS GEORGES
Journal d'un curé de campagne

BESSON PATRICK
Le dîner de filles
L'orgie échevelée
La Titanic

BLANC HENRI-FRÉDÉRIC
Combats de fauves au crépuscule
Jeu de massacre
Démonomanie

BOISSARD JANINE
Marie-Tempête
Une femme en blanc
La maison des enfants

BORDONOVE GEORGES
Vercingétorix

BORGELLA CATHERINE
Marion du Faouët, brigande et rebelle

BOTTON ALAIN DE
Petite philosophie de l'amour
Comment Proust peut changer votre vie
Le plaisir de souffrir
Portrait d'une jeune fille anglaise

BOUDARD ALPHONSE
Mourir d'enfance
L'étrange Monsieur Joseph

BOULGAKOV MIKHAÏL
Le Maître et Marguerite
La garde blanche

BOULLE PIERRE
L'épreuve des hommes blancs
La planète des singes
L'énergie du désespoir

BOVÉ JOSÉ
Le monde n'est pas une marchandise

BRAGANCE ANNE
Anibal
Le chagrin des Resslingen

BURGESS ANTHONY
L'orange mécanique
Le testament de l'orange
L'homme de Nazareth

BURON NICOLE DE
Chéri, tu m'écoutes ?
Mon cœur, tu penses à quoi ?

Buzzati Dino
Le désert des Tartares
Le K
Un amour

Carr Caleb
L'aliéniste
L'ange des ténèbres

Carrière Jean
L'épervier de Maheux
Achigan
L'indifférence des étoiles

Carrière Jean-Claude
La controverse de Valladolid
Le Mahabharata
La paix des braves
Simon le mage
Le cercle des menteurs
Entretiens sur la fin des temps

Cesbron Gilbert
Il est minuit, docteur Schweitzer

Chang Jung
Les cygnes sauvages

Chalon Jean
Le lumineux destin d'Alexandre David-Néel
Chère Marie-Antoinette
Journal de Paris 1963-1983
Journal d'Espagne 1973-1998

Chateaureynaud G.-O.
Le congrès de fantomologie
La faculté des songes

Chazal Claire
L'institutrice
À quoi bon souffrir ?

Chimo
J'ai peur
Lila dit ça

Cholodenko Marc
Le roi des fées

Clavel Bernard
Le carcajou
Les colonnes du ciel
1. La saison des loups
2. La lumière du lac
3. La femme de guerre
4. Marie Bon Pain
5. Compagnons du Nouveau Monde

La grande patience
1. La maison des autres
2. Celui qui voulait voir la mer
3. Le cœur des vivants
4. Les fruits de l'hiver

Jésus, le fils du charpentier
Malataverne
Lettre à un képi blanc
Le soleil des morts
Le seigneur du fleuve
L'espagnol
Le tambour du bief
Les petits bonheurs

Collet Anne
Danse avec les baleines

Comte-Sponville André/ Ferry Luc
La sagesse des Modernes

Condé Maryse
Ségou
1. Les murailles de la terre
2. La terre en miettes

La colonie du Nouveau Monde
Désirada
La migration des cœurs
Le cœur à rire et à pleurer

Courrière Yves
Joseph Kessel

Cousteau Jacques-Yves
L'homme, la pieuvre et l'orchidée

Decaux Alain
L'abdication
C'était le XXe siècle
1. De la belle époque aux années folles
2. La course à l'abîme
3. La guerre absolue
4. De Staline à Kennedy

Histoires extraordinaires
Nouvelles histoires extraordinaires
Tapis rouge

Deguinet Jean-Marie
Mémoires d'un paysan breton

Deniau Jean-François
La Désirade
Mémoires de 7 vies
1. Les temps nouveaux
2. Croire et oser

Deviers-Joncour Christine
Opération bravo

Evans Nicholas
L'homme qui murmurait à l'oreille des chevaux
Le cercle des loups

Faulks Sebastian
Charlotte Gray

Fitzgerald Scott
Un diamant gros comme le Ritz

Forester Cecil Scott
Aspirant de marine
Trésor de guerre
Retour à bon port
Pavillon haut
Le seigneur de la mer

France Anatole
Crainquebille
L'île des pingouins

Franck Dan, Vautrin Jean
Les aventures de Boro
La dame de Berlin
Le temps des cerises
Les noces de Guernica
Mademoiselle Chat

Gallo Max
Napoléon
1. Le chant du départ
2. Le soleil d'Austerlitz
3. L'empereur des rois
4. L'immortel de Sainte-Hélène
La Baie des Anges
1. La Baie des Anges
2. Le Palais des fêtes
3. La Promenade des Anglais
De Gaulle
1. L'appel du destin
2. La solitude du combattant
3. Le premier des Français
4. La statue du commandeur

Genevoix Maurice
Beau François
Bestiaire sans oubli
La forêt perdue
Le jardin dans l'île
La Loire, Agnès et les garçons

Giroud Françoise
Alma Mahler
Jenny Marx
Cœur de tigre
Cosima la sublime

Grèce Michel de
Le dernier sultan
L'envers du soleil – Louis XIV
La femme sacrée
Le palais des larmes
La Bouboulina
L'impératrice des adieux

Halimi Gisèle
Fritna
Le lait de l'oranger

Hamilton Jane
La carte du monde

Hermary-Vieille Catherine
Un amour fou
Lola
L'initié
L'ange noir

Hirigoyen Marie-France
Le harcèlement moral

Jacq Christian
L'affaire Toutankhamon
Champollion l'Égyptien
Maître Hiram et le roi Salomon
Pour l'amour de Philae
Le Juge d'Égypte
1. La pyramide assassinée
2. La loi du désert
3. La justice du Vizir
La reine soleil
Barrage sur le Nil
Le moine et le vénérable
Sagesse égyptienne
Ramsès

Une peine à vivre
Tombéza
La malédiction
Le printemps n'en sera que plus beau
Chroniques de Tanger

MIQUEL PIERRE
Le chemin des Dames

MITTERRAND FRÉDÉRIC
Les aigles foudroyés
Destins d'étoiles
Lettres d'amour en Somalie

MOGGACH DEBORAH
Le peintre des vanités

MONTEILHET HUBERT
Néropolis

MONTUPET JANINE
La dentellière d'Alençon
La jeune amante
Un goût de miel et de bonheur sauvage
Dans un grand vent de fleurs
Bal au palais Darelli
Couleurs de paradis
La jeune fille et la citadelle

MORGIÈVE RICHARD
Fausto
Sex vox dominam
Cueille le jour

NAKAGAMI KENJI
Mille ans de plaisir

NAUDIN PIERRE
Cycle d'Ogier d'Argouges
1. Les lions diffamés
2. Le granit et le feu
3. Les fleurs d'acier
4. La fête écarlate
5. Les noces de fer
6. Le jour des reines
7. L'épervier de feu

NIN ANAÏS
Henry et June (Carnets secrets)

O'BRIAN PATRICK
Maître à bord
Capitaine de vaisseau
La « Surprise »
L'île de la Désolation
La citadelle de la Baltique
Expédition à l'île Maurice
Mission en mer Ionienne

ORBAN CHRISTINE
Une folie amoureuse
Une année amoureuse de Virginia Woolf
L'âme sœur
L'attente

PEARS IAIN
Le cercle de la croix

PEREC GEORGES
Les choses

PEYRAMAURE MICHEL
Henri IV
1. L'enfant roi de Navarre
2. Ralliez-vous à mon panache blanc !
3. Les amours, les passions et la gloire

Lavalette, grenadier d'Egypte
Suzanne Valadon
1. Les escaliers de Montmartre
2. Le temps des ivresses

Jeanne d'Arc
1. Et Dieu donnera la victoire
2. La couronne de feu

PICARD BERTRAND, BRIAN JONES
Le tour du monde en 20 jours

PIERRE BERNARD
Le roman de la Loire

PURVES LIBBY
Comment ne pas élever des enfants parfaits
Comment ne pas être une mère parfaite
Comment ne pas être une famille parfaite

QUEFFELEC YANN
La femme sous l'horizon
Le maître des chimères
Prends garde au loup
La menace
Noir animal

Revel Jean-François
Mémoires
La grande parade

Rey Françoise
La femme de papier
La rencontre
Nuits d'encre
Marcel facteur
Le désir

Reynaert François
Nos années vaches folles

Rice Anne
Les infortunes de la Belle au bois dormant
1. L'initiation
2. La punition
3. La libération

Rifkin Jeremy
Le siècle biotech

Rivard Adeline
Bernard Clavel, qui êtes-vous ?

Roberts Monty
L'homme qui sait parler aux chevaux

Rouanet Marie
Nous les filles
La marche lente des glaciers
Les enfants du bagne

Sagan Françoise
Aimez-vous Brahms..
... et toute ma sympathie
Bonjour tristesse
La chamade
Le chien couchant
Dans un mois, dans un an
Les faux-fuyants
Le garde du cœur
La laisse
Les merveilleux nuages
Musiques de scènes
Répliques
Sarah Bernhardt
Un certain sourire
Un orage immobile
Un piano dans l'herbe
Un profil perdu
Un chagrin de passage
Les violons parfois
Le lit défait
Un peu de soleil dans l'eau froide
Des bleus à l'âme
Le miroir égaré
Derrière l'épaule...

Saint-Exupéry Consuelo de
Mémoires de la rose

Salinger Jerome-David
L'attrape-cœur
Nouvelles

Sarraute Claude
Des hommes en général et des femmes en particulier
C'est pas bientôt fini !

Saumont Annie
Après
Les voilà quel bonheur
Embrassons-nous

Sparks Nicholas
Une bouteille à la mer

Steinberg Paul
Chroniques d'ailleurs

Stocker Bram
Dracula

Tartt Donna
Le maître des illusions

Thibaux Jean-Michel
Pour comprendre l'Egypte ancienne
Pour comprendre les celtes et les gaulois
Pour comprendre la Rome antique
Le roman de Cléopâtre

Troyat Henri
Les semailles et les moissons
1. Les semailles et les moissons
2. Amélie
3. La Grive
4. Tendre et violente Élisabeth
5. La rencontre

La ballerine de Saint-Pétersbourg

Valdés Zoé
Le néant quotidien
Sang bleu *suivi de* La sous-développée
La douleur du dollar
Café nostalgia

VANIER NICOLAS
L'odyssée blanche

VANOYEKE VIOLAINE
Une mystérieuse Égyptienne
Le trésor de la reine-cobra

VIALATTE ALEXANDRE
Bananes de Königsberg
Chronique des grands micmacs
Dernières nouvelles de l'homme
L'éloge du homard et autres insectes utiles
Et c'est ainsi qu'Allah est grand

VILLERS CLAUDE
Les grands aventuriers
Les grands voyageurs
Les voyageurs du rêve

WALTARI MIKA
Les amants de Byzance
Jean le Pérégrin

WELLS REBECCA
Les divins secrets des petites ya-ya

WICKHAM MADELEINE
Un week-end entre amis
Une maison de rêve

WOLF ISABEL
Les tribulations de Tiffany Trott

WOLFE TOM
Un homme, un vrai

XÉNAKIS FRANÇOISE
« Désolée, mais ça ne se fait pas »

La photocomposition de cet ouvrage a été réalisée par
GRAPHIC HAINAUT - 59163 Condé-sur-l'Escaut

Imprimé en France sur Presse Offset par

BRODARD & TAUPIN

GROUPE CPI

20973 – La Flèche (Sarthe), le 20-10-2003
Dépôt légal : février 2001

POCKET – 12, avenue d'Italie - 75627 Paris cedex 13
Tél. : 01.44.16.05.00